UNION GÉNÉRALE D'ÉDITIONS
8, rue Garancière — Paris-VIᵉ

LE ROMAN DE RENART

Tome I

édition bilingue

Traduction de
Micheline DE COMBARIEU DU GRÈS
et Jean SUBRENAT

Série « Bibliothèque médiévale »
dirigée par Paul Zumthor

© Union Générale d'Éditions, 1981
ISBN 2-264-00377-4

AVERTISSEMENT

Lancée au sein de la série 10/18, cette collection a pour but d'offrir à un très large public des moyens d'accès direct à la culture du Moyen Age. Elle répond ainsi à une demande sensible, en France et à l'étranger, depuis quelques années, demande dont témoigne aussi bien le succès des thèmes et images médiévaux dans des domaines comme le cinéma, la télévision ou la bande dessinée.

Jusqu'ici plusieurs obstacles gênent, pour les non-spécialistes, cet accès direct : ils tiennent à la fois au mode d'édition et aux difficultés propres à la langue médiévale.

D'une part, diverses maisons d'édition littéraire ont publié en traduction un petit nombre des textes où s'est exprimé le Moyen Age; mais la traduction seule, par l'inévitable modernisation qu'elle implique, dénature plus ou moins l'original, et peut en fausser la compréhension, en empêcher la perception juste.

D'autre part, plusieurs maisons d'éditions de caractère

*universitaire publient des collections de textes originaux,
dignes de toute confiance sur le plan historique, mais
destinées de façon spécifique à l'enseignement et à la
recherche, et pourvues à cette fin d'un appareil, parfois
considérable, d'érudition.*

*Un facteur accroît ces difficultés, que rencontre tout
amateur des choses médiévales : parmi les très nombreux
textes que nous a légués, en manuscrit, le Moyen Age, seul
un nombre assez restreint a été l'objet d'éditions multiples, de rééditions et d'un effort de diffusion qui l'a mis en
vedette. Or, le choix de cette « élite » de textes n'a souvent
été dicté que par d'anciennes routines, sinon par une idée
préconçue et conventionnelle de la civilisation médiévale;
il demande à être élargi.*

*La collection Moyen Age vise à surmonter ces obsta-
cles, tout en faisant bénéficier sa clientèle des avantages
que comporte le livre de poche. Elle se limitera toutefois,
en principe, à procurer des textes qui furent écrits en
ancien français, sans s'interdire d'en présenter parfois qui
le furent en latin ou en occitan ancien.*

*Tous les volumes de la collection donneront le texte
original, accompagné, soit d'une traduction-juxta (littérale et uniquement destinée à permettre au lecteur de le
déchiffrer sans peine), soit (s'il s'agit de textes plus
récents et relativement faciles) d'un lexique des mots
rares ou désuets. Texte et traduction seront établis par
des médiévistes qualifiés, selon les meilleures méthodes
philologiques; mais ils seront publiés sans appareil érudit
ni notes critiques qui pourraient alourdir la lecture. Une
introduction fondée sur les recherches les plus récentes,
présentera le texte en le replaçant dans son contexte
historique et culturel.*

*Quant au choix des textes qu'offrira la collection, il
sera dicté par une intention de découverte, par le désir de
guider les lecteurs, soit vers des secteurs moins connus*

mais révélateurs de la civilisation médiévale, soit vers des œuvres majeures mais qui aujourd'hui encore restent introuvables, faute d'éditions, ou le sont devenues faute de rééditions.

Dans la mesure du possible on fera alterner la parution de textes plus anciens (XIᵉ-XIIIᵉ siècles) et de textes plus récents (XIVᵉ-XVᵉ). Les textes courts seront regroupés en anthologies centrées sur un genre, un thème ou un style.

L'ÉDITEUR.

INTRODUCTION

Il n'est pas fréquent que le nom d'un personnage littéraire s'impose au point de prendre la place d'un substantif dont l'usage est quasiment quotidien. Dans un monde essentiellement rural où les « goupils » sont bien les voleurs et étrangleurs de volailles, ennemis jurés des poulaillers... et des fermiers, ils ont abandonné leur nom pour celui du plus fameux d'entre eux : Renart. Ce simple fait suffit déjà à montrer la célébrité de ces contes d'animaux rassemblés sous le titre de *Roman de Renart* dont nous proposons ici un large choix.

C'est pendant la période correspondant approximativement au règne de Philippe-Auguste (1180-1223) que vont être écrites les différentes branches qui constituent la biographie aventureuse et poétique du goupil, de ses compagnons et de ses ennemis, organisés en une société animale à la tête de laquelle règne le roi-Lion, Noble. Leurs auteurs, anonymes pour la plupart, s'inspirant d'une double tradition, savante (fables de l'Antiquité en particulier) et populaire (contes d'animaux), n'en oublient pas pour autant de regarder le monde qui les entoure.

Sous le masque révélateur de la société fictivement animale, nous découvrons une peinture étonnamment vivante et crue * du monde médiéval aux XII⁰-XIII⁰ siècles, dans son foisonnement, son incohérence, ses injustices, avec partout la présence de la terre, de la faim et de la violence, — *et celle du rire;* mais aussi, — on n'est pas lettré pour rien et surtout pour n'être pas critique —, la parodie des genres littéraires à la mode : chansons de geste, romans courtois, (Cervantès reprendra cette démarche avec sa dénonciation des romans de chevalerie dans le *Don Quichotte*), parodie culturelle qui devient moyen d'une satire sociale, politique peut-être, morale à coup sûr (l'idéalisation épique et courtoise n'est pas innocente, elle dissimule en la travestissant une réalité où seuls comptent les rapports de force), avec partout la présence d'un langage rejetant les interdits tant du style « élevé » que de la langue quotidiennement parlée, — *et celle du rire;* et enfin, l'instauration d'un univers poétique et fantastique où, sous couleur d'anthropomorphisme, on ne sait jamais si on va avoir affaire à l'animal — à pattes et peau, qui dévore sa proie toute crue —, ou à l'homme — à pieds et pelisse, qui fait cuire la sienne —, avec partout la présence du langage (animal) et des cris (humains), — *et celle du rire.*

L'autonomie des branches (chacune raconte une ou plusieurs aventures) permet des regroupements multiples. D'un ensemble de 30 000 vers environ, constitué par 27 branches, nous avons gardé, pour les faire entrer dans les limites de ces deux volumes, la moitié des textes qui, de la « naissance » à la « fausse mort » de Renart permettront au lecteur de se familiariser avec notre héros et avec l'art de ses différents « pères » littéraires.

* Rien à voir avec les versions édulcorées qu'on en a tirées à l'usage des « enfants des écoles ».

CHRONOLOGIE APPROXIMATIVE DES BRANCHES CONTENUES DANS CES VOLUMES

L'HISTOIRE ET SES MENTALITÉS

Période de développement, de réformes et de mutation que celle du règne de Philippe Auguste. Nous n'en retiendrons que ce qui en trouve un écho dans le *Roman de Renart*.

Sur le plan politique, le roi s'efforce de pacifier son

royaume et d'affirmer son pouvoir aux dépens de celui de ses vassaux : cette lutte entre pouvoir royal et pouvoir féodal se reflète dans les rapports difficiles entre Noble et Renart, dans les révoltes du vassal qui trouve bien des complicités parmi les barons, dans les tentatives du roi pour se faire obéir, parfois encore timides, parfois déjà autoritaires. La croisade à laquelle le roi de France participe aux côtés de l'Anglais Richard Cœur de Lion et de l'Allemand Frédéric Barberousse, lui est aussi une occasion d'accroître son prestige : Noble de même ira guerroyer contre les païens jusqu'à Constantinople.

Sur le plan économique, on assiste au développement des terres mises en culture : la croissance démographique que connaît l'époque rend ce progrès nécessaire en même temps qu'elle le permet. D'où, dans notre *Roman,* ces mentions fréquentes de fermes ou de hameaux situés en bordure de forêt (lieu de contact idéal entre animalité et humanité, nature et culture, Renart et les poules) et dont on nous précise qu'ils sont entourés de terres récemment défrichées.

Sur le plan religieux, la fin du XIIe siècle voit l'épanouissement de la réforme monastique de saint Bernard (mort en 1153). A cette date, il y a 350 abbayes cisterciennes; en 1200, elles sont 530, généralement orientées vers une agriculture fort prospère; rien d'étonnant donc à ce que Renart aille souvent y chercher et y trouver ses mets préférés : poules, coqs et chapons.

Au demeurant, la puissance de l'Église, à la fois en tant qu'institution hiérarchisée et en tant que régente des mœurs, des esprits et des âmes, tolère très bien un certain anticléricalisme. Personne ne se scandalise d'entendre Renart et Tibert chanter un office, de voir le loup Ysengrin se laisser tonsurer d'étrange manière ou d'assister à la discussion fort mesquine de deux prêtres au sujet de la peau du chat Tibert.

L'ART ET LA LITTÉRATURE

Avec Renart, nous sommes à la campagne : aussi nous n'y verrons rien du passage de l'art dit « roman » à l'ordre ogival. En revanche, nous aurons un (timide) écho des premiers essais de la polyphonie vocale avec les chants religieux de Tibert et Renart célébrant l'office.

Dans le domaine littéraire et intellectuel, au moment où la vogue de Renart se développe, sont déjà écrits les premiers romans inspirés de l'Antiquité *(Roman de Thèbes, Roman de Troie, Eneas);* les chansons de geste de la première époque *(Chanson de Roland,* début du cycle de Guillaume et de la geste des Lorrains) sont célèbres; le cycle breton commence à être bien connu avec les œuvres de Chrétien de Troyes *(Erec et Enide, Lancelot);* le roman de Tristan et Yseut est paru ainsi que les lais de Marie de France. L'inspiration courtoise, née dans le Midi avec les troubadours, a commencé à marquer la littérature du Nord, celle de langue d'Oïl, qu'il s'agisse de la poésie lyrique des trouvères ou des romans comme ceux de Chrétien de Troyes.

Parallèlement aux aventures de Renart, la production littéraire se multiplie dans tous les domaines :

— épopée : avec des œuvres comme *Girart de Vienne, Ogier le Danois, Raoul de Cambrai, les Quatre Fils Aymon;*

— roman : avec les romans en prose de la Table Ronde (en particulier le cycle du Graal);

— théâtre : avec le *Jeu de saint Nicolas,* le *Jongleur de Notre-Dame;*

— contes et récits : les fabliaux;

— poésie : avec les troubadours de la deuxième génération et, au Nord, les trouvères.

Les foyers littéraires les plus actifs sont ceux des cours

seigneuriales et royales (comme à l'époque précédente), mais aussi des villes (Arras dans le Nord en particulier) dont l'importance s'accroît sur tous les plans avec l'essor de la bourgeoisie commerçante et pré-industrielle.

Le Roman de Renart participe donc à une époque d'intense activité intellectuelle et culturelle : aussi ne sera-t-il pas étonnant que derrière telle cour judiciaire de Noble le lion ou tel combat entre deux de ses vassaux, on sente en filigrane le monde de l'épopée et même le style de la chanson de geste; ou que la manière dont Renart courtise Dame Fière la lionne rappelle de près certaines œuvres romanesques. Le *Roman de Renart* ne souffre pas du voisinage avec ces œuvres prestigieuses. Osera-t-on dire qu'il est plus « vrai » que l'épopée qui idéalise, que le roman courtois qui raffine, que la poésie lyrique qui formalise?

En définitive, le *Roman de Renart* ne se laisse pas classer : œuvre réaliste par son observation des mécanismes qui mènent le monde (la faim, les relations de pouvoir), œuvre satirique par sa critique des hypocrisies et des imperfections de la société, œuvre parodique des modes littéraires contemporaines, œuvre fantastique par sa peinture anthropomorphique des animaux.

Œuvre de moralistes certes, mais non moralisante : le récit comporte en lui-même sa leçon. A nous voir animalisés, peut-être acceptons-nous mieux de nous (re)connaître, sinon de nous amender.

Mais voilà qu'après avoir parlé des « branches » du *Roman de Renart*, nous parlons de celui-ci comme s'il constituait une œuvre unique. C'est que cet ensemble, composé en plusieurs décennies, par des poètes divers, dans des provinces différentes, garde, dans sa diversité, une cohérence surprenante. En même temps, sa composition permet la multiplicité des aventures et doue son héros d'immortalité : aucun auteur ne se risque à le faire mourir, sauf d'une fausse mort destinée à permettre toutes les résurrections. On ne s'en est pas privé :

> « Renars est mors, Renars est vis
>
> . . . .
>
> Et Renars reingne. »

écrit Rutebeuf (*Renart le bestourné,* v. 1 et 3) qui avait pourtant, quant à lui, enterré les autres héros de son temps :

> « Mort sont Ogier et Charlemaine »
>
> (*Complainte de Constantinople,* v. 127)

Après lui, bien d'autres, au XIVᵉ siècle et plus tard, feront de même. Dernier avatar de Renart au XXᵉ siècle, il vient d'être, en cette année 1980, transposé à notre époque sous la forme doublement moderne du roman policier raconté en bandes dessinées. Décidément, oui, Renart est toujours vivant et bien vivant.

Indications bibliographiques.

N.B. : le texte édité est celui que contient le manuscrit 20043 du fonds français de la Bibliothèque Nationale, texte déjà retenu par Ernest Martin dans son édition (Strasbourg 1882-1887). Pour quelques passages peu clairs, l'on a tenu compte des corrections proposées par Gunnar Tilander (Notes sur le texte du Roman de Renart, in Zeitschrift für Romanische Philologie, XLIV, 1924, p. 658-721).

Quelques ouvrages à consulter :

Lucien FOULET, *le Roman de Renart,* Paris, Champion 1913, rééd. 1963.

Robert BOSSUAT, *le Roman de Renart,* Paris, Hatier (Connaissance des Lettres, n° 49) 1957.

John FLINN, *le Roman de Renart* dans la littérature française et dans les littératures étrangères du Moyen Age. University of Toronto Press, 1963.

I

LES ANIMAUX NÉS DES HOMMES

La branche XXIV, qui raconte la naissance de Renart, toute tardive qu'elle est (postérieure à 1200), se place naturellement en tête de ce recueil par son sujet même. A la manière de la tradition épique, c'est seulement lorsqu'un héros est célèbre que l'on s'interroge sur son origine, sur ses « enfances ».

Dans le ton de la littérature moralisante (une exception dans le Roman de Renart*), l'auteur rappelant la création du monde, développe une association d'idées entre le goupil et la femme, Ève, qui avait pactisé avec le Diable.*

La branche se termine par le premier exploit de Renart, prémisses de toute la vie adulte du héros dans sa chronologie romanesque, même si l'auteur, écrivant parmi les derniers, y a rassemblé certains thèmes des branches antérieures : rôle de la faim, triomphe de la ruse sur la force.

XXIV

Or oiez, si ne vos anuit!
Je vos conterai par deduit
Conment il vindrent en avant,
Si con je l'ai trouvé lisant,
Qui fu Renart et Ysengrin.
Je trovai ja en un escrin
Un livre, Aucupre avoit non :
La trovai ge mainte raison
Et de Renart et d'autre chose
10 Dont l'en doit bien parler et ose.
A une grant letre vermoille
Trovai une molt grant mervoille.
Se je ne la trovasse ou livre,
Je tenisse celui a ivre
Qui dite eüst tele aventure :
Mes l'en doit croire l'escriture.
A desonor muert a bon droit
Qui n'aime livre ne ne croit.
   Aucupres dit en cele letre
20 (Bien ait de Dieu qui l'i sot metre!)
Come Diex ot de paradis
Et Adam et Evain fors mis
Por ce qu'il orent trespassé
Ce qu'il lor avoit commandé.
Pitié l'en prist, si lor dona
Une verge, si lor mostra,
Qant il de rien mestier auroient,
De cele verge en mer feroient.
Adams tint la verge en sa main,

LES ENFANCES RENART (XXIV)

Écoutez-moi, s'il vous plaît, je vais vous raconter, pour votre plaisir, qui étaient Renart et Ysengrin, — c'est le fruit de mes lectures, — et comment ils vinrent au monde. J'ai trouvé autrefois, dans un coffre, un livre intitulé *Aucupre*[1]. J'y ai appris beaucoup de choses, en particulier sur Renart : il n'y a pas de raison de les taire et il faut bien oser en parler. Une grande lettre vermeille marquait le début d'un chapitre qui racontait une aventure vraiment surprenante; si je ne l'avais pas lue, j'aurais cru ivre quiconque me l'eût rapportée. Mais il faut croire ce qui est écrit. Et il est juste que meure déshonoré celui qui n'aime pas les livres et ne leur fait pas confiance.

Aucupre rapporte donc dans ce chapitre [20] (Que Dieu bénisse son auteur!) comment Dieu chassa Adam et Ève du Paradis parce

³⁰ En mer feri devant Evain :
Sitost con en la mer feri,
Une brebiz fors en issi.
Ce dist Adam : « dame, prenez
Ceste brebiz, si la gardez :
Tant vos donra lait et fromache,
Assez i aurons conpenage. »
Eve en son cuer se porpensoit
Que s'ele une encor en avoit,
Plus bele estroit la conpaingnie.
⁴⁰ Ele a la verge tost saisie,
En la mer fiert moult roidement :
Un leus en saut, la berbiz prent.
Grant aleüre et grant galos
S'en va li leus corant as bos.
Quant Eve vit qu'ele a perdue
Sa brebiz, s'ele n'a aiue,
Brait et crie forment « ha ha! »
Adam la verge reprisse a,
En la mer fiert par maltalant,
⁵⁰ Un chien an saut hastivemant.
Quant vit le leu, si laisse corre
Por la berbiz qu'il vost rescorre.
Il li requeut : moult a enviz
La laissa li leus la berbiz.
Si feroit il encor demain,
S'il la tenoit n'a bois n'a plain.
Por ce que meffait ot li leus,
Au bois s'en foui tout honteus.

    Adams ot son chien et sa beste,
⁶⁰ Si en fait grant joie et grant feste.
Selonc la santance dou livre
Ces deus bestes ne puent vivre
Ne durer mie longement,
S'eles n'estoient avec gent.

22

qu'ils avaient désobéi à ses commandements, puis comment Il eut pitié d'eux et leur donna une baguette en leur disant qu'ils n'auraient qu'à en frapper la mer dès qu'ils auraient besoin de quelque chose. Alors, Adam, prenant la baguette, frappe la mer sous les yeux d'Ève. Aussitôt, en surgit une brebis.

— « Dame, prenez cette brebis et gardez-la bien », dit-il. « Elle vous donnera du lait et du fromage pour manger avec notre pain. »

Ève se disait en elle-même que si elle en avait une deuxième, ce n'en serait que mieux. [40] Elle prend donc la baguette et frappe la mer avec force à son tour. C'est un loup qui en sort, il s'empare de la brebis et se précipite au triple galop dans la forêt. Se rendant compte que, si on ne lui vient pas en aide, c'en est fait de sa brebis, Ève pousse de grands cris : « A l'aide, au secours! » Adam, qui a repris la baguette, frappe la mer avec colère et un chien en bondit aussitôt. A la vue du loup, il se lance à sa poursuite afin de sauver la brebis qu'il réussit à délivrer. C'est bien à contre-cœur que le loup la lui abandonne. Mais il recommencerait le lendemain, s'il pouvait l'enlever à nouveau dans les champs ou les

Ne savez beste porpenser
Miauz ne s'em puisse conserver.
Toutes les foiz c'Adens feri
En la mer, que beste en issi,
Cele beste si retenoient,
70 Quel que iert, si l'aprivoisoient.
Celes que Eve en fist issir,
Ne pot il onques retenir :
Sitost con de la mer issoient,
Apres le leu au bois aloient.
Les Adam bien aprivoisoient,
Les Evain asauvagisoient.
Entre les autres en issi
Le gorpis, si asauvagi :
Rous ot le poil conme Renarz,
80 Moult par fu cointes et gaingnarz :
Par son sens toutes decevoit
Les bestes qantqu'il en trovoit.
Icil gorpis nos senefie
Renart qui tant sot de mestrie :
Tot cil qui sont d'anging et d'art
Sont mes tuit apelé Renart.
Por Renart et por le gorpil
Moult par sorent et cil et cil.
Se Renart sot gent conchier,
90 Li gorpix bestes engingnier.
Moult par furent bien d'un lignage
Et d'unes meurs et d'un corage.
Tot ensement de l'autre part
Ysengrin li oncle Renart,
Fu (ce sachiez) moult fort roberre,
Et par nuit et par jor fort lerre.
Icelui leu senefia,
Qui les berbiz Adam roba :
Tot cil qui sorent bien rober

bois. En attendant, tout penaud de son échec, il s'enfuit dans la forêt tandis qu'Adam se ⁶⁰ réjouit d'avoir à lui chien et brebis.

Le livre dit que ces deux bêtes meurent rapidement si elles vivent longtemps loin des hommes. Vous ne sauriez imaginer d'animal plus apte à se protéger de la sorte.

A chaque fois qu'Adam frappait la mer pour en faire sortir un animal, ils le gardaient quel qu'il soit et l'apprivoisaient. Mais ils ne pouvaient jamais y arriver avec ceux qu'Ève en faisait surgir ; en effet, sitôt sortis de l'eau, ils rejoignaient le loup au fond du bois. Les bêtes créées par Adam devenaient domestiques, celles créées par Ève sauvages. C'est ainsi qu'entre autres est né le goupil. Il était ⁸⁰ roux comme Renart [2] et habile autant que voleur. Son astuce lui permettait de tromper toutes les bêtes qu'il rencontrait. Ce goupil rappelle Renart le maître ès ruses ; depuis ce temps-là, on appelle Renart tous ceux que l'artifice et la tromperie font vivre. Grâce à Renart et au goupil, ces gens-là en savent beaucoup. Renart savait tromper les hommes tout comme le goupil sait ruser avec les animaux. Ils sont bien de la même race, ils ont

100 Et par nuit et par jor embler,
Sont bien a droit dit Ysengrin.
Cist furent bien endui d'un lin,
Et d'un pansé et d'un corage.
Larron furent tuit d'un aage,
Et Ysengrin apele l'on
Le leu par iceste acoison.
Dame Hersant resenefie
La louve qui si est haïe,
Que si par est aigre d'anbler,
110 Bien puet cele Hersent senbler :
Cele Hersent la lentilleuse,
Qui fame ert Ysengrin espeuse.
La gorpille le senefie,
Car moult set d'art et de mestrie :
(Se l'une iert mestre abaeresse,
Et l'autre mestre lecharesse,
Moult furent bien les deux d'un cuer,
L'une fu l'autre, ce cuit, suer)
Por Richout la fame Renart.
120 Por le grant engin et pot l'art
Est la gorpille Richeut dite :
Se l'une est chate, l'autre est mite.
Moult a ci bone conpaignie,
Et l'une et l'autre senefie.
Cist quatre sont bien asanblé,
Einz ne furent mes tel trové.
Se Ysengrin est mestre lerre,
Ausi est li rous forz roberre :
Si Richeuz est abaiaresse,
130 La gorpille est fort lecharesse.
Por ce qu'erent si d'un traïn,
Estoit Renart niés Isengrin.
Por ce que si bien s'entramoient
Et qu'ansanble sovent aloient,

la même conduite, le même caractère. Et pareillement, Ysengrin, l'oncle de Renart, était lui aussi, ne l'oubliez pas, grand voleur de jour comme de nuit. Il ressemblait comme un frère à ce loup qui a volé les brebis d'Adam. C'est pourquoi, on a l'habitude d'appeler Ysengrin les voleurs de grand chemin. Ils sont tous les deux, de la même famille, avec même tournure d'esprit et mêmes buts. Et c'est cette ressemblance qui a fait appeler de son côté, le loup, Ysengrin. Dame Hersent, quant à elle, rappelle la louve que son avidité à voler rend haïssable : la bête ressemble assurément à Hersent la fourbe, l'épouse d'Ysengrin, avec ses taches de rousseur. Quant à la renarde, elle est le portrait même de Richeut, la femme de Renart pour sa science en matière de ruse et de tromperie. Si l'une est soupçonneuse, l'autre est perfide. Elles se ressemblent si bien qu'on dirait deux sœurs. A cause de sa ruse et de son astuce, on appelle la renarde Richeut. Si l'une est chatte, l'autre est mitte. Qui se ressemble s'assemble, elles vont bien l'une avec l'autre. Tous les quatre sont donc bien assortis. Ysengrin est un maître voleur, le rouquin

Le leu du gorpil fait neveu
Et li gorpiz oncles dou leu.
Si faitement con je vos di,
Sont entr'aus parent et ami :
Ne s'apartienent autrement,
140 Se mes bons livres ne me ment,
Por ce que le gorpil disoit,
Qant il avec le leu aloit,
— « Biaus oncles, que volez vos faire? »
Le voloit a s'amor atraire.
Li lous disoit par amor fine
Au goupil vers qui n'ot haïne,
Par amistié s'entrapeloient
— « Oncles, neveu », quant se veoient.
A Renart puet on bien aprandre
150 Grant sen qui bien i viaut entendre :
Car cil Renart nos senefie
Caus qui sont plain de felonie,
Qui ne finent del agaitier
Con puissent autrui engingnier.
Ne ja le fel liez ne sera
Le jor q'autrui n'engingnera.
A engingnier li sont onni
Privé ou estrange ou ami :
Ja un seul n'en esparnera,
160 Ja si chier ami ne sera.
Et avec cele felonie
A il le cuer tout plain d'envie,
Et envie est cele racinne
Ou tout li mal prenent orine.
Avec felonie et envie
Escharsetez est lor amie,
Et escharsetez est tel chose
Que toz tens a la borse close.
Escharsetez est une vice

aussi. Richeut est soupçonneuse, la renarde trompeuse. Et c'est parce qu'ils sont de la même trempe que Renart est le neveu d'Ysengrin. En effet, comme ils s'entendaient bien et étaient souvent ensemble, le loup finit par considérer le renard comme son neveu et le renard le loup comme son oncle. Voilà comment ils sont devenus parents et amis; les choses ne se sont pas passées autrement, si [140] mon livre dit bien la vérité. Quand ils allaient de compagnie, Renart, qui voulait s'attirer les bonnes grâces du loup, l'interrogeait : « Que voulez-vous faire, mon cher oncle? » Et celui-ci parlait avec gentillesse et attention au renard qu'il aimait bien. Ils s'appelaient l'un l'autre affectueusement : « mon oncle, mon neveu » quand ils se rencontraient.

Renart peut nous donner une grande leçon si l'on consent à l'écouter, car il représente pour nous les êtres enclins au Mal qui ne cessent de chercher le moyen de faire du tort à autrui. Triste jour pour le méchant que celui où il n'a nui à personne. Peu lui importe qui sont ses victimes, parent, étranger ou ami. [160] Il n'épargnera personne, pas même son meilleur ami. Non content d'être fourbe, son cœur

170 Qui forment aime avarice :
   Avarice a le mont sorpris.
   Cil est clamez dolanz chaitis,
   Se rante n'a, se il n'usure.
   Or ai parlé outre mesure,
   Car cil qui les granz rantes ont,
   Ce sont cil qui mainz maus en font.
   Moult en puet l'en vilment parler,
   Mes je n'ai soin de plus conter.
      Une riens vos voil acointier :
180 Ne vous devez esmerveillier,
   Se j'ai mis en cest mien traitié
   Que de Renart ai commencié,
   Si com l'en parole d'autrui,
   Con vos porrez oïr ancui
   De dant Renart et d'Ysangrin.
   Car ce content nostre voisin
   Que une anesse parla ja
   Que un profete chevaucha :
   Balaam l'oï apeler,
190 Por ce le sai ainsi nomer.
   Balaac un rois l'out mené
   (Tant li out promis et doné)
   Par maltalent et par grant ire
   Tout le pueple Israel maudire.
   Nostres sires nou vost soufrir,
   Son ange fist devant venir,
   A une bien tranchant espee
   A la voie celui veee.
   Cil point l'asne del aguillon
200 Par derriere sor le crepon,
   Des esperons le destraingnoit,
   Et du chevestre le feroit.
   L'ane n'osoit avant aler,
   Par force le covint parler,

est rempli de haine, qui est la racine et la source de tous les maux. Traîtrise et haine ont pour compagne la ladrerie qui tient toujours fermés les cordons de sa bourse. C'est en effet un vice qui fait bon ménage avec la cupidité qui mène le monde. On considère comme un imbécile l'homme qui, n'ayant pas de rentes, se refuse à pratiquer l'usure. C'est en fait là une affirmation bien hardie car ce sont précisément ceux qui ont de bons revenus qui les utilisent pour faire le mal. Il y aurait beaucoup à dire contre eux. Mais il suffit sur ce sujet.

Je veux maintenant attirer votre attention [180] sur un point. Ne vous étonnez pas si j'ai commencé, dans ce traité, par vous parler de l'homme Renart avant de donner la parole à un autre personnage comme vous allez maintenant l'entendre avec l'histoire du goupil Renart et du loup Ysengrin. Nos voisins racontent bien qu'une ânesse montée par un prophète — je peux vous dire qu'il s'appelait Balaam — se mit un jour à parler; c'était au temps où le roi Balaac avait amené Balaam, à force de promesses et de dons, à maudire avec violence le peuple d'Israël et Notre Seigneur

Et Diex le volt qu'ele parla
Et le profete raconta :
— « Diva », fait il, « laisse m'ester,
Diex ne me laisse avant aler. »
Cil Diex, si li vient a plaisir,
210 Puet encore bien consentir
A parler les bestes sauvages,
Et les usuriers faire larges.
    Or avez bien oï atant
Comment sont venu en avant
Renars et Ysengrins li leus.
Or redevez oïr des deus,
Si vos conterai de lor vie
Ce que j'en sai une partie.
    Toz malades plain de raoncle
220 Vint Renart un jor a son oncle.
Dist Ysengrin : « Biaus niés, q'as tu?
Moult te voi ore confondu ».
Ce dist Renart : « Malades sui ».
— « Voire, cheles, manjas tu hui? »
— « Nenil, sire, ne n'ai talent. »
— « Levez vos sus, dame Hersent,
Fetes li une petite haste
De deus roignons et d'une rate! »
Renart si se tut toz embrons,
230 Pansa qu'il eüst faiz bacons.
Un petitet leva la teste,
Troi bacons vit pandre a la feste.
En sorriant as bacons dist :
— « Moult par est fox qui la vos mist.
Ahi, biaus oncles Ysangrin,
Ja sont il tant malvés voisin,
Tex puet la voz bacons veoir
Qui en vora sa part avoir.
Isnelement les despandez,

à qui cette malédiction était insupportable envoya son ange armé d'une épée tranchante lui barrer la route. Balaam pique de son aiguillon la croupe de l'ânesse et l'éperonne avec vigueur tout en la frappant avec le licol. L'animal, qui n'osait avancer, fut bien obligé de parler. Telle fut la volonté de Dieu, ainsi que le rapporte le prophète lui-même : « Laisse-moi donc tranquille » dit la bête « Dieu ne veut pas que j'aille plus loin. » Dieu, s'Il le veut, peut aussi bien donner la parole aux bêtes sauvages que rendre les usuriers généreux.

Telle fut donc la naissance de Renart et d'Ysengrin. Je vais maintenant vous raconter ce que je sais de leurs aventures.

Un jour, Renart, couvert de furoncles par une méchante maladie de peau, se rend chez son oncle Ysengrin.

— « Qu'est-ce que tu as, cher neveu? Te voilà en piteux état!

— C'est que je suis malade », répond Renart.

— « Eh bien! Diable! Au moins as-tu mangé aujourd'hui?

— Non, mais je n'en ai pas envie.

240 Dites c'on les vos a enblez! »
Dist Ysengrin : — « N'en goutera
Tex, com je cuit, qui le saura ».
Dont conmença Renart a rire.
— « Nel porrez », dist il, « escondire,
Tes hom vos en porroit rover ».
Dist Ysengrin : — « laissiez ester!
Je n'ai frere, neveu ne niece
Qui j'en donasse une piece ».
Por lui le dist et por son pere,
250 Et por sa fame et por sa mere.
Ne demora mie grantment
Que Renart vint tout coiement
En sa meson, qant il dormi,
Sus el feste la descovri.
Par tel vertu assaut ses cors,
Les trois bacons en sacha fors.
En sa meson les enporta,
Et par pieces les despeça,
En son lit les mist en l'estrain.
260 Ysengrin s'est levez par main;
Il vit sa meson descoverte
Et de ses troi bacons la perte.
— « Ahi », dist il, « dame Hersent,
Conchié somes laidement ».
Ele saut sus conme desvee
Toute nue et eschevelee.
— « Diex », dist ele, « qui a ce fait?
Ci a estout, domage et lait ».
Ne le sevent sor qui souchier,
270 N'a entr'aus deus que corrocier.
Conme ce vint apres mengier,
Renart s'en vint esbenoier
En la meson moult liéement,
Son oncle trueve moult dolent.

34

— Allons, dame Hersent! Levez-vous et allez lui préparer un bon petit repas : mettez-lui à rôtir deux rognons et deux rates. »

Renart reste sans rien dire, faisant triste mine, se disant que le loup devait avoir des jambons bien affinés. C'est alors que, relevant un peu la tête, il en voit trois pendus à une poutre. Et il s'adresse à eux, avec un sourire en coin :

— « Il est fou celui qui vous a mis là! Ah! Ysengrin, mon cher oncle! Les voisins sont si méchants! En voyant vos jambons là-haut, on pourrait en vouloir sa part! Décrochez-les tout de suite et dites qu'on vous les a volés.

— Qui en connaîtra l'existence n'en mangera pas pour autant, fais-moi confiance! »

Alors Renart, toujours souriant :

— « Vous ne pourrez pas refuser si on vous en demande.

— Pas question. Je n'en donnerais à frère, neveu ni nièce. »

Il n'en exceptait que lui-même, son père, sa mère et sa femme. Renart ne fut pas long à revenir, en silence, chez Ysengrin, pendant son sommeil. Il écarte la couverture du toit

— « Oncle » dit-il, « que avez vos?
Pensis vos voi et corroçous ».
— « Biauz niez » fait il, « bien sai de coi.
Perdu sont mi bacon tuit troi,
S'en ai au cuer corrouz et ire ».
280 — « Oncles » dit il, « or devez dire »,
Se vos dites aval la rue,
Que cele char aiez perdue,
Puis ne vos en rovera mie
Paranz ne ami ne amie ».
— « Biau niez » fait il, « por voir te di,
Perduz les ai, ce poise mi ».
Renart respont : « Onc n'oï tal :
Tex se plaint n'a mie de mal.
Bien sai qu'en sauf les avez mis
290 Por voz paranz, por vos amis ».
— « Diva » fet il, « es tu gabierre?
Foi que tu doiz l'ame ton pere,
Et ne croiz tu ce que je di? »
— « Toz tens dites » dist Renart « si ».
— « Renart » ce dist dame Hersens,
« Je cuit vos estes hors dou sens.
Se nos nes eüssons perduz,
Ja esconduiz n'en fust randuz ».
— « Dame » dist il, « je le sai bien
300 Que moult savez d'art et d'angien.
Nequedant tant i a de perte,
Vo meson avez descoverte,
Or dites par la en sont trait ».
— « Par Dieu, Renart, si sont il fait. »
Respont Renart : « Ce devez dire ».
— « Renart, n'en ai talent de rire :
Çe poise moi qu'il sont perdu,
Grant domage i avons eü. »
Atant Renart s'an vait joiant,

juste au-dessus de la poutre et fait si bien qu'il parvient à décrocher les trois jambons et à les emporter chez lui : là, après les avoir coupés en morceaux, il les cache dans la paille 260 de son lit. Ysengrin, tôt levé, constate qu'il y a un trou dans la toiture de sa maison et que ses jambons ont disparu.

— « Hélas, dame Hersent, on nous a bien eus! »

Elle saute de son lit comme une folle, toute nue et en cheveux.

— « Dieu », s'écrie-t-elle, « qui a pu le faire? Quelle perte pour nous, et quel crime sans exemple! »

Mais, comme ils ne savent qui soupçonner, ils en sont quittes pour la colère.

Après le repas, Renart, l'air tout joyeux, arrive chez eux pour y passer un moment mais son oncle fait triste mine.

— « Qu'avez-vous, mon oncle? Je vous vois tout soucieux et l'air irrité!

— J'ai mes raisons, mon cher neveu; mes trois jambons ont disparu, d'où mon ennui et mon irritation.

280 — Vous avez bien raison de le dire publiquement, qu'on vous a volé cette viande; vos

Et cil remestrent tuit dolant.
     Ce fu des anfances Renart.
   Tant aprist puis d'angin et d'art,
   Que il en fist puis maint ennui
   Et a son oncle et a autrui.

parents et vos amis ne vous en demanderont plus.

— C'est la vérité que je te dis, mon cher neveu; on me les a volés! Voilà mon malheur!

— Il vaut mieux entendre cela que d'être sourd. Tel se plaint qui n'a rien. Je sais bien que vous les avez mis à l'abri à cause de vos parents et amis.

— Dis donc! Te moques-tu de moi? Sur l'âme de ton père, tu ne crois pas ce que je te dis?

— Continuez à n'en pas démordre!

— Renart », intervient dame Hersent, « j'ai l'impression que vous avez perdu la tête; s'ils n'avaient pas disparu, nous n'en aurions point refusé à un moine!

— Dame, je sais que vous êtes astucieuse et rusée. Et pourtant, vous avez des dégâts : la toiture de votre maison est abîmée. Dites-moi, c'était pour les ôter?

— Par Dieu, Renart, c'est bien ce qui s'est passé!

— Voilà! c'est comme cela qu'il faut répondre », réplique Renart.

— « Je n'ai pas envie de rire, Renart. Je

suis bien ennuyée qu'ils aient disparu! C'est une grande perte pour nous. »

Et Renart repart, fort satisfait de lui, les laissant à leurs lamentations.

Tel fut le premier exploit d'un Renart encore adolescent. Il apprit ensuite tant de ruses et d'astuces qu'il causa quantité d'ennuis à son oncle et aux autres.

II

LES ANIMAUX ENTRE EUX

On a parfois qualifié le Roman de Renart *d'« épopée
animale », terme qui, en dehors même de la parodie des
chansons de geste, s'applique sans doute assez bien aux
branches les plus anciennes qui racontent les démêlés du
goupil avec les autres animaux.*

*Chacune de ces aventures a le même point de départ : la
faim de Renart, et parfois celle de ses adversaires. La
quête de la nourriture n'est-elle pas la plus claire activité
de l'animal sauvage? Profitons-en pour noter la présence
d'un trait de réalisme animalier : ils ne sont pas si
fréquents dans cet univers de contes où les bêtes parlent,
portent des vêtements et croient en Dieu.*

*Dans ses entreprises, les succès de Renart sont inégaux :
il est généralement dupe de plus faible que lui et*

vainqueur de plus fort que lui. Dira-t-on que ce renversement du rapport de forces est aussi idéaliste que la représentation épique où le champion du Bien finit toujours par l'emporter sur celui du Mal, alors même qu'il se trouve en situation d'infériorité par rapport à lui? L'accent est plutôt mis, dans les aventures de Renart, sur cet autre type de force que représente la ruse, celle des paroles et celle de l'intelligence. Mais on voit par là même comment, à ce stade de l'élaboration du personnage, Renart n'est pas uniquement la figure négative que l'auteur des « Enfances Renart », influencé par l'évolution ultérieure du goupil, a dépeinte : dans la mesure où, face à la force bête, brute et méchante, il incarne l'astuce, l'agilité — de corps et d'esprit —, il peut, David aux prises avec Goliath, apparaître comme un personnage positif, — et peut-être comme l'esprit du bourgeois (idéalisé) face au chevalier (caricaturé).

En tout cas, si on garde en mémoire — et comment faire autrement? — l'idée que Renart, Ysengrin et les autres représentent les hommes, que leurs entreprises et leurs buts désignent les nôtres, on constate que les auteurs ont une vision plutôt réaliste, voire cynique, de leurs frères humains, et surtout des plus puissants d'entre eux : la notion de « service » dont se targue le chevalier est totalement étrangère à Renart et aux autres animaux qui n'ont en vue rien d'autre que leur intérêt propre. Si on cherche déjà, d'autre part, à établir une correspondance entre roman de Renart et chanson de geste, on verra dans le premier une dénonciation de l'idéalisation de la seconde : le courage, la loyauté, le dévouement à une noble cause en sont absents. Seule compte l'efficacité.

Mais ne demandons pas à ces textes plus qu'ils ne songent à offrir. Nous sommes surtout en présence de « contes à rire », comme on l'a dit des fabliaux. La fidélité aux mœurs animales, la vraisemblance psychologique *humaine, et même la portée satirique et parodique ont moins d'importance, dans ces branches, qu'une « mécanique » de l'histoire bien montée qui les rapproche de la farce : on y retrouvera le schéma illustré à satiété par ces aventures du goupil, celui du trompeur trompé, vieux ressort du rire. Il ne s'agit pas de vraisemblance, mais de la cohérence d'un récit qui est fonction de données de départ développées jusqu'à leurs conséquences dernières : plus c'est « hénaurme », plus c'est réussi, et plus on rit.*

Seigneurs, ce fu en cel termine
Que li douz temps d'esté decline
Et yver revient en saison,
Et Renars fu en sa maison.
Mais sa garison a perdue :
Ce fu mortel desconvenue.
N'a que donner ne qu'achater
Ne s'a de quoi reconforter.
Par besoing s'est mis a la voie.
10 Tot coiement que l'en nel voie
S'en vet parmi une jonchere
Entre le bois et la rivere.
Si a tant fait et tant erré
Qu'il vint en un cemin ferré.
El cemin se cropi Renarz.
Molt coloie de totes parz.
Ne set sa garison ou querre :
Car la fein li fait molt grant guerre.
Ne set que fere : si s'esmaie.
20 Lors s'est couchiez lez une haie :
Iloc atendra aventure.
Atant ez vos grant aleüre
Marcheant qui poisson menoient
Et qui devers la mer venoient.
Herens frés orent a plenté :
Car bise avoit auques venté
Trestote la semeine entere.
Et bons poissons d'autre manere
Orent asés granz et petiz,

Seigneurs, c'était le temps où la douce saison d'été s'achève et où l'hiver revient. Renart était chez lui mais il avait épuisé ses réserves : il y va de sa vie. Il n'a plus rien à se mettre sous la dent, ni rien non plus pour acheter à manger. La nécessité le met en route. Il progresse avec précaution, pour ne pas être repéré, à la lisière du bois, à travers les joncs du bord de l'eau, et finit par atteindre un chemin empierré où il se tapit, tournant la tête en tous sens sans savoir dans quelle direction se mettre en quête de nourriture. La faim lui mène une guerre sans merci et il se demande avec inquiétude ce qu'il va bien pouvoir faire.

[20] Il se couche alors au pied d'une haie attendant les événements. Or, voici qu'approchent à vive allure des marchands qui convoyaient un chargement de poissons de mer. Ils avaient des harengs frais en quantité (le vent du nord avait soufflé toute la semaine passée), et aussi plein leurs paniers d'autres

³⁰ Dont lor paniers sont bien enpliz.
Que de lamproies que d'anguilles,
Qu'il orent acaté as viles;
Fu bien chargié la charete.
Et Renars qui tot siecle abeite
Fu bien loins d'aus une arcie.
Quant vit la carete cargie
Des anguiles et des lanproies,
Muçant fuiant parmi ces voies
Court au devant por aus deçoivre,
⁴⁰ Qu'il ne s'en puisent aperçoivre.
Lors s'est cochés enmi la voie.
Or oiez con il les desvoie!
En un gason s'est voutrilliez
Et come mors aparelliez.
Renars qui tant d'onmes engingne
Les iex cligne, les dens rechigne,
Et tenoit s'alaine en prison.
Oïstes mais tel traïson?
Ilecques est remés gisans.
⁵⁰ Atant es vous les marcheans :
De ce ne se prenoient garde.
Li premiers le vit, si l'esgarde,
Si apela son compaignon :
— « Vez la ou gourpil ou gaignon! »
Quant cilz le voit, si li cria :
— « C'est li gorpilz : va sel pren, va!
Filz a putain, gart ne t'eschat!
Or saura il trop de barat,
Renars, s'il ne nous let l'escorce. »
⁶⁰ Li marcheans d'aler s'esforce
Et ses compains venoit aprés
Tant qu'il furent de Renart prés.
Le gourpil trovent enversé.
De toutes pars l'ont renversé,

bons poissons, gros et petits. Leur charrette était en particulier chargée de lamproies et d'anguilles qu'ils avaient achetées en route dans les villages. Renart, qui n'a pas son pareil pour tromper les gens, était à une portée d'arc au moins. A la vue de la charrette pleine d'anguilles et de lamproies, il se dépêche de se rapprocher, se cachant pour ne pas être vu, afin d'être mieux en mesure de 40 tromper les marchands. Il se couche au milieu du chemin et voici comment il s'y prend pour les attraper : allongé de tout son long sur une touffe d'herbe, il fait le mort. Lui qui s'y entend à tromper son monde, est là, les yeux fermés, babines retroussées et retenant sa respiration. Vit-on jamais pareille fourberie ? Il reste donc gisant à terre tandis qu'arrivent les marchands, sans méfiance. Le premier à l'apercevoir l'examine avant de s'écrier à l'adresse de son compagnon : « Regarde, c'est un goupil ou un chien. » Et l'autre, qui l'a vu à son tour de répondre : « C'est un goupil, va le prendre, allez ! Mais fais attention, maudit gars, qu'il ne t'échappe pas ! Il sera bien malin, ce Renart, s'il arrive à sauver sa peau. »

N'ont ore garde qu'il les morde.
Prisent le dos et puis la gorge.
Li uns a dit que troi sols vaut,
Li autres dist : « Se Diex me saut,
Ainz vaut bien quatre a bon marchié.
70 Ne sommes mie trop chargié;
Getons le sus nostre charrete.
Vez con la gorge est blanche et nete! »
    A icest mot sont avancié
Si l'ont ou charretil lancié
Et puis se sont mis a la voie.
Li uns a l'autre fait grant joie
Et dient : « N'en ferons ore el,
Mais anquenuit en nostre hostel
Li reverserons la gonnele. »
80 Or leur plaist auques la favele.
Mais Renars ne s'en fait fors rire,
Que moult a entre faire et dire.
Sur les paniers se jut adens,
Si en a un ouvert aus dens
Et si en a (bien le sachiez)
Plus de trente harans sachiez.
Auques fu vuidiez li paniers.
Moult par en menja volentiers,
Onques n'i quist ne sel ne sauge.
90 Encore ainçois que il s'en auge
Getera il son ameçon,
Je n'en sui mie en souspeçon.
L'autre panier a assailli.
Son groing i mist, n'a pas failli,
Qu'il n'en traïst trois rés d'anguilles.
Renars qui sot de maintes guiles,
Son col et sa teste passe oultre
Les hardillons, puis les acoutre
Dessus son dos que tout s'en cueuvre.

Suivi de son compagnon, le marchand s'avance rapidement jusqu'à Renart; ils le trouvent toujours ventre à l'air et le retournent de tous côtés, sans crainte, persuadés qu'ils ne courent aucun risque d'être mordus. Ils évaluent la peau de son dos puis de sa gorge : selon l'un, elle vaut trois sous, mais l'autre renchérit : « Dieu garde! A quatre sous, elle serait bon marché. Nous ne sommes pas trop chargés, mettons-le sur notre charrette. Regarde donc comme sa gorge est blanche et sans taches. »

A ces mots, ils se décident et le jettent sur leur chargement, puis ils reprennent leur chemin sans cacher leur commune satisfaction. « Tenons-nous-en là maintenant », disent-ils, « mais ce soir, chez nous, nous lui retournerons sa veste. »

La plaisanterie leur paraît bonne, mais Renart ne s'en soucie guère car il y a loin entre dire et faire. Couché à plat ventre sur les paniers, il en ouvre un avec les dents et en retire, croyez-moi si vous voulez, plus de trente harengs. Après cela, le panier était quasiment vide, et Renart s'était joyeusement rempli l'estomac sans réclamer sel ni

¹⁰⁰ Des or pourra bien laissier œuvre.
Or li estuest enging pourquerre,
Conment il s'en vendra a terre.
Ne trueve planche ne degré.
Agenouillé s'est tout de gré
Por veoir et por esgarder,
Con son saut pourra mieux garder.
Puis s'est un petit avanciez :
Des piez devant s'est tost lanciez
De la charrete enmi la voie.
¹¹⁰ Entour son col porte sa proie.
Et puis quant il a fait son saut,
Aus marcheans dist : « Diex vous saut!
Cilz tantes d'anguilles est nostres
Et li remanans si soit vostres! »
Li marcheans quant il l'oïrent,
A merveilles s'en esbahirent.
Si s'escrient : « voiz le gourpil! »
Si saillirent ou charretil,
Ou il cuderent Renart prendre.
¹²⁰ Mais il nes voult pas tant atendre.
Li uns des marcheans esgarde,
A l'autre dist : « mauvaise garde
En avons prise, ce me semble. »
Tuit fierent lor paumes ensemble.
— « Las » dist li uns, « con grant damage
Avons eü par nostre outrage.
Moult estion fol et musart
Andui qui creïon Renart.
Les paniers a bien alachez
¹³⁰ Et ses a auques souffachiez.
Car deux rez d'anguilles enporte.
La male passion le torde! »
— « Ha » font li marcheant, « Renart,
Tant par estes de male part.

52

sauge. Mais avant de s'en aller, il va de nouveau lancer sa ligne, je vous le garantis. Il s'attaque en effet à un autre panier, et, y plongeant le museau, en extrait trois chapelets d'anguilles. Et comme il avait plus d'un tour dans son sac, il passe la tête et le cou au travers puis les arrange de manière à les
100 rejeter sur son dos; voilà qui lui permet d'arrêter les frais. Mais il lui faut trouver un moyen de descendre à terre sans marchepied. Il s'agenouille pour pouvoir examiner comment calculer au mieux son saut. Puis il s'avance un peu et, prenant appui sur ses pattes de devant, il s'élance du haut de la charrette jusqu'au chemin, emportant son butin autour du cou. Une fois à terre, il crie aux marchands : « Dieu vous garde! Me voilà bien servi en anguilles, vous pouvez garder le reste. » A l'entendre, ils n'en croient pas leurs oreilles. « Le goupil! » s'écrient-ils. Puis ils sautent sur la charrette, pensant y prendre
120 Renart qui n'avait guère songé à les attendre, ce qui fait dire à l'un d'eux : « Nous l'avons bien mal surveillé, je crois. » « Voilà ce que c'est que d'être trop sûr de soi », s'exclament-ils en levant les mains au ciel. « Nous faisons

Mal bien vous puissent elles faire! »
— « Seigneur, n'ai soing de noise faire.
Or direz ce que vous plaira :
Je sui Renart qui se taira. »
Li marcheant vont aprés lui.
140 Mais il nel bailleront mais hui :
Car il a tant isnel cheval.
Onc ne fina parmi un val
Dusques il vint a son plessié.
Lors l'ont li marcheant lessié
Qui pour mauvés musart se tiennent.
Recreant sont, arriere viennent.
Et cilz s'en vait plus que le pas
Qui ot passé maint mauvais pas.
Si vint a son chastel tout droit
150 Ou sa maisnie l'atendoit
Qui assez avoit grant mesese.
Renars i entre par la hese.
Encontre lui sailli s'espouse,
Hermeline la jone touse,
Qui moult estoit courtoise et franche.
Et Percehaie et Malebranche
Qui estoient ambedui frere,
Cil saillirent contre leur pere
Qui s'en venoit les menus saus
160 Gros et saoulz, joieus et baus,
Les anguilles entour son col.
Mais qui que le tiegne pour fol,
Aprés lui a close sa porte
Pour les anguilles qu'il aporte.
    Or est Renart dedenz sa tour.
Si fil li font moult bel atour.
Bien li ont ses jambes torchiees
Et les anguilles escorchees.
Puis les couperent par tronçons

une belle paire d'imbéciles : ne pas nous être
méfiés de Renart! Il a bien allégé les paniers;
le poids n'y est plus. Il emporte deux chapelets d'anguilles. La peste soit de lui! Diable de
Renart, qu'elles vous restent dans la gorge! »

— « Je n'ai aucune envie de me disputer,
seigneurs, dites ce qui vous plaira! Moi,
Renart, je ne vous répondrai pas. »

Les marchands se précipitent derrière lui,
140 mais ce n'est pas aujourd'hui qu'ils l'attra-
peront car son cheval est trop rapide. Il file au
travers d'un vallon et ne s'arrête qu'une fois
arrivé à un enclos. Quant aux marchands,
tout penauds, ils abandonnent la poursuite,
s'avouant vaincus, et reviennent sur leurs
pas.

Pendant ce temps, Renart qui s'était déjà
tiré de situations plus difficiles, se dépêche de
regagner son château où les siens l'attendent
en triste état. Il franchit la barrière; son
épouse, la jeune Hermeline, si courtoise et
noble, se précipite à sa rencontre, ainsi que
Percehaie et Malebranche, les deux frères,
qui se jettent au cou de leur père. Celui-ci
160 arrive à petits sauts, le ventre gonflé et

¹⁷⁰ Et les espois font de plançons
De codre et ens les ont boutez.
Et li feus fu tost alumez
Que buche i ot a grant plenté.
Lors ont de toutes pars venté.
Si les ont mises sus la brese
Qui des tisons i fu remeze.

rassasié, rayonnant de joie, avec les anguilles autour du cou. Mais, et qui songerait à s'en étonner? Il commence par fermer la porte errière lui à cause du butin qu'il apporte.

Voilà donc Renart de retour dans son château. Ses fils lui font bel accueil et lui nettoient les jambes; puis ils écorchent les anguilles, les coupent en tranches et font des brochettes avec des baguettes de coudrier sur lesquelles ils les enfilent. Le feu est vite allumé car ils ont une bonne réserve de bûches; ils l'activent en soufflant dessus de tous les côtés; et une fois les tisons transformés en braise, ils y mettent les anguilles.

Endementres que il cuisoient
Les anguiles et rostissoient,
Ez vous monseigneur Ysengrin
180 Qui ot erré dés le matin
Jusqu'à celle heure en mainte terre,
Mais onques riens n'y pot conquerre.
De jeüner estoit estans,
Que molt avoit eü mal tens.
Lors s'en tourna en un essart
Tout droit vers le chastel Renart
Et vit la cuisine fumer
Ou il ot fait feu alumer
Et les anguiles rotissoient
190 Que si fil es espois tournoient.
Ysengrin en sent la fumee
Qu'il n'avoit mie acoustumee.
Du nez commença a fronchier
Et ses guernons a delechier.
Volentiers les alast servir,
S'il li vousissent l'uis ouvrir.
Il se traist vers une fenestre
Pour esgarder que ce puet estre.
Il conmence a pourpenser,
200 Comment il pourra ens entrer
Ou par priere ou par amour.
Mais il n'i puet avoir honour :
Que Renart est de tel maniere
Qu'il ne fera rien pour priere.
Acroupiz s'est sus une souche.

LA PÊCHE A LA QUEUE

Pendant qu'ils s'occupaient de faire griller les anguilles, se présente Monseigneur Ysengrin qui avait erré un peu partout, depuis le matin, sans rien pouvoir attraper nulle part. Depuis combien de temps n'avait-il rien eu à se mettre sous la dent! Il finit par traverser un terrain qui venait d'être défriché, tout droit en direction du château de Renart. C'est alors qu'il voit une fumée sortir de la cuisine où était allumé le feu sur lequel les fils de Renart tournaient les brochettes pour les faire cuire. Le loup, sentant cette odeur inhabituelle, se met à renifler et à se pourlécher. Il serait volontiers allé les aider si on avait voulu lui ouvrir la porte. Il s'approche d'une fenêtre pour voir ce qui se passe à l'intérieur, se demandant s'il pourra y entrer à force de supplications ou en faisant appel à l'amitié. Mais il n'aurait guère de chance d'y réussir car Renart n'est pas du genre à accéder à une prière. Aussi s'assied-il sur une souche, les mâchoires douloureuses à force de bâiller de

De baailler li deult la bouche.
Court et recourt, garde et regarde.
Mais tant ne se sot donner garde
Que dedenz puisse le pié mettre
210 Ne pour donner ne pour promettre.
Mais a la fin se pourpensa
Que son compere priera
Que pour Dieu li doint, s'il conmande,
Ou poi ou grant de sa viande.
Lors l'apela par un pertuis :
— « Sire compere, ouvrez moi l'uis!
Je vous aport belles nouvelles :
Pour bones les tendrez et belles. »
Renart l'oï, s'il congnut bien :
220 Mais de tout ce ne li fist rien,
Ainçoiz li a fait sourde oreille.
Et Ysengrin molt s'en merveille,
Qui dehors fu moult souffroiteus
Et des anguiles envieus.
Si li a dit : « ouvrez, biau sire! »
Et Renars conmença a rire,
Si demanda : « qui estes vous? »
Et il respont : « ce somes nous. »
— « Qui vous? » — « Ce est vostre comperes. »
230 — « Nous cuidions que fussiez leres. »
— « Non sui » dist Ysengrins, « ouvrez! »
Renars respont, « or vous souffrez
Tant que li moine aient mengié
Qui au mengier sont arrengié. »
« Comment dont? » fait il, « sont ce moine? »
— « Nanil » dist il, « ainz sont chanoine.
Si sont de l'ordre de Tiron :
(Ja se Diex plaist, n'en mentiron)
Et je me sui rendu a eus. »
240 « Nomini dame » dist li leus,

faim. Puis il court de côté et d'autre, regarde à droite, à gauche, sans trouver moyen de se faire ouvrir, lui qui n'a rien à donner, rien à promettre. Il se décide finalement à prier son compère de bien vouloir lui donner, au nom de Dieu, un peu, ou beaucoup, de ce qu'il est en train de manger. Il l'interpelle donc par une ouverture :

— « Seigneur, mon compagnon, ouvrez-moi la porte, je vous apporte de bonnes nouvelles; vous verrez, vous aurez sujet de vous en réjouir. »

220   Renart le reconnaît à sa voix, mais il fait la sourde oreille. Et Ysengrin, à l'extérieur, que la faim et les anguilles font saliver d'envie, s'étonne et répète : « Ouvrez, cher seigneur! » Renart l'interroge en riant :

— « Qui est là?

— C'est moi », répond Ysengrin.

— « Qui moi?

— Votre compère.

— Nous avions peur que ce soit un voleur.

— Non, c'est moi », dit Ysengrin, « ouvrez.

— Attendez au moins », répond Renart,

Avez me vous dit verité? »
— « Ouïl par sainte charité. »
— « Donques me faites herbregier! »
— « Ja n'auriez vous que mengier. »
— « Dites moi dont, n'avez vous quoi? »
Renart respont : « oïl por foi.
Or me lessiez donc demander,
Venistes vous pour truander? »
— « Nanil, ainz woeil veïr vostre estre. »
250 Renart respont : « ce ne puet estre. »
— « Et pourquoi donc? » ce dit li leus.
Ce dist Renart : « il n'est pas leus. »
— « Or me dites, mangiez vous char? »
Et dist Renart : « ce est eschar. »
— « Que menjuent donc vostre moine? »
— « Jel vous dirai sanz nule essoine.
Il menjuent fourmages mous
Et poissons qui ont les gros cous.
Saint Beneoit le nous commande
260 Que ja n'aions peior viande. »
Dist Ysengrin : « ne m'en gardoie
Ne de tout ce rien ne savoie.
Mais car me faites osteler!
Mais hui ne sauroie ou aler. »
— « Osteler? » dit Renart, « nel dites!
Nulz s'il n'est moines ou hermites
Ne puet ceens avoir hostel.
Mes alez outre : il n'i a el. »
  Ysengrin ot et entent bien
270 Qu'en la meson Renart pour rien
Qu'il puisse faire n'enterra.
Que voulez vous? si soufferra.
Et nepourquant si li demande :
— « Poisson, est ce bonne viande?
Car m'en donnez viaus un tronçon!

« que les moines qui viennent de se mettre à table aient fini de manger.

— Comment cela? Il y a des moines ici?

— Pas exactement », rétorque Renart, « Que Dieu me protège du mensonge! ce sont des chanoines de l'ordre de Tiron [3] et je suis entré dans leur communauté.

240   — Nom de Dieu! » dit le loup, « me dites-vous la vérité?

— Mais oui, pour l'amour de Dieu.

— Alors, accueillez-moi en tant qu'hôte.

— Vous n'auriez rien à manger.

— Et pourquoi? Vous n'avez rien?

— Ma foi, si! » répond Renart, « mais laissez-moi vous poser une question : ne seriez-vous pas venu encore pour mendier?

— Non, je veux voir comment vous allez.

— Impossible.

— Pourquoi donc?

— Ce n'est pas le moment.

— Dites-moi, n'étiez-vous pas en train de manger de la viande?

— Vous voulez rire.

— De quoi se nourrissent donc vos moines?

Nel fais se pour essaier non.
Mais buer fussent elles peschiees
Les anguiles et escorchiees,
Se vous en deingniés mengier. »
280 Renart qui bien sot losengier
Prist des anguiles troi tronçons
Qui rotissent sus le charbons.
Tant furent cuit, toute s'esmie
Et dessoivre toute la mie.
Un en menja, l'autre en aporte
Celui qui atant a la porte.
Lors dist : « Compere, ça venez
Un poi avant et si tenez
Par charité de la pitance
290 A ceuls qui sont bien a fiance
Que vous serez moines encore. »
Dist Ysengrin : « je ne sai ore,
Quiex je serai : bien pourra estre.
Mais la pitance, biaus douz mestre,
Car me bailliez isnelement! »
Cilz li bailla et il la prent
Qui molt tost s'en fu delivrez.
Encore en mengast il assez.
Ce dist Renart : « que vous en semble? »
300 Li lechierres fremist et tremble,
De lecherie esprent et art.
    — « Certes » fait il, « sire Renart,
Il vous iert bien guerredonnez.
Encore un seul car me donnez,
Biaus douz comperes, pour amordre,
Tant que je fusse de vostre ordre. »
    — « Par vos botes » ce dist Renart
Qui molt estoit de male part,
« Se vous moines vouliez estre,
310 Je feroie de vous mon mestre.

— Pourquoi le taire? Ils mangent des fromages frais et des poissons à grosses têtes. 260 Saint Benoît [4] nous commande de ne pas nous restreindre davantage.

— Première nouvelle! J'ignorais tout cela. Mais accordez-moi l'hospitalité car je ne saurais où aller aujourd'hui.

— L'hospitalité? Il n'en est pas question. Nul, s'il n'est moine ou ermite, ne peut loger ici. Allez-vous-en; je vous ai assez vu! »

A ces mots, Ysengrin comprend qu'il ne pourra pas entrer chez Renart, rien n'y fera! Que voulez-vous? Il se résigne. Pourtant, il lui demande encore : « Est-ce que c'est bon le poisson? Donnez-m'en un morceau, rien que pour y goûter. Bienheureuses ces anguilles pêchées et apprêtées pour que vous en mangiez! »

280 Alors, Renart, jamais en reste quand il s'agit de jouer un mauvais tour, prend trois tronçons d'anguille qui rôtissaient sur les charbons. Ils étaient si à point que la chair partait en morceaux. Il en mange un et en porte un autre à celui qui attend à la porte en lui disant :

— « Approchez, mon compère, et prenez

Que je sai bien que li seigneur
Vous elliroient a prieur
Ainz penthecouste ou a abé. »
— « Avez me vous ore gabé? »
Ce dist Renart : « nanil, biau sire.
Par mon chief bien le vous os dire,
Foi que doi le corps saint Felise,
N'auroit si bel moine en l'eglise. »
— « Auroie je poisson assez
320 Tant que je fusse respassez
De ce mal qui m'a confondu? »
Et Renart li a respondu :
— « Mais tant con vous pourrez mengier.
Ha! car vous fetes rooignier
Et vostre barbe rere et tondre. »
Ysengrin commença a grondre,
Quant il oï parler de rere.
— « N'i aura plus » fait il, « compere :
Mais reez moi hastivement! »
330 Renart respont : « isnelement
Aurez couronne et grant et lee,
Ne mais que l'eve soit chaufee.
   Oïr poez ici biau jeu.
Renart mist l'eve sus le feu
Et la fist trestoute boillant.
Puis li est revenus devant
Et sa teste encoste de l'uis
Li fist metre par un pertuis :
Et Ysengrin estent le col.
340 Renart qui bien le tint pour fol
L'eve boillant li a getee
Et sus le hasterel versee :
Molt par a fait que pute beste.
Et Ysengrin escout la teste,
Rechigne et fait moult laide chiere.

par charité de cette nourriture de la part de ceux qui espèrent vous voir moine un jour.

— Je ne suis pas encore sûr de moi; mais pourquoi pas? Quant à la nourriture, cher seigneur, donnez-la moi vite. »

Renart la lui tend, l'autre la prend et n'en fait qu'une bouchée qui le laisse sur sa faim : « Qu'en pensez-vous? » lui demande Renart.

300 Le gourmand frissonne et tremble, il brûle d'envie : « Comment vous remercier, seigneur Renart? Mais donnez-m'en encore un morceau, mon cher compère, un seul, pour m'inciter à entrer dans votre ordre.

— Par vos bottes », reprend Renart, non sans arrière-pensées, « si vous vouliez être moine, je ferais de vous mon supérieur, car je sais bien que tous vous éliraient prieur ou abbé avant la Pentecôte.

— Vous vous moquez de moi?

— Non, cher seigneur, par ma tête, j'ose vous le dire; par saint Félix, vous feriez le plus beau moine du couvent.

320 — Aurai-je assez de poisson pour être débarrassé de ce mal qui m'a mis dans un tel état de faiblesse?

— Autant que vous pourrez en manger.

A reculons se trait arriere.
Si s'escria : « Renart, mors sui.
Male aventure aiez vous hui!
Trop grant coronne m'avez faite. »
350 Et Renars a la langue traite
Grant demi pié hors de la gueule.
— « Sire, ne l'avez mie seule
Qu'autresi grant l'a li convens. »
Fait Ysengrin : « je cuit, tu mens. »
— « Non fas, sire : ne vous anuit.
Iceste premeraine nuit
Vous convient estre en espreuve :
Que li sains ordres le nous rueve. »
Dist Ysengrins : « molt bonnement
360 Ferai tout quantqu'a l'ordre apent.
Ja mar en serez en doutance. »
Et Renart em prist la fiance
Que par lui mal ne li vendra
Et a son los se contendra.
Or a tant fait et tant ovré
Renart que bien l'a assoté.
Puis s'en issi par une fraite
Qu'il ot derrier la porte faite
Et vint a Ysengrin tout droit
370 Qui durement se complaignoit
De ce qu'il estoit si prés rez.
Ne cuir ne poil n'i est remez.
N'i ot plus dit ne sejourné :
Andui se sont d'ilec tourné,
Renart devant et cil aprés
Tant qu'il vindrent d'un vivier prés.
    Ce fu un pou devant noel
Que l'en mettoit bacons en sel.
Li ciex fu clers et estelez
380 Et li viviers fu si gelez

Ha! Faites-vous seulement tonsurer et raser la barbe. »

Ysengrin commence à grogner quand il entend parler d'être tondu.

— « Ne m'en demandez pas plus, compère, et faites vite.

— Tout de suite; vous allez avoir une belle et large tonsure, dès que l'eau sera chaude. »

La bonne farce que je vais vous raconter! Renart laisse l'eau sur le feu jusqu'à ce qu'elle soit bouillante, puis il revient à la porte et fait passer à Ysengrin la tête par un guichet. Le loup tend le cou et Renart — la
340 sale bête! — qui n'en revient pas de sa sottise, lui jette à la volée l'eau bouillante sur la nuque. Ysengrin secoue la tête en grimaçant : triste mine que la sienne! Il recule en criant : « Je suis mort, Renart! Puisse-t-il vous en arriver autant aujourd'hui! Vous m'avez fait une tonsure trop large. »

Mais Renart lui tire une langue d'un demi-pied hors de la gueule :

— « Vous n'êtes pas seul à l'avoir, seigneur. Tout le couvent la porte ainsi.

— Je suis sûr que tu mens.

Ou Ysengrin devoit peschier,
Qu'en poïst par desus treschier :
Fors tant c'un pertuis i avoit
Qui de vilains fait i estoit
Ou il menoient leur atoivre
Chascune nuit joer et boivre.
Un seel y orent laissié.
La vint Renart tout eslessié
Et son compere regarda.
390 — « Sire » fait il, « traiez vous ça!
Ca est la plenté des poissons
Et li engin dont nous peschons
Les anguiles et les barbiaus
Et autres poissons bons et biaus. »
Dist Ysengrin : « frere Renart,
Or le prenez de l'une part,
Si me laciez bien a la queue! »
Renart le prent et si li nueue
Entour la queue au miex qu'il puet.
400 — « Frere » fait il, « or vous esteut
Moult sagement a contenir
Pour les poissons faire venir. »
Lors s'est lez un buisson fichiez,
Si mist son groing entre ses piez
Tant que il voie que il face.
Et Ysengrin est sus la glace.
Li seaus est en la fontaine
Plain de glaçons a bonne estraine.
L'eve conmence a englacer
410 Et li seaus a enlacier
Qui a la queue fu noez.
De la glace fu seurondez.
La queue est en l'eve gelee
Et a la glace seellee.
Cilz se cuida bien souffachier

70

— Non, seigneur, ne vous en déplaise. D'ailleurs votre première nuit doit être une nuit d'épreuves. Ainsi l'exige la Sainte Règle.

360 — C'est très volontiers que je me conformerai en tout à l'usage. Vous auriez tort d'en douter. »

Renart reçoit sa promesse de ne lui faire aucun mal et de lui obéir en tout. A force de s'y appliquer, il finit par abrutir complètement le loup. Puis il sort par une ouverture qu'il avait pratiquée derrière la porte et va rejoindre aussitôt Ysengrin qui se plaignait lamentablement d'avoir été rasé d'aussi près : il ne lui restait ni poil ni peau. Sans plus discuter, ils se rendent rapidement, Renart en tête, Ysengrin sur ses pas, jusqu'à un vivier proche.

On était un peu avant Noël, au moment où on sale le jambon. Le ciel était limpide et scintillant d'étoiles et le vivier dans lequel 380 Ysengrin était supposé pêcher était si bien gelé qu'on aurait pu danser dessus. Il y avait seulement un trou, fait dans la glace par les paysans qui y menaient chaque soir leur bétail boire et se dégourdir les pattes. Ils

Et le seel a soi sachier.
En mainte guise s'i essaie,
Ne set que faire : si s'esmaie.
Renart conmence a appeler
420 Conme il plus ne se puet celer :
Que ja estoit l'aube crevee.
Renart a la teste levee :
Il se regarde, les iex oeuvre.
— « Frere » fait il, « car lessiez oeuvre!
Alons nous en, biaus dous amis!
Assez avons de poissons pris. »
Et Ysengrin li escria :
— « Renart » fait il, « trop en i a.
Tant en ai pris, ne sai que dire. »
430 Et Renart commença a rire.
Si li a dit tout en appert :
— « Cil qui tot convoite, tot pert. »
    La nuit trespasse, l'aube crieve :
Li solaus par matin se lieve.
De noif furent les voies blanches.
Et missire Constant des Granches,
Un vavassour bien aaisiez,
Qui sus l'estanc fu herbergiez,
Levez estoit et sa mesnie
440 Qui moult estoit joieuse et lie.
Un cor a pris, ses chiens appelle,
Si conmande a mettre sa selle,
Et sa mesniee crie et huie.
Et Renart l'ot, si tourne en fuie
Tant qu'en sa taisniere se fiche.
Et Ysengrin remest en briche
Qui moult s'esforce et sache et tire :
A poi sa pel ne li descire.
Se d'ilec se veult departir,
450 La queue li convient guerpir.

avaient laissé là un seau. Renart y arrive à bride abattue et se tourne vers son compère.

— « Approchez, seigneur, c'est là qu'il y a profusion de poissons et voici l'outil avec lequel nous pêchons anguilles, barbeaux et autres bons et beaux poissons.

— Prenez-le d'un côté, frère Renart », demande Ysengrin, « et attachez-le moi solidement à la queue. »

Renart s'en saisit et le lui noue à la queue
400 de son mieux. « Maintenant, frère », conseille-t-il, « il faut rester sans bouger pour attirer les poissons. »

Il s'installe alors au pied d'un buisson, le museau entre les pattes, pour voir ce que l'autre va faire. Ysengrin est assis sur la glace, tandis que le seau, plongé dans l'eau, se remplit de glaçons de belle façon; puis l'eau commence à geler autour, et la queue elle-même, qui trempe dans l'eau, est prise par la glace, si bien que lorsqu'Ysengrin entreprend de se relever en tirant le seau à lui, tous ses efforts restent vains; très inquiet, il appelle
420 Renart car on ne va pas tarder à le voir : déjà le jour se lève. Renart dresse la tête, ouvre les

Conme Ysengrin se va frotant,
Estes vous un garçon trotant :
Deus levriers tint en une lesse.
Ysengrin vit (vers lui s'eslesse)
Sus la glace tot engelé,
A tot son haterel pelé.
Cil l'esgarde, puis li escrie :
— « Ha ha, le leu! aïe aïe! »
Li veneor quant il l'oïrent,
460 Lors de la meson fors saillirent
A tos les chens par une hese.
Or est Ysengrins en malese.
Que dant Constanz venoit aprés
Sor un cheval a grant eslés
Qui molt s'escrie a l'avaller :
— « Lai va, lai va lez chens aler! »
Li braconer les chenz decouplent
Et li bracet au lou s'acoplent
Et Ysengrins molt se herice.
470 Li veneors les chens entice
Et amoneste durement.
Et Ysengrins bien se desfent,
Aus denz les mort : qu'en pot il mez?
Il amast mels asés la pez.
Dant Constans a l'espee traite
Por bien ferir a lui s'atrete.
A pié descent enmi la place
Et vint au lou devers la glace.
Par deriere l'a asailli :
480 Ferir le volt, mes il failli.
Li colp li cola en travers,
Et dant Constans chaï envers
Si que li hatereax li seinne.
Il se leva a molt grant peine.
Par grant aïr le va requerre :

yeux et jette un regard autour de lui.

— « Tenez-vous en là, frère », dit-il, « et allons-nous en, mon très cher ami. Nous avons pris assez de poissons.

— Il y en a trop, Renart; j'en ai pris je ne sais combien. »

Et Renart de lui dire tout net en riant : « qui trop embrasse mal étreint ». C'est la fin de la nuit, l'aube apparaît, le soleil matinal se lève, les chemins sont couverts de neige et Monseigneur Constant des Granges, un riche vavasseur, qui demeurait au bord de l'étang, est déjà levé, frais et dispos ainsi que toute sa maisonnée. Il prend un cor de chasse, ameute ses chiens et fait seller son cheval. Ses hommes, de leur côté, crient et mènent force tapage. Renart, à ce bruit, prend la fuite et se réfugie dans sa tanière. Ysengrin, lui, se trouve toujours en fâcheuse position, tirant désespérément sur sa queue au risque de s'arracher la peau. Elle est le prix à payer s'il veut s'échapper de là. Tandis qu'il se démène, arrive au trot un valet qui tient deux lévriers en laisse. Apercevant le loup bloqué par la glace et le crâne tondu, il se hâte vers lui et, s'étant assuré de ce qu'il a vu, se met à crier :

Or poez oïr fiere guerre.
    Ferir le cuida en la teste :
Mes d'autre part li cous s'areste.
Vers la coe descent l'espee,
490 Tot rés a rés li a coupee
Prés de l'anel : n'a pas failli.
Et Ysengrins qui l'a senti
Saut en travers, puis si s'en torne
Les chens mordant trestot a orne
Qui molt sovent li vont as naces.
Mes la coe remest en gages :
Et molt li poise et molt li greve,
A poi son cuer de dol ne creve.
N'en pot plus fere, torne en fuie
500 Tant que a un tertre s'apuie.
Li chen le vont sovent mordant
Et il s'en va bien defendant.
Con il furent el tertre amont,
Li chen sont las, recreü sont.
Et Ysengrins point ne se tarde,
Fuiant s'en va, si se regarde,
Droit vers le bois grant aleüre.
Iloc rala et dit et jure
Que de Renart se vengera
510 Ne jamés jor ne l'amera.

« Au loup, au loup, à l'aide, à l'aide! » A ses
cris, les chasseurs franchissent la clôture
entourant la maison avec tous leurs chiens.
Ysengrin est d'autant moins à la fête que
Maître Constant qui arrivait derrière eux au
triple galop de son cheval s'écrie, en mettant
pied à terre : « Lâchez les chiens, allez,
lâchez-les! » Les valets détachent les bêtes qui
se jettent sur le loup dont le poil se hérisse,
tandis que le chasseur excite encore la meute.
Ysengrin se défend de son mieux à coups de
crocs : que pourrait-il faire d'autre? Certes, il
préférerait être ailleurs. Constant, l'épée
tirée, s'approche pour être sûr de ne pas
manquer son coup. Il est descendu de cheval
et s'avance de façon à attaquer le loup par
derrière. Il va pour le frapper mais manque
son coup qui glisse de travers et le voilà tombé
à la renverse, le crâne en sang. Il se relève non
sans mal et, furieux, retourne à l'attaque. Ce
fut un combat farouche que celui-là. Alors
qu'il vise la tête, le coup dévie : l'épée descend
jusqu'à la queue qu'elle coupe net, au ras du
derrière. Ysengrin en profite pour sauter de
côté et pour s'éloigner, mordant l'un après
l'autre les chiens qui lui collent aux fesses.

Mais il se désespère d'avoir dû laisser sa queue en gage : pour un peu il en mourrait de douleur. Cependant, il n'y a plus rien à faire. **500** Il fuit donc jusqu'au sommet d'une colline, se défendant bien contre les chiens qui le mordent sans cesse. En haut du tertre, ses poursuivants, épuisés, renoncent. Il reprend sans tarder la fuite à toute vitesse jusqu'au bois, en surveillant les alentours. Arrivé là, il jure bien de se venger de Renart et de ne plus jamais être son ami.

Or me convient tel chose dire
Dont je vos puisse fere rire.
Qar je sai bien, ce est la pure,
Que de sarmon n'avés vos cure
Ne de cors seint oïr la vie.
De ce ne vos prent nule envie,
Mes de tel chose qui vos plese.
Or gart chascun que il se tese :
Que de bien dire sui en voie
10 Et bien garniz, se Dex me voie.
Se vos me volieez entendre,
Tel chosse porrieez aprendre
Que bien feroit a retenir.
Si me selt em por fol tenir.
Mes j'ai oï dire en escole :
De fol ome sage parole.
Lonc prologue n'est preuz a fere.
Or dirai, ne me voil plus tere,
Une branche et un sol gabet
20 De celui qui tant set d'abet :
C'est de Renart, bien le savez,
Et bien oï dire l'avez.
De Renart ne va nus a destre.
Renars fet tot le monde pestre :
Renars atret, Renars acole,
Renars est molt de male escole.
De lui ne va coroies ointes,
Ja tant ne sera ses acointes.
Molt par est sajes et voisous

YSENGRIN DANS LE PUITS (IV)

Il vaut mieux que je vous raconte une histoire qui vous fasse rire car je sais bien qu'en vérité, vous n'avez pas la tête à écouter un sermon ou une vie de saint. Ce dont vous avez envie, c'est de quelque chose de distrayant. Faites donc silence, car je suis en train et j'ai plus d'une histoire dans mon sac. Vous allez entendre une aventure qui en vaut la peine. On me prend souvent pour un fou, mais j'ai ouï dire à l'école : la sagesse sort de la bouche du fou. Inutile d'allonger l'entrée en matière! je vais donc vous raconter sans plus tarder un des tours — un seul! — d'un
[20] maître ès ruses; il s'agit de Renart, ce n'est pas moi qui vais vous l'apprendre. Personne n'est capable de le faire marcher alors que, lui, il envoie paître tout le monde; depuis son enfance, il suit le mauvais chemin. On a beau le connaître, on n'arrive jamais à échapper à ses pièges. Il est prudent, astucieux; il agit en catimini. Mais, en ce monde, le sage lui-même n'est pas à l'abri de la folie.

³⁰ Renars, et si n'est pas noisous.
Mes en cest monde n'a si sage,
Au chef de foiz n'aut a folage.
Or vos dirai quel mesestance
Avint Renart et quel pesance.
L'autrer estoit alez porquerre
Sa garison entre autre terre.
Conme cil qui avoit souffrete
Et grant fein qui molt le dehete,
S'en est tornez vers une pree.
⁴⁰ Si con il vint en une aree,
S'en va Renars par une broce
Molt dolanz, et molt se coroce
Que il ne puet chose trover
Qu'il puist manger a son soper.
Mes n'i voit rien de sa pasture.
Lors se remet en l'anbleüre
Fors del bois, et vint en l'oreille.
Arestez est, de fain baaille,
Grelles, megres e esbahis.
⁵⁰ Molt a grant fein en son païs.
D'oures en autres s'estendeille.
Et ses ventres si se merveille
Et si boel qui sont dedenz
Que font ses poes et ses denz.
D'angoisse gient et de destrece
Et de la fein qui molt le blece.
Lors dist qu'il fait maveis atendre
En leu on l'en ne puet rien prendre.
A icest mot par un sentier
⁶⁰ S'en corut un arpent entier.
Onques ne volt entrer el pas
Tant que il vint a un trespas.
Si con il ot le col baissié,
Si a choisi en un plessié

Voici donc la mésaventure qui lui est arrivée. L'autre jour, démuni de tout et tenaillé par la faim, il était en quête de nourriture. A travers prés, labours et taillis, il va, misérable et furieux de ne rien trouver à manger pour son souper : mais il ne voit rien à se mettre sous la dent. Reprenant alors le trot, il gagne l'orée du bois où il s'arrête, bâillant de faim, s'étirant de temps à autre, tout maigre, décharné, et ne sachant que faire : c'est que la famine règne dans tout le pays. Ses boyaux se demandent bien dans son ventre ce que font ses pattes et ses dents. Torturé par la faim, il ne peut retenir des gémissements de détresse et de désespoir. « Mais à quoi bon attendre, là où il n'y a rien à prendre? » se dit-il. Sur ce, il parcourt tout un arpent, sans ralentir, en suivant un sentier, ce qui l'amène à un chemin de traverse. Tendant le cou, il aperçoit dans un enclos tout près d'un champ d'avoine, une abbaye de moines blancs [5] avec une grange attenante qu'il décide de prendre pour cible. Elle était solidement construite avec des murs en pierre grise fort dure — vous pouvez m'en croire — et entourée d'un fossé aux bords escarpés :

Par encoste d'unes avoines
Une abeïe de blans moines
Et une grange par dejoste,
Ou Renars velt fere une joste.
La granche fu molt bien asise.
70 Li mur furent de roce bise
Molt fort, ne vos en mentiron,
Et furent clos tot environ
D'un fossé dont haute est la rive,
Si que ne lor puet riens qui vive
Tolir par force nule chose,
Puis que la granche est ferme et close.
Plentive est de norreture,
Qu'il erent en bone pasture.
Moult par estoit bonne la grange.
80 Mais a pluseurs estoit estrange.
Assez i a de tel viande
Con Renars li gourpils demande :
Gelines, chapons surannez.
Renars est celle part tournez,
Parmi la voie a fait un saut
Touz abrivez de faire assaut.
Onques ne fu ses frains tenus
Tant qu'il est aus chapons venus.
Sur le fossé s'est arrestez
90 De gaaignier touz aprestez
Et des gelines assaillir.
Mais il n'i pooit avenir.
Court et racourt entor la granche,
Mais n'i treuve ne pont ne planche
Ne pertuis : moult se desconforte.
Lors s'acroupi devant la porte
Et vit le guichet entrouvert
Et le pertuis tout descouvert :
Celle part vint, outre se lance.

84

impossible de s'introduire dans un lieu si sûr pour y voler. Et pourtant, ce ne sont pas les victuailles qui y manquent ni en quantité ni en qualité. Quelle grange alléchante, et dont beaucoup ignorent jusqu'à l'existence. Et justement elle regorge des mets préférés de Renart : poules et chapons engraissés à point. Il dirige donc sa course de ce côté, s'avançant au milieu du chemin, impatient de passer à l'attaque. Pas question de traîner avant d'être arrivé à portée des chapons. Il ne s'arrête que devant le fossé, tout prêt à se jeter sur les poules et à empocher son gain. Mais là rien à faire; il a beau tourner autour de la grange au pas de course, il ne trouve ni passerelle, ni planche, ni ouverture. C'est à désespérer! Cependant, tapi au pied de la porte, il constate qu'une petite trappe entrouverte laisse un passage qui lui permet de se faufiler à l'intérieur. Le voilà dans la place, où d'ailleurs sa situation n'est pas sans danger, car, si les moines s'aperçoivent du mauvais tour qu'il veut leur jouer, ils le lui feront payer cher en le gardant lui-même en otage, tant il y a de malice en eux. Qu'importe! qui ne risque rien n'a rien! Renart s'introduit

100 Or est Renars en grant balance :
Que s'il puent appercevoir
Que il les veille decevoir,
Li moine retendront son gage
O lui meismes en ostage :
Car felon sont a desmesure.
Qui chaut? tout est en avanture.
Or va Renart par le pourpris,
Grant paour a d'estre surpris.
Vint as gelines, si escoute :
110 C'est vérité que moult se doute,
Que bien set qu'il fait musardie.
Retournez est par couardie,
Grant paour a c'on ne le voie.
Ist de la court, entre en la voie
Et se conmence a pourpenser.
Mais besoing fait vielle troter,
Et la faim tant le par tourmente,
Ou bel li soit ou se repente,
Le refait arriere fichier
120 Por les gelines acrochier.
Or est Renars venuz arriere,
En la granche entre par deriere
Si coiement que ne se murent
Les gelines, ne n'aparçurent.
Sus un tref en ot troi juchiees
Qui estoient a mort jugiees.
Et cilz qui ert alez en fuerre,
S'en monta sus un tas de fuerre
Pour les gelines acrochier.
130 Les gelines sentent hochier
Le fuerre, si en tresaillirent
Et en un angle se tapirent.
Et Renars celle part s'en tourne,
Si les a prises tout a ourne

donc dans l'enclos et s'approche des poules tout en tendant l'oreille par peur d'être surpris, — car il sait bien l'imprudence qu'il commet. La crainte d'être aperçu va même jusqu'à lui faire faire demi-tour : il ressort donc de la cour et regagne le sentier où il reste un moment dans l'expectative, mais, le besoin fait trotter la vieille [6] et la faim qui continue à le tenailler le pousse à revenir sur ses pas pour essayer de s'emparer des poules coûte que coûte. Le voilà donc de nouveau à pied d'œuvre. Il pénètre dans la grange par derrière, en faisant si peu de bruit que, ne s'apercevant de rien, les poules ne bougent même pas. En voici trois, perchées sur une poutre qui n'ont plus longtemps à vivre. Notre chasseur grimpe sur un tas de paille pour saisir ses victimes entre ses dents, mais ces dernières, sentant bouger la paille, sursautent et vont se tapir dans un coin. Renart les y poursuit, les accule une par une dans l'encoignure et les étrangle toutes les trois. Les deux premières lui permettent d'avoir sujet de se lécher les babines sur-le-champ, quant à la troisième, il a l'intention de la faire cuire. Aussi, comme, après avoir mangé, il se

La ou il les vit enanglees :
Si les a toutes estranglees.
Des deus en fait ses grenons bruire,
La tierce en voudra porter cuire.
Quant ot mengié, si fu aaise.
140 De la granche ist par une hese
Et la tierce geline emporte.
Mais si conme il vint a la porte,
Si ot moult grant talent de boivre
Cilz qui bien sot la gent deçoivre.
Un puis avoit enmi la cort :
Renars le vit, celle part court
Pour sa soif que il volt estaindre,
Mais il ne pot a l'eve ataindre.
Or a Renart le puis trouvé :
150 Moult par le vit parfont et lé.
Seigneurs, or escoutez merveilles!
En ce puis si avoit deus seilles :
Quant l'une vient, et l'autre vait.
Et Renars qui tant a mal fait,
Dessur le puis s'est acoutez
Grainz et marris et tespensez.
Dedens commence a regarder
Et son ombre a aboeter :
Cuida que ce fust Hermeline
160 Sa famme qu'aime d'amor fine,
Qui herbergie fust leens.
Renars fu pensis et dolens :
Il li demande par vertu
— « Di moi, la dedens que fais tu? »
La vois du puis vint contremont :
Renars l'oï, drece le front.
Il la rapelle une autre fois :
Contremont resorti la vois.
Renars l'oï, moult se merveille :

sent mieux, il entreprend de sortir de la
[140] grange en l'emportant. Mais au moment de
passer la porte, notre maître ès ruses, poussé
par la soif et voyant le puits au milieu de la
cour, s'y précipite pour y boire tout son saoul,
mais il va en être empêché : en effet, arrivé au
puits, il constate qu'il est large et profond. Et
voici où l'histoire se corse : il y avait deux
seaux dont l'un montait lorsque l'autre des-
cendait. Renart le malfaiteur s'appuie sur la
margelle, mécontent, irrité autant qu'embarrassé de ce contretemps. Regardant à l'intérieur, il voit son reflet dans l'eau et croit qu'il
[160] y a là au fond sa femme Hermeline qu'il aime
tendrement. Aussi, rempli d'une douloureuse
surprise à cette vue, il lui demande d'une voix
forte : « Que fais-tu là-dedans, dis-moi? » Sa
voix résonne comme si elle sortait du puits.
En l'entendant, il redresse la tête et appelle
de nouveau. Le même phénomène se répète à
son grand étonnement. Il saute alors dans le
seau sans comprendre ce qui lui arrive quand
il se met à descendre. Le malheureux! Ce
n'est qu'une fois tombé à l'eau qu'il se rend
compte de sa méprise.

Le voilà aux cent coups de sa vie! Il a fallu

170 Si met ses piez en une seille,
Onc n'en sot mot, quant il avale.
Ja i aura encontre male.
Quant il fu en l'eve cheüs,
Si sot bien qu'il fu deceüs.
Or est Renart en male frape,
Maufez l'ont mis en celle trape.
Acoutez s'est a une pierre,
Bien vousist estre mors en biere
Li chaitis sueffre grant hachiee :
180 Moult a souvent la pel moilliee.
Or est a aise de peschier.
Nulz nel pourroit esleeschier :
Ne prise deus boutons son sens.
Seigneurs, il avint en cel tens,
En celle nuit et en celle heure,
Que Ysengrins tout sanz demeure
S'en est issus d'une grant lande :
Que querre li couvint viande,
Que la fain le grieve forment.
190 Tournez s'en est ireement
Devant la meson aus rendus,
Les granz galos i est venuz.
Le païs trouva moult gasté.
— « Ci conversent » dit il « malfé,
Quant l'en n'i puet trouver viande
Ne rien de ce que on demande. »
Tournez s'en est tout le passet.
Courant s'en vint vers le guichet :
Par devant la rendation
200 S'en est venuz le grant troton.
Le puis trouva enmi sa voie
Ou Renars le rous s'esbanoie.
Dessur le puis s'est aclinez
Grainz et marriz et trespensez.

que le diable s'en mêle pour qu'il en arrive là!
Il se tient agrippé à une pierre, mais il
préférerait être mort et enterré! Le pauvre! Il
180 est à rude épreuve : trempé jusqu'aux os, il est
certes bien placé pour aller à la pêche, mais il
n'a pas la tête à rire et se demande comment
il pu commettre une pareille bêtise.

Or, cette nuit-là, juste au bon moment,
Ysengrin, poussé par la faim, sortait d'un
champ pour chercher à manger. De fort
méchante humeur, il se dirige au grand galop
vers le logis des moines, mais sans rencontrer
aucune occasion favorable. « Diable de
pays! » se dit-il, « où on ne trouve rien de bon
à se mettre sous la dent et même... rien du
tout ». Sans hésiter, il court vers le guichet et
200 arrive au trot devant la maison. Sur son
chemin, se trouve le puits au fond duquel
Renart le rouquin se débat. Ysengrin, par-
tagé entre le souci et l'irritation, va s'accou-
der à la margelle. Et là, en se penchant et en
regardant avec attention exactement comme
avait fait Renart, il aperçoit son propre reflet.
Il croit que c'est dame Hersent qui est
installée là au fond, avec Renart, ce qui, vous
pouvez m'en croire, n'améliore pas son

Dedens conmence a regarder
Et son umbre a aboeter.
Con plus i vit, plus esgarda,
Tout ensi con Renars ouvra :
Cuida que fust dame Hersens
210 Qui herbergiee fust leens
Et que Renars fust avec li.
Sachiez pas ne li embeli,
Et dist : « moult par sui maubailliz,
De ma fame vilz et honniz
Que Renars li rous m'a fortraite
Et ceens avec soi a traite.
Moult est ore traïtre lere
Quant il deçoit si sa conmere.
Si ne me puis de lui garder.
220 Mes se jel pooie atraper,
Si faitement m'en vengeroie
Que jamés crieme n'en auroie. »
Puis a uslé par grant vertu :
A son umbre dist : « Qui es tu?
Pute orde vilz, pute prouvee,
Qant o Renart t'ai ci trovee! »
Si a ullé une autre foiz,
Contremont resorti la voiz.
Que qu'Isengrins se dementoit
230 Et Renars trestoz coiz estoit,
Et le laissa assez usler,
Puis si le prist a apeler.
— « Qui est ce, Diex, qui m'aparole?
Ja tiens ge ça dedenz m'escole. »
— « Qui es tu, va ? » dist Ysengrin.
— « Ja sui je vostre bon voisin
Qui fui jadiz vostre compere,
Plus m'amiez que vostre frere.
Mais l'en m'apelle feu Renart

humeur : « Me voilà donc bafoué, déshonoré comme un moins que rien par ma femme que ce rouquin a enlevée pour l'emmener là avec lui. Ah! le traître! le bandit! Abuser ainsi de sa commère, sans que j'aie pu intervenir! [220] Mais si je le tenais, je me vengerais si bien de lui que je n'aurais plus jamais à le craindre. Sale pute, espèce de salope, je t'y prends avec Renart », s'écrie-t-il à pleins poumons à l'adresse de son reflet. Et il se reprend à hurler tandis que sa voix résonne au fond du puits. Devant les lamentations d'Ysengrin, Renart ne bronche pas; il lui laisse au contraire tout le temps de crier avant de l'interpeller :

— « Qui est-ce, mon Dieu, qui m'appelle? C'est ici désormais que je tiens mon école.

— Mais qui es-tu?

— C'est moi, votre bon voisin; autrefois, nous étions compères et compagnons. Vous m'aimiez plus qu'un frère. Maintenant, on [240] m'appelle feu Renart qui fut le roi de la ruse et du mauvais tour.

— « Voilà qui va mieux! Mais depuis quand es-tu donc mort, Renart?

— Depuis quelque temps. Mais pourquoi

²⁴⁰ Qui tant savoit d'engin et d'art. »
Dist Ysengrins : « c'est mes confors :
Des quant es tu, Renart, donc mors? »
Et il li respont : « des l'autrier.
Nulz hons ne s'en doit merveiller,
Se je sui mors : aussi mourront
Tretuit cil qui en vie sont.
Parmi la mort les convendra
Passer au jor que Diex plaira.
Or atent m'ame Nostre Sire
²⁵⁰ Qui m'a geté de cest martire.
Je vos pri, biau compere dous,
Que me pardonnez les courrous
Que l'autrier eüstes vers moi. »
Dist Ysengrins : « et je l'otroi.
Or vous soient tout pardoné,
Compere, ci et devant Dé.
Mes de vostre mort sui dolens ».
Dist Renars : « et j'en sui joians. »
— « Joians en es? » — « Voire, par foi. »
²⁶⁰ « Biau compere, di moi pourquoi. »
— « Que li miens corps gist en la biere
Chiez Hermeline en la tesniere,
Et m'ame est en paradis mise,
Devant les piez Jhesu assise :
Comperes, j'ai quanque je veil.
Je n'oi onques cure d'orgueil.
Se tu es ou regne terrestre,
Je sui en paradis celestre.
Ceens sont les gaaigneries,
²⁷⁰ Les bois, les plains, les praieries :
Ceens a riche pecunaille,
Ceens puez veoir mainte aumaille
Et mainte oeille et mainte chievre,
Ceens puez tu veoir maint lievre

s'en étonner? Ainsi mourront également tous les vivants. Il leur faudra passer de vie à trépas le jour qu'il plaira à Dieu. Notre Seigneur qui m'a délivré de cette vie de douleur garde maintenant mon âme. Je vous supplie, très cher compagnon, de me pardonner de vous avoir mis en colère l'autre jour.

— Bien sûr! je vous l'accorde. Recevez mon pardon, cher compère, ici devant Dieu. Mais votre mort m'attriste.

— Moi, je n'en suis pas mécontent.

— Tu t'en réjouis?

— Mais oui!

²⁶⁰ — Et pourquoi donc, cher compère, dis-moi?

— Parce que si mon corps est dans le cercueil auprès d'Hermeline dans ma tanière, mon âme est en Paradis, assise aux pieds de Jésus. Ici, il ne me manque plus rien, mon ami; mais c'est que je n'ai jamais péché par orgueil. Alors que toi, tu es au royaume de la terre, moi, je suis au ciel. Ici, ce ne sont que champs, bois, plaines, prairies. Quelle abondance! Ah! Si tu pouvais voir tous ces troupeaux, ces brebis, ces chèvres, ces bœufs,

Et bues et vaches et moutons,
Espreviers, ostors et faucons. »
Ysengrins jure saint Sevestre
Que il voudroit la dedens estre.
Dist Renars : « lessiez ce ester,
280 Ceens ne poez vous entrer :
Paradis est celestiaus,
Mais n'est mie a touz communaus.
Moult as esté touz jors trichierres,
Fel et traïtres et boisierres.
De ta famme m'as mescreü :
Par Dieu et par sa grant vertu,
Onc ne li fis desconvenue,
N'onques par moi ne fu foutue.
Tu dis que tes fils avoutrai,
290 Onques certes nel me pensai.
Par cel seigneur qui me fist né,
Or t'en ai dit la vérité. »
Dist Ysengrins : « je vous en croi,
Jel vos pardoing en bonne foi.
Mais faites moi leens entrer ».
Ce dist Renars : « lessiez ester.
N'avons cure ceens de noise.
La poez veoir celle poise ».
Seigneur, or escoutez merveille!
300 A son doi li moustre la seille.
Renars set bien son sens espandre :
Que pour voir li a fet entendre,
Poises sont de bien et de mal.
— « Par Dieu le pere esperital,
Diex si par est ainsi poissanz,
Que quant li biens est si pesanz,
Si s'en devale ça de jus,
Et touz li maus remaint lassus.
Mais hons, s'il n'a confesse prise,

ces vaches, ces moutons, ces éperviers, ces autours, ces faucons! »

Ysengrin jure par saint Sylvestre qu'il voudrait y être.

²⁸⁰ — « Un moment! » fait Renart, « vous ne pouvez pas y entrer comme ça. Le Paradis est un lieu spirituel qui n'est pas donné à tous. Toute ta vie, tu as été fourbe, traître, menteur, trompeur. Tu n'as pas eu confiance en moi au sujet de ta femme. Et pourtant, j'en prends à témoin le Dieu Saint, je n'ai jamais couché avec elle et je ne lui ai jamais manqué de respect. Tu as dit que j'avais traité tes fils de bâtards : l'idée ne m'en est même pas venue. Par le Seigneur qui m'a créé, c'est la vérité que je te dis.

— Je te crois et je ne t'en veux plus, sans arrière-pensée; mais fais-moi entrer.

— Pas question! Nous ne voulons pas avoir d'ennui. Vous voyez cette balance? »

Seigneurs, écoutez la suite : c'est à n'en pas ³⁰⁰ croire ses oreilles. Du doigt, Renart montre le seau au loup et parvient, à force d'adresse, à le persuader qu'il s'agit de la balance qui sert à peser les bonnes et les mauvaises actions :

310 Ne pourroit ja en nule guise
    Ci avaler, je le te di.
    As tu tes peschiez regehi? »
    — « Oïl » fait il, « a un viel levre
    Et a une barbue chievre
    Moult bien et moult tres saintement.
    Compere, plus hastivement
    Me faites la dedens entrer! »
    Renars conmence a regarder :
    — « Or vous estuet dont Dieu proier
320 Et moult saintement gracier
    Que il vous face vrai pardon
    De vos pechiez remission :
    Ainsi i pourriés entrer. »
    Ysengrins n'i volt plus ester :
    Son cul tourna vers orient
    Et sa teste vers occident,
    Et conmença a orguener
    Et tres durement a usler.
    Renars qui fait mainte merveille,
330 Estoit aval en l'autre seille
    Qui ou puis estoit avalee.
    Ce fu par pute destinee
    Que Renars s'est dedens couchiez.
    Par temps iert Ysengrins iriez.
    Dist Ysengrins : « J'ai Dieu proié. »
    — « Et je « dist Renars », gracié.
    Ysengrin, vois tu ces merveilles,
    Que devant moi ardent chandeilles?
    Jhesu te fera vrai pardon
340 Et moult gente remission. »
    Ysengrins l'ot : adont estrive
    Au seel abatre de rive,
    Il joint les piez, si sailli ens.
    Ysengrins fu li plus pesans,

— « Par Dieu le Père, qui est Pur Esprit et Toute-Puissance, quand le bien pèse assez, celui qui est assis sur le plateau descend jusqu'ici, et tout le mal qu'il a commis reste en haut. Mais personne ne pourra jamais descendre sans s'être confessé, je te le dis en vérité. As-tu avoué tes péchés?

— Oui, à un vieux lièvre et à une chèvre barbue, dans un esprit de sincérité et de sanctification. Fais-moi vite entrer, compère. »

Renart se prend à le regarder : « Alors, il 320 vous faut adresser à Dieu de ferventes prières pour qu'il vous pardonne en vous accordant la rémission de vos péchés. A cette condition, vous pourrez être admis ici. »

Ysengrin, plein d'impatience, se tourne cul à l'est, tête à l'ouest [7] et commence de chanter à tue-tête. Renart, — il n'a pas fini de nous étonner, celui-là, — se trouvait au fond du puits, dans le seau où il était entré, poussé par le diable assurément. Quand Ysengrin lui dit qu'il a terminé sa prière, il répond que, de son côté, il a achevé son action de grâces, ajoutant : « Vois-tu le miracle de ces cierges qui brûlent devant mes yeux, Ysengrin? Dieu

Si s'en avale contreval.
Or escoutez le bautestal!
Ou puis se sont entre encontré,
Ysengrins l'a araisonné
— « Compere, pourquoi t'en viens tu? »
350 Et Renars li a respondu :
— « N'en faites ja chiere ne frume,
Bien vous en dirai la coustume :
Quant li uns va, li autres vient,
C'est la coustume qui avient.
Je vois en paradis la sus,
Et tu vas en enfer la jus.
Du diable sui eschapez
Et tu t'en revas as maufez.
Moult es en granz viltés cheois
360 Et j'en sui hors, bien le sachois.
Par Dieu le pere esperitable,
La jus conversent li diable. »
Des que Renars vint a la terre,
Moult s'esbaudi de faire guerre.
Ysengrins est en male trape :
Se il fust pris devant Halape,
Ne fust il pas si adoulez,
Que quant ou puis fu avalez.
Seigneur, or oiez des renduz
370 Conme il perdirent leur vertuz.
Leur feves furent trop salees
Que il orent mengié gravees.
Li sergent furent pareceus,
Que d'eve furent souffreteus.
Mais il avint del cuisinier,
Celui qui gardoit le mengier,
Qu'il ot sa force recouvree.
Au puis s'en vint la matinee,
Si menoit un asne Espanois

t'accordera son pardon et te remettra géné-
⁣³⁴⁰ reusement tes péchés. »

Sur quoi, Ysengrin fait descendre le seau
jusqu'à la margelle et saute dedans à pieds
joints. Comme il était plus lourd que Renart,
il descend et voici leur dialogue :

— « Pourquoi t'en viens-tu, compère? »
demande Ysengrin. Et Renart de lui répondre : « Ne fais pas cette tête-là, je vais te dire :
l'un vient, l'autre s'en va. C'est l'usage. Moi,
je monte au Paradis, tandis que toi, tu
descends en enfer. Toi, tu vas au diable et
moi, je lui ai échappé. Tu es tombé au
⁣³⁶⁰ trente-sixième dessous et moi, je m'en sors.
Te voilà renseigné. Par Dieu le Père et le
Saint-Esprit, en bas c'est le séjour des
démons. »

Sitôt pied mis à terre, Renart se réjouit fort
de sa victoire. Mais c'est au tour d'Ysengrin
de se trouver en fâcheuse posture. Eût-il été
fait prisonnier par les Infidèles [8] qu'il ne
serait pas plus à plaindre qu'il ne l'est au fond
de son puits.

Seigneurs, apprenez que les moines
s'étaient rendus malades en mangeant des
fèves germées et trop salées. Et leurs domes-

³⁸⁰ Et compaignons de ci a trois :
Au puis en viennent le troton
Trestuit li qatre compaingnon.
L'arne acouplent a la poulie
Qui de traire pas ne s'oublie :
Li rendu le vont menaçant
Et l'arnes va forment traiant.
Li leus a sa grant mesestance
Estoit la aval en balance :
Dedenz le seel s'est coulez.
³⁹⁰ Et l'arne fu si adolez
Que il ne pot n'avant n'arriere,
Ne por force que l'en le fiere :
Quant uns renduz s'est apoiez,
Qui est desus le puis couchiez :
Si prent dedenz a regarder
Et Ysengrin a aviser.
Dist aus autres : « que faites vous?
Par Dieu le pere glorious,
Ce est un leu que vous traiez ».
⁴⁰⁰ Estes les vous touz esmaiez,
Si s'en courent tuit vers maison
Grant aleüre le troton.
Mais la poulie ont atachie.
Ysengrins sueffre grant haschie.
Li frere apellent les serjanz,
Par temps iert Ysengrins dolenz.
Li abbés prent une maçue
Qui moult estoit grant et cornue,
Et li priours un chandelier.
⁴¹⁰ Il n'i remest moine ou moustier
Qui ne portast baston ou pel :
Tuit sont issu de leur hostel.
Au puis en prennent a venir
Et s'aprestent de bien ferir.

tiques, par paresse, avaient laissé le couvent manquer d'eau. Mais le cuisinier, qui était responsable des vivres avait repris assez de forces au cours de la matinée pour se rendre
380 au puits d'un bon pas avec trois compagnons et un âne. Ils attachent l'animal à la corde de la poulie pour qu'il puise l'eau, ce qu'il entreprend de faire avec ardeur, houspillé qu'il est par les moines. A son grand dam, le loup était toujours en bas dans l'autre seau où il s'était glissé. Mais l'âne n'était pas de force, si bien qu'il ne pouvait ni avancer ni reculer malgré tous les coups qu'il recevait; jusqu'au moment où un moine appuyé sur la margelle, se penche pour regarder au fond. Voyant Ysengrin, il crie aux autres : « Savez-vous ce que vous êtes en train de faire, par Dieu le Père Tout-Puissant? C'est un loup que vous remontez du puits! »
400 Et aussitôt, les voilà tous qui prennent leurs jambes à leur cou et courent, affolés, jusqu'au couvent, laissant l'âne attaché à la corde; mais le martyre d'Ysengrin n'est pas fini pour autant. Les frères appellent des serviteurs; cela ne va donc pas s'arranger pour le loup. L'abbé saisit une grosse massue noueuse et le

L'arne font traire qui la fu,
Si li aïdent par vertu
Tant que li seaus vint a rive.
Ysengrins n'atent mie trive,
Un saut a fet moult avenant.
420 Et li gaignon le vont sivant,
Qui descirent son peliçon :
Amont en volent li flocon.
Et li rendu l'ont atrapé
Qui moult durement l'ont frapé.
Li uns le fiert parmi les rains,
Ysengrins est en males mains.
Illec s'est qatre foiz pasmez,
Moult par est grainz et adolez,
Tant qu'il s'est souchiez sur le bort :
430 Illecques fait semblant de mort.
Atant estes vous le priour
Cui Diex otroit grant deshonnour.
Il mist la main a son coutel,
Si en vouloit prendre la pel.
Toz estoit prez de l'acourer,
Quant l'abé dist : « Lessiez ester!
Assez a sa pel despecie
Et sofferte mortel hachie :
Il ne fera mais point de guerre,
440 Apesiee en est la terre.
Tornons nos en, lessiez ester! »
Ysengrins n'a talent d'aler.
Chascuns rendu a pris son pel,
Si retournerent a ostel.
Ysengrins voit n'i a nullui,
Qui a souffert si grant anui.
Fuiant s'en va a grant hachie
Que il a la croupe brisie.
A un grant buisson est venus.

prieur un chandelier. Tous les moines sans exception sortent du couvent, bâtons ou épieux en main, et se dirigent vers le puits, décidés à ne pas y aller de main morte. En ajoutant leurs forces à celles de l'âne, ils parviennent à faire remonter le seau jusqu'à la margelle. Ysengrin, sachant bien comment il va être accueilli, bondit aussi loin qu'il peut.

420 Mais les chiens qui le talonnent lui lacèrent sa pelisse en faisant voler des touffes de poil. Puis les moines le rattrapent et se mettent à le rouer de coups. L'un d'eux l'atteint en plein sur les reins. Il passe un mauvais quart d'heure, s'évanouissant à quatre reprises. Finalement, à bout de force et de résistance, il s'étend sur place et fait le mort. C'est alors qu'arrive le prieur (que Dieu le maudisse!), son couteau à la main, pour écorcher l'animal. Il allait l'achever quand l'abbé intervient : « Laissez! Sa peau n'en vaut pas la peine, tant elle a été mise en pièces par les coups que nous lui avons portés. Il ne fera plus

440 la guerre et la terre vivra en paix. Rentrons. Ne vous occupez plus de lui. »

Ysengrin se garde bien de bouger. Tous les moines, toujours l'épieu à la main, retournent

450 Mais tant est ses crepons batus
Qu'il ne se puet resvertuer.
Devant lui vit son filz aler
Qui li demanda entresait :
— « Biau pere, qui vous a ce fait? »
— « Biaus filz, Renars qui m'a traï.
Par Dieu le voir qui ne menti,
En un puis me fist trebuschier,
Jamais ne me pourrai aidier. »
Quant cilz l'oï, moult s'en aïre,
460 Dieu jure qui souffri martire,
Se il as mains le puet tenir,
Il li fera ses jeus puïr.
— « Sel puis tenir, jel vos plevis,
Il ne m'estordra mie vis :
Que devant moi fouti ma mere,
Si compissa moi et mon frere.
Si l'en rendrai le guerredon,
Ja n'en aura se la mort non. »
Atant s'en va en sa taisniere
470 Et fait mires mander et querre
Qui de lui sont tant entremis
Et tant li ont vitaille quis
Que pourchacie ont et trouvee
Qu'il a sa force recouvree.
Ysengrins est garis et forz :
Se dant Renars passe les porz,
S'Ysengrins le truisse en sa marche,
Sachiez, il li fera damage.

au couvent. Et quand le loup, tout meurtri, constate qu'il n'y a plus personne, il se sauve à grand peine, tant son dos le fait souffrir. Il parvient jusqu'à un buisson, mais sans pouvoir aller plus loin à cause de la correction qu'il vient de recevoir. Et voici son fils qui survient par hasard :

— «Qui vous a fait cela, mon cher père?

— C'est Renart qui m'a trahi, mon fils. Par le Dieu de Vérité, il m'a fait tomber dans un puits. Je ne m'en remettrai jamais. »

460   A ces mots, son fils, indigné, jure par la Passion de Dieu que, s'il peut le tenir, Renart aura sujet de s'en repentir : «Si je mets la main dessus, je vous le jure, il ne m'échappera pas vivant. Il a couché, sous mes yeux, avec ma mère, il a pissé sur mon frère et sur moi, il n'aura que ce qu'il mérite : la mort. »

Ysengrin regagne alors sa tanière et fait appeler des médecins pour se soigner. A force de manger le gibier qu'on chasse pour lui, il finit par retrouver santé et vigueur; et si Renart franchit les limites de son territoire, soyez assurés qu'Ysengrin ne le manquera pas.

Renars qui moult sot de treslue
Et qui avoit grant faim eüe,
Se met baaillant au frapier.
Si conme il erroit son sentier,
Onc n'en sot mot Tybers li chas
Tant que il se vit en ses las.
Renars le voit, si li fremie
Toute la char de lecherie.
Grant talent a de lui mengier :
10 Et si se voldroit revengier
De ce qu'el broion le bouta.
Mays ja samblant ne l'en fera
Que il li voeille se bien non.
Lors l'a mis Renars a raison.
— « Tybert » fait il, « quiex vens vos guie? »
Et Tybers s'est mis a la fuie.
— « Avoi, Tibert » ce dist Renart.
« Ne fuiez pas, n'aiés resgart!
Arrestés, si parlés a moy!
20 Souviengne vous de vostre foy!
Que cuidiés vous que je vous face?
Ne cuidiés par (ja Dieu ne place!)
Que ja nul jour ma foy vos mente.
Je n'entrasse hui en ceste sente,
Se ne vous cuidasse trouver :
Quar ma foy voloie acquiter.
Dant Tybert, de la vostre foy
N'estes vous mie en grant effroy. »
Tybers se tourne, si s'arreste.

RENART, TIBERT
ET L'ANDOUILLE   (XV)

Renart, le maître ès ruses, s'était mis en
route, bâillant de faim et allait à l'aventure le
long d'un sentier. Tibert le chat [9] ne prit
garde à lui qu'au moment de se voir déjà dans
ses filets. Sa vue fait frémir Renart de
convoitise tant est grande son envie de le
dévorer et de se venger, par la même occasion, d'avoir été poussé par lui dans le piège.
Pourtant, c'est en lui faisant bon visage qu'il
le salue : « Quel bon vent vous amène,
Tibert? » Et le chat de prendre la fuite.
« Holà! Tibert », reprend Renart, « ne vous
sauvez pas. N'ayez pas peur. Arrêtez et venez
[20] me parler. Souvenez-vous de votre promesse!
Que craignez-vous de moi? N'allez pas imaginer (ne plaise à Dieu!) que je manque un
jour à ma parole. Je n'aurais pas pris ce
chemin aujourd'hui si je n'avais pensé vous y
trouver. Je veux m'acquitter de mes engage-
ments. Mais, vous, Tibert, vous faites bon
marché de votre parole ».

³⁰ Vers Renart a torné la teste,
Ses ongles va fort aguisant.
Bien s'appareille par samblant
Que forment se vouldra deffendre,
Se Renars li veult le doi tendre.
Mais Renars qui de faim baaille,
N'a cure de faire bataille :
Tout autre chose a empensé,
Moult a Tybert aseüré.
— « Tybert » fait il, « estrangement
⁴⁰ A en ce siecle male gent.
Li uns ne veult a l'autre aidier,
Chascuns se paine d'engignier.
L'en ne trueve mais verité
En nul homme ne loyauté.
Et si est il chose prouvee
Que cilz emporte la colee
Qui s'entremet d'autre engignier.
Jel vous di pour un sermonnier :
C'est nostre compere Ysengrins,
⁵⁰ Qui de nouvel a ordenes prins.
N'a encor gueres qu'il cuida
Tel engignier qui l'engigna.
Pour ce ne voeil estre traïtres,
Que tuit en ont males merites.
De losengier et de mal faire
Ne voi je nul a bon chief traire.
Mal chief prennent li traytour,
Qu'il n'auront ja nul jour honnour.
De tant me sui aparcheüs
⁶⁰ Que moult est vils et mal venuz
Qui de riens ne se puet aidier.
Tost m'eüstes guerpi l'autrier,
Qant veïstes bien prés ma mort.
Et non pourquant si ai je tort :

Le chat s'arrête et tourne la tête en direction de Renart; il aiguise ses griffes, montrant sans équivoque qu'il est prêt à se défendre si l'autre fait mine de bouger un doigt. Mais le goupil, toujours bâillant de faim, n'a guère la tête à se battre : il a déjà assez d'autres soucis. Aussi rassure-t-il Tibert :

⁴⁰ — « C'est fou le nombre de méchantes gens qu'il y a en ce monde; on ne veut plus s'entraider; chacun cherche à tromper son prochain; on ne trouve plus ni sincérité, ni loyauté chez personne. Et pourtant, on sait bien par expérience que le trompeur finit toujours par trouver son maître. C'est l'histoire arrivée à notre compère Ysengrin qui me le fait dire. Il vient d'entrer dans les ordres et s'est fait prédicateur. Il n'y a pourtant pas encore longtemps qu'il pensait rendre la pareille à qui l'avait trompé. Je ne veux pas être un traître car on en reçoit la punition qu'on mérite. Trahir et faire le mal n'apporte rien de bon. En agissant ainsi, on se fait déconsidérer. Je me suis bien rendu compte ⁶⁰ qu'on est peu de chose quand on ne peut compter que sur soi-même. A ce propos, vous

Que certes il vous en pesa.
Honnis soit qui vous mescroira!
Mais non pourquant en loyauté
Me cognoissiés la verité :
N'eüstez vous grant marrement,
70 Qant me veïstes u tourment
Et je fui cheüs u broyon,
Ou me destraindrent li gaignon,
Et li vilains avoit hauchie
Pour moy occirre sa coingnie?
Bien cuida sor moi escoter.
Mais il ne sot preu assener :
Encor port je sus moy ma pel. »
Tybert respont : « ce m'est moult bel. »
— « De ce sui » dist Renars « tout cert.
80 Que pot ce estre, dans Tibert?
Vos m'i botastes tout de gré.
Mais or vous soit tout pardoné.
Je nel di pas par felonnie.
Certes vos nel fesistes mie,
Ne quit que nus le poïst faire.
Ne fait ore mie a retraire. »
    Tybers s'excuse molement
Que vers lui coulpables se sent.
Mais Renars, ou il voeille ou non,
90 Le conduit par grant trayson.
Tybers ne scet que il li die.
Renars de rechief li affie
Foy a porter d'ore en avant.
Et Tybers refait son creant.
Bien ont la chose confermee.
Mais n'aura pas longue duree :
Ja Renars foy ne li tendra,
Ne Tibert plus fol ne sera
Que il n'y ait merel mestrait,

avez eu vite fait de m'abandonner l'autre jour quand vous m'avez vu à l'article de la mort. Mais j'ai tort. Sûrement, vous en étiez au désespoir. Honni soit qui doutera de vous. Aussi, de vous à moi, dites-moi la vérité. Vous avez dû éprouver une grande tristesse en me voyant à la torture dans le piège, quand les chiens me harcelaient et que le paysan brandissait sa cognée pour me tuer? Il espérait bien y trouver son compte, mais il n'a pas su frapper droit et j'ai encore ma peau sur le dos.

— Vous m'en voyez ravi.

— J'en étais sûr. Mais comment cela a-t-il pu se produire, maître Tibert? Car vous m'avez poussé exprès. Cela dit, je ne vous en veux pas le moins du monde, je le dis sincèrement. Mais je me trompe : vous ne l'avez pas fait exprès et personne, d'ailleurs, ne se serait aussi mal conduit. N'en parlons plus. »

Tibert se défend sans conviction, car il se sent coupable envers Renart qui continue de le mener avec une telle perfidie qu'il ne sait plus que répondre. Le goupil l'assure à nouveau de sa fidélité et le chat, de son côté,

¹⁰⁰ Se il voit chose qui li hait.
  Andui s'en tournent une sente.
Ni a celui qui son cuer sente,
Que faim avoient forte et dure.
Mes par mervilleuse aventure
Une grant andoille ont trovee
Lés le chemin en une aree.
Renars l'a premerains saisie.
Et Tybers a dit : « Diex aye,
Biaus conpains Renart, g'i ai part. »
¹¹⁰ — « Et comment donc » ce dist Renart,
« Qui vous en veult tollir partie?
Ne vous ai je ma foy plevie? »
Tybert moult poi s'i aseüre
En ce que dant Renart li jure.
— « Conpains » dist il, « qar la menjons! »
— « Avoi » dist Renart, « non ferons.
Se nous yci demourions,
Ja en pais n'y esterions.
Porter la nous convient avant. »
¹²⁰ Ce dist Tybers : « je le creant,
Qant il vit que el ne pot estre.
Renart fu de l'andoille mestre :
Par le milieu aus dens la prent
Que de chascune part li pent.
Quant Tybers vit que il l'enporte,
Moult durement s'en desconforte.
Un po de lui s'est approchiés.
— « Or est » dist il, « grans malvaistiez.
Conment portés vous celle andoille?
¹³⁰ Ne veés vous conme elle souille?
Par la poudre la traynés
Et a vos denz la debavés.
Tout le cuer m'en va ondoiant.
Mais une chose vous creant,

114

s'engage envers lui. Ils scellent bien leur pacte, mais ce ne sera pas pour longtemps, car Renart manquera à sa parole et on peut [100] aussi compter sur Tibert pour lui faire un mauvais coup s'il y trouve son profit.

Tous les deux prennent le même chemin, l'estomac dans les talons. Mais, par un hasard extraordinaire, voilà qu'ils trouvent une grosse andouille, tout près du chemin, dans un chemin labouré. C'est Renart qui s'en saisit le premier, mais Tibert intervient :

— « Que Dieu me protège, Renart, mon cher ami! J'en veux ma part.

— Bien sûr! Qui parle de vous l'enlever? Ne vous ai-je pas juré loyauté? » Tibert n'a guère confiance dans les serments de maître Renart :

— « Eh bien! mangeons-la, ami.

— Ah non! Ici nous ne serions pas tranquilles; il faut l'emporter plus loin.

[120] — D'accord », répond Tibert, quand il comprend qu'il n'y a rien d'autre à faire, car Renart était toujours maître de l'andouille. Il la tient entre ses dents par le milieu de sorte qu'elle pend des deux côtés. Et le chat qui

S'ainsi la portés longuement,
Je la vos lairai quitement.
Moult la portasse ore autrement. »
Ce dist Renart : « et vous conment? »
— « Mostrés la cha! si le verrois »
140 Ce dist Tybert, « ce est bien droiz
Que je la vous doie alegier :
Que vos la veïstes premier. »
Renart ne li quiert ce veher,
Quar il se prent a pourpenser :
Que se cilz ert auques chargiés,
Tant seroit il plus tost plessiés
Et mains se porroit il desfendre.
Pour ce li fait l'andouille prendre.
Tybers ne fu pas petit liés.
150 L'andouille prent conme affaitiés.
L'un des chiés en met en sa bouche,
Puis la balance, si la couche
Dessus son dos conme affaitiés,
Puis s'est envers Renart dreciés.
— « Conpains » dist il, « ainsi ferois
Et tout ainsi la porterois,
Que elle a la terre ne touche.
Ne je ne la souil a ma bouche :
Ne la port pas vilainement.
160 Moult vault un po d'affaitement.
Mais ainsi or nous en irons
Tant que a ce tertre viengnons
Ou je voi celle crois fichiee.
La soit nostre andouille mengiee,
Ne voeil que avant la portons,
Mais illec nous en delivrons.
La ne poons nous riens cremir,
Que de partout verrons venir
Iceulz qui nous voudront mal faire.

116

s'inquiète fort de le voir l'emporter se rapproche pour lui dire :

— « Quel maladroit vous faites! Ne voyez-vous pas que vous allez toute la salir à vous y prendre ainsi? Vous la traînez dans la poussière et vous bavez dessus : j'en suis écœuré et je vous assure que, si vous la portez encore longtemps comme ça, je vous la laisserai tout entière. Moi, à votre place, je m'y prendrais autrement.

— Et comment?

— Passez-la-moi, je vais vous faire voir.
140 D'ailleurs, il est juste que je vous en décharge, puisque c'est vous qui l'avez vue le premier. »

Renart n'a garde de l'en empêcher, se disant que si l'autre s'en charge, il se fatiguera plus vite et aura moins de défense. Il la lui remet donc. Tibert tout heureux, s'en saisit délicatement et, la tenant par une extrémité dans sa gueule, la balance avec adresse de manière à la faire retomber sur son dos. Puis, se retournant vers Renart :

— « Voilà comment faire, compagnon, pour la porter sans qu'elle touche terre et sans la salir avec ma bouche. Je ne la tiens pas

170 Pour ce nous y fait il bon traire. »
Renart de tout ce n'eüst cure :
Mais Tibert moult grant aleüre
Se met devant lui au chemin.
Onquez de courre ne prist fin
Tant qu'il est a la crois venus.
Renart en fu moult irascus
Qui s'apparchut de la boidie.
A plaine bouche li escrie :
— « Compains » dist il, « quar m'attendés. »
180 — « Renart » dist il, « ne vos doubtés :
Ja n'y aura riens se bien non.
Mais siuez moi a esperon! »
Tybers ne fu pas a apprendre,
Bien sot monter et puis descendre.
Aus ongles a la crois se prent,
Si rampe sus moult vistement,
Desus un des bras s'est assis.
Renart fu dolens et pensis,
Qui de voir scet que moquié l'a.
190 — « Tybert » fait il, « ce que sera? »
— « N'est riens » dist Tibert « se bien non.
Mais venés sus, si mengeron. »
— « Ce seroit » dist Renart, « grant mal.
Mais vous Tybert, venés aval!
Car trop me poroie grever,
S'il me convenoit sus monter.
Car faites or grant cortoisie,
Si me jetés jus ma partie :
Si serés de vostre foi quites. »
200 — « Renart, que est ce que vos dites?
Il semble que vos soiés ivres.
Je nel feroie por cent livres.
Vous deüssiez moult bien savoir
Que ceste andouille doit valoir :

[160] n'importe comment. Elle en vaut bien la peine. Nous allons maintenant gagner ce monticule que je vois là, surmonté d'une croix, et nous y mangerons notre andouille; nous ne l'emporterons pas plus loin et nous la consommerons sur place : j'y tiens; nous n'aurons rien à craindre car nous pourrons voir de tous les côtés venir ceux qui nous voudraient du mal. Le mieux est donc de nous y rendre. »

Tout cela aurait été égal à Renart s'il n'avait vu Tibert s'enfuir à toute allure jusqu'à la croix. Lorsqu'il comprend la ruse du chat :

— « Attendez-moi donc, compagnon », lui crie-t-il à plein gosier sur le ton de la colère.

[180] — « N'ayez pas peur, Renart. Il n'y aura que des avantages; suivez-moi vite. »

Tibert n'avait pas besoin de leçons pour monter ou descendre; il s'accroche de ses griffes à la croix, grimpe à toute vitesse jusqu'en haut et s'assied sur l'un des bras. Renart se retrouve tout marri et comprend que l'autre s'est moqué de lui.

— « Qu'est-ce que vous faites, Tibert?

Que c'est chose saintefiee :
Si ne doit pas estre mengiee
Se sus crois non ou sus moustier :
Moult la doit l'en bien exauchier. »
— « Biau sire Tybert, ne vos chaut :
210 Petit de place a la en haut,
N'i porrions ensemble ester.
Mes or le faites conme ber,
Puis q'aval venir ne volez.
Conpains Tybert, bien le savez,
Vos m'avez vostre foi plevie
De porter loial compaingnie :
Et conpaingnon qui sont ensemble,
Se il trovent rien, ce me semble
Que cascuns d'iaus i doit partir.
220 Se vo foi ne volez mentir,
Partez cele andoille la sus,
Si m'en getez ma part cha jus!
J'en prendrai le pechié sor moi. »
— « Non feré » dist Tibers, « par foi.
Conpains Renart, merveilles dites.
Pires estes que uns herites,
Qui me rouvés chose geter
Que l'en ne doit deshonnourer.
Par foy, ja n'auré tant beü
230 Que je a terre la vous ru.
Mentir en porroie ma foy.
Ce est saintisme chose en loy :
Andouille a nom, bien le savés,
Nommer l'avés oy assés.
Or vous dirai que vous ferois :
Vous souferrés or ceste fois.
Et je vous en doing ci le don :
La premiere que trouveron,
Que elle iert vostre sans partie,

— Tout va bien, montez et nous mangerons.

— Ce ne serait pas sans mal; descendez plutôt. Je risquerais trop de me blesser si je devais monter là-haut! Soyez honnête avec moi : lancez-moi ma part et je vous tiendrai quitte.

200 — Que me dites-vous là, Renart? Ma parole, vous avez bu. Je ne le ferais pas pour cent livres. Vous devriez bien savoir la valeur de cette andouille. C'est là Sainte Nourriture. On ne doit la manger que sur une croix ou à l'église, car il faut la traiter avec respect.

— Cela ne fait rien, mon bon Tibert. Il y a trop peu de place là-haut pour que nous y tenions tous les deux. Si vous ne voulez pas descendre, ce n'est pas une raison pour m'oublier. Allons, mon ami, rappelez-vous : vous m'avez juré un compagnonnage [10] loyal. Or lorsque des compagnons sont ensemble, chacun doit avoir sa part de tout ce que l'un 220 ou l'autre trouve. Si vous ne voulez pas être parjure, partagez cette andouille et jetez-m'en ici ma part. Je prends le péché sur moi.

— Pas question », répond Tibert. « Com-

240 Ja mar m'en donrés une mie. »
   — « Tybert, Tibert » ce dist Renarz,
   « Tu cherras encore en mes las.
   Se veulz, quar m'en gietes un poi. »
   — « Merveillez » ce dist Tibers, « oi.
   Ne poés vous dont tant attendre
   Qu'aus poins vous en viengne une tendre
   Qui sera vostre sanz doubtance?
   N'estes pas de bone abstenance. »
   Tybers a laissié le plaidier,
250 Si aqeut l'andouille a mengier.
   Qant Renart vit qu'il la mengue,
   Si li tourble auques la veüe.
   — « Renart » dist Tybers, « moult sui liés
   Que vous plourez pour vos pechiés.
   Diex qui congnoist ta repentance,
   T'en aliege la penitance. »
   Ce dist Renart : « or n'y a plus.
   Mais tu venras encor cha jus.
   A tout le mains qant auras soy,
260 Te convendra venir par moy. »
   — « Ne savés pas » ce dist Tybert,
   « Conment Diex m'est amis apert.
   Encore a tel crués delés moy
   Qui m'estanchera bien ma soy.
   N'a encor guieres que il plut,
   Et de l'yave assez i estut
   Ou plus ou mains d'une jaloie
   Que je buvrai conme la moie. »
   — « Toutevoies » ce dist Renart,
270 « Venrés vos jus ou tost ou tart. »
   — « Ce n'iert » ce dist Tybert « des mois. »
   — « Si sera » dist Renart, « anchois
   Que set ans soient trespassé. »
   — « Et quar l'eüsiés vous juré! »

122

ment pouvez-vous parler ainsi, compagnon Renart? Vous êtes pire qu'un hérétique! Jeter à terre une chose aussi vénérable! Même ivre, il ne me viendrait pas à l'idée de le faire : ce serait me comporter en mauvais chrétien. Car c'est une chose sacrée dans notre religion : Son nom est Andouille. Vous l'avez souvent entendu nommer. Je vais vous dire ce que vous allez faire : vous allez rester sur votre faim pour cette fois, mais je vous accorde que la prochaine que nous trouverons sera toute
240 pour vous. Vous n'aurez pas à m'en donner une miette.

— Tibert, Tibert, vous retomberez bien un jour dans mes griffes. Jetez-m'en un peu s'il vous plaît.

— Qu'est-ce que j'entends? » rétorque Tibert, « vous ne pouvez donc pas attendre qu'il vous en tombe une du ciel qui vous reviendrait en entier sans discussion! Vous supportez mal l'abstinence ».

Et Tibert abandonne la discussion pour se mettre à manger l'andouille. Renart en a les larmes aux yeux :

— « Comme je suis heureux, Renart », lui dit Tibert, « de vous voir pleurer vos péchés!

Ce dist Renart : « je jur le siege
Tant que je t'aurai en mon piege. »
— « Or serois » dist Tybert « dyables,
Se cils seremens n'est estables.
Mais a la crois quar l'affiez :
280 Si sera dont miex affermés. »
Ce dist Renart : « et je l'affi
Que je ne me mouvrai de cy
Tant que li termes soit venus,
Si en serai dont miex creüz. »
— « Assés en avés » dist il « fet.
Mais d'une chose me dehet
Et si en ai moult grant pitié,
Que vos n'avés encor mengié,
Et set ans devés jeüner :
290 Porrés vous dont tant endurer?
Ne vous en poés ressortir,
Le serement convient tenir
Et la foy que plevie avés. »
Ce dist Renart : « ne vos tamés. »
Respont Tybert : « et je m'en tais.
Certes je n'en parlerai mais.
Taire m'en doi et si est drois,
Mais gardés que ne vos mouvois. »
Tybert se taist et si mengue.
300 Et Renart fremist et tressue
De lecherie et de fine ire.
Que que il est en tel martyre,
Si ot tel chose qui l'esmaie :
Quar uns chaiaux de loing l'abaye
Qui en avoit senti la trache.
Or li convient guerpir la place,
Se il n'y veult lessier la pel :
Que tuit s'en viennent li chael
A celui qui avoit la queste.

124

Que Dieu, qui connaît votre repentir, en allège votre pénitence.

— Ça suffit comme ça! Mais vous serez bien obligé de finir par descendre, ne serait-ce ²⁶⁰ que pour boire, et alors, vous devrez me passer entre les pattes!

— Vous ne pouvez savoir à quel point Dieu est de mon côté. Il y a un creux à côté de moi et, comme il a plu, il n'y a pas longtemps, il y reste assez d'eau pour ma soif : elle est là tout exprès pour moi.

— De toute façon, tôt ou tard, il faudra bien que vous descendiez!

— Non, pas avant des mois.

— Oh si! Et avant sept ans accomplis en tout cas.

— Eh bien! jurez donc de ne pas vous en aller avant.

— Je jure de t'assiéger jusqu'à ce que tu tombes entre mes mains.

— Que le diable vous emporte si vous ne respectez pas ce serment! Mais prononcez-le ²⁸⁰ sur la croix, il n'en vaudra que mieux.

— Je jure que je ne partirai pas d'ici avant le terme fixé. Ainsi, vous ne pouvez plus mettre ma parole en doute.

³¹⁰ Li venerres illec s'areste :
Aus chiens parole, sels semont.
Et Renart garde contremont :
— « Tybert » dist il, « qu'est ce que j'oy? »
— « Attendés » dist Tybert « un poi,
Et si ne vous remués mie.
C'est une douce melodie :
Par ci trespasse une compaingne
Qui vient parmi ceste champaigne.
Par ces buissons, lés ces espines
³²⁰ Vont chantant messes et matines :
Aprés pour les mors chanteront
Et ceste crois aoureront.
Or si vous y convient a estre,
Qu'aussi fustez vous jadis prestre. »
Renart qui sent que ce sont chien,
S'apparchut que n'est mie bien :
Mettre se veult au desarés.
Qant Tybert vit qu'il ert levés,
— « Renart » fet il, « pour quel mestier
³³⁰ Vous voy je si apparillier?
Que est ce que vous volés faire? »
— « Je me voeil » fet il « en sus traire. »
— « En sus? pour Dieu, et vous conment?
Souviengne vous du serement
Et de la foy qui est plevie!
Car certes vous n'en irés mie.
Estez illec, je le conmant.
Par Dieu, se vos alez avant,
Vous en rendrés (ce est la pure)
³⁴⁰ En la court dan Noble droiture.
Quar la serés vous appelés
De ce que vous vous parjurés,
Et de plus que de foy mentie :
Si doublera la felonnie.

— Vous en avez assez fait », répond le chat, « mais il y a une chose qui m'attriste, — et j'en suis rempli de pitié, — c'est que vous n'avez pas encore mangé et que vous allez devoir jeûner pendant sept ans. Pourrez-vous tenir si longtemps? Or vous ne sauriez vous en tirer autrement, car il faut bien que vous respectiez un serment si solennellement prêté ».

— « Ne vous en faites pas pour moi.

— Je vais me taire, et même tout de suite. D'ailleurs, ce n'est pas mon affaire. Mais, vous, attention à ne pas bouger de là. »

300 Tibert se remet à manger en silence, tandis que Renart tremble de colère et, tout à la fois, sue de convoitise. Un vrai martyre! C'est alors qu'il entend un bruit qui le plonge dans l'inquiétude : c'est un chien qui aboie au loin ayant senti sa trace. Il lui faut abandonner la place s'il ne veut pas y laisser sa peau, car toute la meute se rassemble autour de celui qui menait la chasse. Le chasseur s'arrête et parle à ses chiens pour les encourager.

— « Qu'est-ce que j'entends, Tibert », fait Renart en dressant la tête.

— « Attendez un peu », répond le chat,

Set ans est li sieges jurés,
Par foy plevis et affiés :
Com mauvais vous en deduiés,
Qant au premier jour en fuyés.
Moult par sont bien de moi li chien :
350 Se vos ja les doutez de rien,
Ains que vous faciez tel outrage,
Donroie je pour vous mon gage
Et vers eulz trieves en prendroie. »
Renart le laist, si va sa voie.
Li chien qui l'ont apparceü,
Se sont aprés lui esmeü.
Mais pour nient, que le païs
Sot si Renart, que ja n'iert pris :
Bien s'en eschapa sans morsure.
360 Moult menace Tybert et jure
Qu'a lui se vouldra acoupler,
Se jamais le puet encontrer.
Esfondree est entr'eulz la guerre,
Ne veult mais trievez ne pais querre.

« ne bougez pas. Voilà une douce musique; ce sont des gens qui passent par là à travers la campagne. Ils viennent par ici, en longeant ces fourrés et en chantant messe et matines, puis ils vont réciter l'office des morts et faire leurs dévotions au pied de cette croix. Il faut que vous y soyez puisqu'aussi bien vous avez été prêtre autrefois ».

Renart qui reconnaît, à l'odeur, que ce sont des chiens, se rend bien compte qu'il est en mauvaise posture et veut prendre la fuite. Mais Tibert, le voyant se lever :

— « Pourquoi vous préparer ainsi Renart? Qu'est-ce que vous voulez faire?

— Je veux m'en aller.

— Vous en aller, par Dieu, comment cela? Souvenez-vous du serment que vous avez prêté. Non! Vous ne partirez pas. Restez ici, c'est un ordre! Au nom de Dieu, si vous partez, vous devrez vous en justifier, je vous le garantis, à la cour du roi Noble, car vous y serez accusé de parjure et pas seulement d'avoir menti. La trahison est double : vous aviez promis de m'assiéger sept ans et vous vous y étiez engagé par un serment solennel. Or vous vous dérobez comme un scélérat en

prenant la fuite dès le premier jour. Je suis en bons termes avec ces chiens. Si vous en avez la moindre peur, plutôt que de vous voir commettre un tel sacrilège, je leur donnerai un gage pour vous et je passerai un accord avec eux. »

Sans l'écouter, Renart se met en route. Les chiens qui l'ont vu se lancent à sa poursuite, mais en vain, car il connaît trop bien le pays pour être pris.

360   Échappant aux dents de ses poursuivants, il s'enfuit, menaçant Tibert tant et plus et jurant d'en découdre avec lui à la première occasion. C'est la guerre déclarée entre eux, il n'y aura plus ni paix ni trêve.

Tybers li chas dont je ai dit,
Doubte Renart assez petit,
Ne quiert avoir trievez ne pais.
Es vous deux prestres a eslais
Qui en aloient au saint senne.
370 Li un ot une hive bauchenne,
Et li autrez ot desouz soy
Un souef amblant palefroy.
Cilz a l'ive a Tybert choisi.
— « Conpains » dist il, « estés yci.
Quel beste est ce que je voy la?
— « Cuivert » dist li autres, « esta.
C'est uns mervilleus chat putois. »
— « Hé Diex, com je seroie roys,
Se jel pooie aus mains tenir
380 A mon chief pour le froit couvrir,
Pour ce que bonne pel avoit!
Bon chapel et grant y auroit.
Certes grant mestier en avoie.
Diex nous amena ceste voie
Qui bien savoit le grant mestier.
Ore en ferai apparillier
Tout a vostre los un chapel,
Et pour agensir le plus bel
Me sui appensés d'une rien,
390 Se vous loés que ce soit bien :
Que g'i voeil la queue lessier
Pour le chapel agrandoier
Et pour mon col couvrir derriere.

TIBERT ET LES DEUX PRÊTRES

Tibert le chat, dont je viens de vous raconter l'aventure, ne craint guère Renart lui non plus et ne fait rien pour obtenir un armistice. Or, voici, sur sa route, deux prêtres qui se rendaient bon train à une réunion convoquée par leur évêque. L'un montait une jument pie, l'autre un cheval dont l'amble était remarquable de souplesse. Celui qui montait la jument est le premier à voir Tibert.

— « Venez donc voir, cher confrère », dit-il. « Quelle bête est-ce là?

— Arrête-toi, imbécile! C'est un chat sauvage, et de belle taille!

— Hé Dieu! Je serais heureux comme un roi si je pouvais l'attraper; je m'en ferais un couvre- chef contre le froid, car sa peau est belle. Quelle bonne et large toque il ferait! Justement, j'en avais grand besoin. Vraiment, c'est Dieu qui nous a fait passer par ici. Je vais en faire faire un bonnet : il fera bien,

Veés conme est grans et pleniere! »
Dist li autres : « cy a bon plait.
Pour amour Dieu, q'ai je fourfait
Ne mesfait en nulle baillie,
Qu'en doie perdre ma partie? »
Ce dist li autres : « non avés.
400 Mesire Torgis, ne savés
Que je en ay moult grant mestier.
Pour ce la me devés lessier. »
— « Lessier? » fet il, « pour quel servise?
Quel bonté ay je de vous prise?
Pour quel bonté, pour quiex merites
La vous lairoie, ce me dites? »
— « A mal eür » dist Rufrangier,
« Trop estez tous jours manuier.
Ja mar du vostre y aura rien.
410 Or soit partie, jel voeil bien.
Mais de tant sui je esbahis,
Conment il doit estre partiz. »
— « Je le sai moult bien, par ma foy,
Ja mar en serés en effroy :
Que se faire en volés chapel,
Si en faisons prisier la pel,
Et de la moitié le vaillant
Faites en aprés mon creant. »
Dist Rufrengier : « faisons le bien!
420 Le chat voeil je tout quitte mien :
Et nous alons au senne ensamble,
Et si mengerons, ce me samble,
Que ce ne poons nous veher
Qu'il ne nous conviengne escoter :
Por moy et pour vous paierai,
Par tout vous en acquiterai.
Et vous m'affiez loyaument
Que vous nel ferés autrement,

n'est-ce pas? Et, pour qu'il ait meilleure allure, je pense — et j'aimerais avoir votre avis — laisser la queue pour me protéger la nuque. Regardez comme elle est longue et fournie.

— Voilà qui est bon. Mais, pour l'amour de Dieu, quel délit et quel crime ai-je commis pour devoir en perdre ma part?

⁴⁰⁰ — Aucun, messire Turgis. Mais je viens de vous dire que j'en ai le plus grand besoin. C'est pour cela qu'il faut que vous me laissiez cette peau en entier.

— Vous la laisser? Pourquoi? Quel service m'avez-vous rendu? Quelle bonne action, quel mérite vous donnent des droits sur elle? Dites-le moi.

— Au diable! » répond Rufrangier, « vous êtes toujours aussi mesquin, on ne tirera jamais rien de vous. Eh bien! qu'on la partage, d'accord : mais je me demande bien comment nous y prendre.

— Moi je le sais. Vous avez tort de vous inquiéter. Puisque vous voulez en faire une toque, estimons-en le prix, puis reversez-moi, à mon crédit, la moitié de sa valeur.

⁴²⁰ — D'accord! Ce que je veux, c'est garder

Mais le chat quite me larés
430 Que jamais part n'y clamerés. »
— « Honte ait quil vehe » dist Torgis.
— « Tenés, sire, jel vous plevis
Et loyaument le vous affi. »
— « Bien est » dist Rufrengiers « ainsi.
Mais liquelz de nous le prendra? »
Ce dist Tourgis : « qui il sera.
Je n'y claim riens ne riens n'y ai,
Ne ja ne m'en entremettrai
Ne par moy n'y aurez aye. »
440 — « Pour ce ne remaindra il mie »
Dist Rufrengier, « quar il est mien. »
— « Or vous en conviengne dont bien. »
Rufrengier de la crois approuche,
Que·riens plus au cuer ne li touche
Fors Tybert le chat traire a soy.
Mes trop ot petit palefroy,
Si n'y pot attaindre en seant :
Sus la selle monte en estant.
Qant Tybers vit qu'il est dreciés,
450 Par maltalent s'est herichiés :
Escopi l'a enmi le vis.
Puis donc un saut, sel fiert des gris,
La face li a gratinee.
Jus l'abati teste levee,
Si que li hateriaus derriere
Li est ferus en la quarriere :
Par poi qu'il n'est eschervelés.
Deus foyees s'estoit pasmés.
Li prestres jut en pasmoisons,
460 Et Tybers sailli es archons
Qui vuidié erent du prouvoire.
Li chevaux s'en tourne grant oirre
Qui avoit esté effraés.

pour moi toute la peau. Puisque nous allons tous les deux à cette réunion, nous aurons l'occasion, je pense, d'y manger ensemble. Mais au lieu que chacun paie son repas, je paierai pour vous et pour moi; en échange, donnez-moi votre parole que, du moment où j'aurai entièrement réglé votre note, vous me laisserez disposer à ma guise de la peau de ce chat, sans en rien réclamer pour vous.

— Cochon qui s'en dédit! Tenez, topez-là : je vous donne ma parole.

— Voilà qui est bien dit, mais lequel de nous deux va l'attraper?

— Celui à qui il sera », répond Turgis. « Et comme ce n'est pas moi, puisque j'ai renoncé à ma part, je ne vais pas m'en mêler : ne comptez pas sur mon aide.

440 — Alors, comme il doit me revenir, c'est moi qui vais tenter le coup.

— Bonne chance donc! »

Rufrangier s'approche de la croix. Il n'a qu'une idée en tête : attraper l'animal. Comme son cheval est trop petit pour qu'il puisse l'atteindre en restant assis, il se met debout sur la selle. Mais, quand Tibert le voit dans cette position, son poil se hérisse de

Tant fuit par champs et par arés,
Et tant a erré qu'il vint droit
A l'ostel dont tournez estoit.
La femme au prouvoire seoit
Enmi sa court, si buchetoit :
Ne vit pas le cheval venir.
470 Et il vint ens de grant aïr,
Tel cop li donne en la poitrine
Qu'il l'a getee sus l'eschine.
Blechie fu, si ot paour
Conme elle ne vit son seignor;
En la selle ou il seult seïr
Vit dant Tybert dessus croupir :
Bien cuida ce fussent dyable.
Li chevaux va droit en l'estable,
Et dant Tybert tous jours en son,
480 Qui bien congnissoit la maison.
Moult li estoit bien avenu,
Quant ne l'ont mort ne retenu.
Le cheval lessa estrayer,
Puis s'en est alés pourchacier.
Li prestres qui jut contre terre,
Ne sot son palefroy ou querre.
Son compaignon appelle a soy :
— « Amenés moy mon palefroy,
Biaux conpains, quar le m'enseigniez. »
490 — « Estes vous » dist Tourgis « blechiés? »
— « Blechiés? » dist il, « ains sui tués.
No fu pas chas, einz fu mauffez
Qui nous a fait ceste envaye.
Dyables fu, n'en doubtés mie.
Ice sai je de verité,
Que nos sommes enfantosmé,
Ne ja de cest an n'en istron,
Ce sachiés, que nous ne muiron.

138

colère; il lui crache à la figure, saute sur lui, lui labourant le visage de ses griffes et le fait tomber par terre à la renverse : sa nuque heurte les pierres du chemin; peu s'en faut que son crâne n'éclate. Il s'évanouit à deux reprises. Pendant que le prêtre est sans connaissance, Tibert saute sur la selle et prend la place de son cavalier. Le cheval s'emballe et part au galop. A force de détaler à travers champs, il finit par regagner la maison d'où il était parti. La femme du prêtre [11] était assise dans la cour à casser du petit bois. Avant qu'elle ait le temps de le voir arriver, il pénètre dans la cour, la heurtant au passage à la poitrine avec une telle violence qu'il la fait tomber à la renverse. A sa blessure, s'ajoute la frayeur qu'elle éprouve en ne reconnaissant pas son mari, assis comme d'ordinaire sur la selle, mais en voyant à sa place maître Tibert accroupi; elle croit avoir affaire à des diables. Le cheval qui connaissait bien les lieux va droit à l'étable, toujours monté par Tibert qui joue de bonheur en ne se faisant ni prendre ni tuer : il laisse le cheval aller et repart en chasse.

Pendant ce temps, le prêtre tombé par terre

Ne sui pas aseür de moi,
500 Qant ay perdu mon palefroy. »
Lors conmence une kyriele,
Son credo et sa miserele,
Pater noster, la letanie :
Et sire Torgis li aye.
Souvent gardent se il veïssent
Ainsi qu'a la voie se meïssent,
Tibert et le cheval ensamble.
Mais nel virent pas, ce me samble.
Qant point nel virent, si s'en vont,
510 Chascuns si fait signe en son front.
Ore est li saines respitiés,
Que Rufrangier est moult blechiés.
A son hostel en est venus,
Moult fu dolens et irascus.
Sa femme li a demandé
« Quel vent vous maine et quel oré? »
— « Pechiez » dist il, « et enconbrier.
J'encontrai hui un adversier
Entre moy et mon conpaignon
520 Seigneur Torgis de Lonc-Buisson,
Qui nous a tous enfantosmés :
A paine en sui vis eschapés.

et ne sachant de quel côté chercher sa monture, appelle son confrère :

— « Ramenez-moi mon cheval, cher ami, ou dites-moi où il est allé.

— Êtes-vous blessé? » demande Turgis.

— « Blessé? dites plutôt que je suis mort. Ce n'était pas un chat, mais un démon qui nous a attaqués. Oui, c'est le diable, n'en doutez pas. La vérité, c'est que nous sommes ensorcelés. Nous ne verrons pas la fin de l'année, je vous le dis. Et ce cheval qui a disparu, c'est mauvais signe! »

Il se met alors à réciter à la file le *Kyrie,* le *Credo,* le *Miserere,* le *Pater* et la Litanie des Saints, assisté par Turgis. Avant de se mettre en route, ils regardent à maintes reprises si Tibert et le cheval ne sont pas en vue. Mais comment pourraient-ils les voir? Et comme ils ne voient toujours rien venir, ils repartent après avoir fait le signe de la croix. Du coup, ils renvoient à plus tard leur réunion car Rufrangier est gravement blessé. Rentré chez lui, accablé et furieux tout à la fois, c'est pour entendre sa femme lui demander :

— « Quel vent vous amène? Qu'est-ce qui vous a mis dans un état pareil?

— Mes péchés et mon malheur. J'ai ren-
520 contré, avec mon confrère, le père Turgis de
Longbuisson, un démon qui nous a ensorcelés.
C'est à peine si j'ai pu en réchapper. »

Seigneurs, oï avez maint conte
Que maint conterre vous raconte,
Conment Paris ravi Elaine,
Le mal qu'il en ot et la paine :
De Tristan qui la chievre fist,
Qui assez bellement en dist
Et fabliaus et chançon de geste.
Romanz de lui et de sa geste
Maint autre conte par la terre.
10 Mais onques n'oïstes la guerre,
Qui tant fu dure de grant fin,
Entre Renart et Ysengrin,
Qui moult dura et moult fu dure.
Des deus barons ce est la pure
Que ainc ne s'entramerent jour.
Mainte mellee et maint estour
Ot entr'eulz deus, ce est la voire.
Des or commencerai l'estoire.
Or oez le conmencement
20 Et de la noise et du content,
Par quoi et por quel mesestance
Fu entr'eus deus la desfiance.
    Il avint chose que Renars,
Qui tant par fu de males ars
Et qui tant sot toz jors de guile,
S'en vint traiant a une vile.
La vile seoit en un bos.
Molt i ot gelines et cos,
Anes et malarz, jars et oes.

Seigneurs, on vous a déjà souvent raconté de nombreuses histoires : le rapt d'Hélène par Pâris et tous les malheurs et les déboires qu'il lui en coûta; vous connaissez aussi la légende de Tristan dans le beau récit de La Chèvre, et des fabliaux et des chansons de geste. Et nombreux sont ceux qui vont disant les aventures et les exploits de Renart. Mais on ne vous a jamais parlé de la terrible guerre qui l'opposa à Ysengrin; et pourtant, elle fut aussi longue qu'acharnée. La vérité, c'est que ces deux seigneurs ne se sont jamais portés dans leur cœur et ont passé leur temps à se battre et à s'affronter. Voici donc leur histoire, et d'abord le début de leur querelle, les [20] raisons de leur mésentente et de leur hostilité.

Un jour, Renart qui, comme d'habitude, était toujours prêt à jouer quelque tour de sa façon et à s'amuser aux dépens d'autrui, se dirigeait vers un hameau situé dans un bois et

³⁰ Et li sires Constans des Noes,
Un vilain qui moult ert garnis,
Manoit moult pres du plesseïs.
Plenteïve estoit sa maisons.
De gelines et de chapons
Bien avoit garni son hostel.
Assez i ot et un et el :
Char salee, bacons et fliches.
De blé estoit li vilains riches.
Molt par estoit bien herbergiez,
⁴⁰ Que moult iert riches ses vergiers.
Assez i ot bonnes cerises
Et pluseurs fruis de maintes guises.
Pommes i ot et autre fruit.
La vait Renart pour son deduit.
Li courtilz estoit bien enclos
De piex de chesne agus et gros.
Hourdes estoit d'aubes espines.
Laiens avoit mis ses gelines
Dant Constant pour la forteresce.
⁵⁰ Et Renart celle part s'adresce,
Tout coiement le col bessié
S'en vint tout droit vers le plessié.
Moult fu Renart de grant pourchaz.
Mais la force des espinars
Li destourne si son affaire
Que il n'en puet a bon chief traire,
Ne pour mucier ne pour saillir :
N'aus gelines ne veult faillir.
Acroupiz s'est enmi la voie.
⁶⁰ Moult se defripe, moult coloie.
Il se pourpense que s'il saut,
Pour quoi il chiece auques de haut,
Il iert veüz et les gelines
Se ficheront souz les espines.

bien pourvu en poules, coqs, canes, canards, jars et oies. Habitait là, en bordure du hameau, messire Constant du Marais, un paysan très riche, dont la maison regorgeait de tout. On y trouvait abondance de chapons, et tout autant de viande salée, et de flèches de lard ; le blé non plus n'y manquait pas. Bref,

40 c'était une bonne maison dont les vergers produisaient, de surcroît, des pommes, de belles cerises et quantité d'autres variétés de fruits. C'est donc là que Renart s'achemine, comptant y trouver son affaire. Le jardin était soigneusement clôturé par une palissade de gros pieux de chêne taillés en pointe au pied desquels poussait de l'aubépine. Le père Constant y avait mis ses poules à l'abri. Renart s'y dirige tout droit, reniflant la haie sans un bruit et sans se laisser distraire de sa quête. Mais les buissons d'épines lui opposent un obstacle infranchissable : il ne peut ni ramper dessous, ni sauter par-dessus ; et pourtant, il ne veut pas renoncer aux poules.

60 Accroupi dans le chemin, il se démène, tendant le cou pour mieux voir mais se dit que, s'il saute, les poules le verront et se mettront à l'abri de la haie. Il risquerait aussi

Si pourroit tost estre seurpris
Ainz qu'il eüst gaires acquis.
Moult par estoit en grant esfroi.
Les gelines veult traire a soi
Que devant lui voit pasturant.
⁷⁰ Et Renart vait cheant levant.
Ou retour de la soif choisist
Un pel froissié : dedenz se mist.
La ou li paliz iert desclos,
Avoit li vilains planté chos :
Renart y vint, oultre s'em passe,
Cheoir se laist en une masse
Pour ce que la gent ne le voient.
Mais les gelines en coloient,
Qui l'ont choisi a sa cheoite.
⁸⁰ Chascune de fuïr s'esploite.

  Mesire Chantecler li cos
En une sente les le bos
Entre deus piex souz la raiere
S'estoit traiz en une poudriere.
Moult fierement leur vient devant
La plume ou pié, le col tendant.
Si demande par quel raison
Elles s'en fuient vers maison.
Pinte parla qui plus savoit,
⁹⁰ Celle qui les gros hués ponnoit,
Qui pres du coc juçoit a destre :
Si li a raconté son estre
Et dit « paour avons eüe ».
— « Pourquoi? quel chose avez veüe? »
— « Je ne sai quel beste sauvage
Qui tost nous puet faire damage,
Se nous ne vuidons ce pourpris. »
— « C'est tout noient, ce vous plevis »
Ce dit li cos : « n'aiés peür,

de se faire surprendre avant d'avoir rien gagné. En somme, il se demandait bien comment il allait pouvoir s'approcher des poules qu'il voit picorer sous ses yeux. Il avance donc en dodelinant de la tête jusqu'à l'angle de la clôture où un pieu brisé lui permet de s'introduire dans l'enclos. Le paysan avait planté des choux devant la brèche. Renart, après s'être faufilé à l'intérieur, s'y dissimule afin de n'être pas aperçu. Mais les poules qui ont remarqué son mou- vement se dépêchent de prendre la fuite en gloussant. Pendant ce temps, Monseigneur Chanteclerc le coq, se glissant entre deux pieux, avait marché jusqu'à un tas de fumier, en suivant l'ornière d'un sentier qui longeait le bois. Et le voici qui revient fièrement à la rencontre des poules, paré de plumes jus- qu'au bout des ongles et se rengorgeant :

— « Pourquoi courez-vous vers la mai- son ? » interroge-t-il.

Pinte, la plus posée, celle qui pondait les plus gros œufs et juchait à la droite du coq, le met au courant de ce qui se passe, ajou- tant :

— « Nous avons eu peur.

100 Mais estes ci tout asseür. »
Dist Pinte « par ma foi jel vi
Et loiaument le vous affi
Que je le vi tout a estrouz. »
— « Et comment le veïstes vous? »
— « Comment? je vis la soif branler
Et la fuelle du chou trembler
Ou cilz se gist qui est repus. »
— « Pinte » fait il, « or n'i a plus.
Trives avez, jel vous ottroi :
110 Que par la foi que je vous doi,
Je ne sai putoiz ne gourpil
Que osast entrer ou courtil.
Ce est gas : retournez arriere. »
Cilz se radresce en sa poudriere,
Qu'il na paour de nulle riens
Que li face gourpilz ne chiens
De nulle riens n'avoit peür,
Que moult cuidoit estre aseür.
Moult se contint seürement.
120 Ne set gaires q'a l'eil li pent.
Rien ne douta : si fist que fox.
L'un œil ouvert et l'autre clos,
L'un pié crampi et l'autre droit
S'est apuiéz delez un toit.
      La ou li cos est apoiéz
Conme cilz qui iert anuiéz
Et de chanter et de veiller,
Si commença a someillier.
Ou someillier que il faisoit
130 Et ou dormir qui li plaisoit
Conmença li cos a songier.
Ne m'en tenés a mençonger.
Car il sonja (ce est la voire,
Trover le poez en l'estoire)

— Pourquoi? Qu'avez-vous vu?

— Je ne sais quelle bête sauvage qui pourrait bien s'en prendre à nous si nous ne déguerpissons pas.

100 — Ce n'est rien, je vous assure; n'ayez crainte, restez ici tranquillement.

— Par ma foi, je l'ai vue; je vous en donne ma parole. J'en suis sûre.

— Mais comment cela?

— Comment? J'ai vu la haie bouger et les feuilles de choux s'agiter; elle s'y est cachée.

— Cela suffit, Pinte. Allez en paix et faites-moi confiance. Sur ma foi, il n'y a putois ni renard pour oser entrer dans ce jardin. Vous voulez rire. Faites demi-tour. »

Et il retourne à son fumier sans craindre chien ou renard, plein d'assurance et à cent 120 lieues de se douter de ce qui lui pend au nez. Folle tranquillité que la sienne! Un œil ouvert, l'autre fermé, une patte repliée, l'autre tendue, il se perche sur un toit; et là, fatigué de chanter et de rester éveillé, il se prend à somnoler. Pendant qu'il est ainsi

Que il avoit ne sai quel cose
Dedens la cort, que bien ert close,
Qui li venoit enmi le vis,
Ensi con il li ert avis,
(Si en avoit molt grant friçon)
140 Et tenoit un ros peliçon
Dont les goles estoient d'os.
Si li metoit par force el dos.
Molt ert Chantecler en grant peine
Del songe qui si le demeine,
Endementiers que il somelle.
Et del peliçon se mervelle
Que la chevece ert en travers;
Et si l'avoit vestu envers.
Estrois estoit en la chevece
150 Si qu'il en a si grant destrece
Qu'a peines s'en est esveilliez.
Mes de ce s'est plus merveilliez
Que blans estoit desos le ventre
Et que par la chevece i entre,
Si que la teste est en la faille
Et la coue en la cheveçaille.
Por le songe s'est tressailliz,
Que bien cuide estre malbailliz
Por la vision que a veüe,
160 Dont il a grant peor oüe.
Esveilliés s'est et esperiz
Li cos et dist : « Seint esperiz,
Garis hui mon cors de prison
Et met a sauve garison! »
Lors s'en torne grant aleüre
Con cil qui point ne s'aseüre
Et vint traiant vers les gelines,
Qui estoient soz les espines.
Tres q'a eles ne se recroit.

agréablement plongé dans le sommeil, il se met à rêver. N'allez pas croire que je mente : c'est bien là ce que dit le conte; il y avait je ne sais quoi dans la cour pourtant bien close qui s'approchait tout près de lui, à ce qu'il lui semblait, et qui lui faisait grand peur. Ce je ne sais quoi tenait une pelisse rousse dont le col était bordé de petits os et qu'il lui mettait de force sur le dos. Ce songe agite et tourmente fort Chantecler sans pourtant le réveiller. Il est surpris de s'apercevoir qu'il a enfilé la pelisse à l'envers et que l'encolure le serre tant qu'il en perd le souffle, ce qui parvient presque à le tirer du sommeil. Mais le plus étonnant pour lui, c'est que cette pelisse devenait blanche sous son ventre et qu'il la portait le haut en bas, la tête se retrouvant du côté de l'ourlet, tandis que la queue ressortait par l'encolure. Tremblant de peur à cette vision effrayante, comme s'il courait un danger réel, il se réveille et, ayant retrouvé ses esprits, s'exclame « Saint-Esprit! Protégez-moi! Et donnez-moi aujourd'hui de conserver liberté et tranquillité. » Sur ce, il part à toute vitesse, pas rassuré, rejoindre les poules cachées sous l'aubépine, se gardant de

¹⁷⁰ Pinte apela ou molt se croit,
A une part l'a asenee.
— « Pinte, n'i a mester celee.
Molt sui dolanz et esbahiz.
Grant poor ai d'estre traïz
D'oisel ou de beste sauvage
Qui tost nos puet fere damage. »
— « Avoi! » fait Pinte « baus dos sire,
Ice ne devés vos pas dire.
Mau fetes qui nos esmaiés.
¹⁸⁰ Si vos dirai, ça vos traiés!
Par trestoz les seinz que l'en prie,
Vos resemblés le chen qui crie
Ains que la pierre soit çoüe.
Por qu'avés tel poor oüe?
Car me dites que vos avés. »
— « Qoi? » dist li cos « vos ne savés
Que j'ai songié un songe estrange,
Delés cel trou lés cele granche,
Et une avision molt male,
¹⁹⁰ Por qoi vos me veés si pale.
Tot le songe vos conterai,
Ja riens ne vos en celerai.
Saureés m'en vos conseillier?
Avis me fu el somellier
Que ne sai quel beste veneit
Qui un ros peliçon vestoit,
Bien fet sanz cisel et sanz force :
Sil me fesoit vestir a force.
D'os estoit fete l'orleüre,
²⁰⁰ Tote blance, mes molt ert dure :
La chavesce de travers fete,
Estroite, qui molt me dehaite.
Le poil avoit dehors torné.
Le peliçon si atorné

s'arrêter en chemin. Il entraîne alors à part Pinte en qui il a confiance :

— « Pinte, pour ne rien vous cacher, je suis à la fois étonné et inquiet; je crains fort d'être surpris par un oiseau ou une bête sauvage qui risque de nous faire bientôt beaucoup de mal.

— Allons, mon cher mari, il ne faut pas parler ainsi. Vous avez tort de nous faire peur. Venez par là, écoutez-moi. Par tous les saints du Paradis, vous êtes comme le chien qui crie avant d'être battu. Pourquoi une telle peur? Dites-moi ce que vous avez.

— On voit bien que vous ne savez pas quel rêve bizarre je viens de faire. Près de ce trou, là-bas, à côté de la grange, quelle affreuse vision j'ai eue! Je m'en sens encore tout pâle. Je vais tout vous raconter. Peut-être pourrez-vous me donner un conseil. Il m'a semblé, dans mon sommeil, que s'approchait je ne sais quelle bête, revêtue d'une pelisse rousse, bien taillée d'une seule pièce, sans couture, qu'elle me faisait mettre de force. L'encolure était bordée de petits os, toute blanche, mais très dure; mal coupée, tout étriquée, elle me serrait au point de me blesser et le poil se

Par le chevece le vestoie.
Mais molt petit i arestoie.
Le peliçon vesti ensi :
Mes a reculons m'en issi,
Lors m'en merveillai a cele ore
210 Por la coue qui ert desoure.
Ca sui venus desconseilliez.
Pinte, ne vos en merveilliez,
Se li cuers me fremist et tramble.
Mes dites moi que vos en semble.
Molt sui por le songe grevez.
Par cele foi que me devez,
Savez vos que ce senefie? »
Pinte respont, ou molt se fie,
— « Dit m'avez » fait ele « le songe.
220 Mes se Dex plest, ce est mençoigne.
Ne porquant si vos voil espondre :
Car bien nos en saurai respondre.
Icele chose que veïstes
El someller que vos feïstes,
Qui le ros peliçon vestoit
Et issi vos desconfortoit
C'est li gorpils, jel sai de voir.
Bien le poés apercevoir
Au peliçon qui ros estoit
230 Et qui par force vos vestoit.
Les goles d'os ce sont les denz
A qoi il vos metra dedenz.
La chevece qui n'iert pas droite,
Qui si vos iert male et estroite,
Ce est la boce de la beste,
Dont il vos estreindra la teste.
Par iloques i enterois,
Sanz faille vos le vestirois.
Ce que la coue est contremont,

trouvait à l'extérieur. Je l'enfilais par l'encolure mais je ne m'en tenais pas là et, poursuivant mon mouvement, je finissais par en ressortir à l'autre bout; et je m'étonnais alors de voir une queue au-dessus de moi. Je ne sais qu'en penser, Pinte, n'en soyez pas surprise; j'en tremble encore de peur. Et vous, que vous en semble? Ce rêve m'inquiète. Par la foi que vous me devez, comprenez-vous ce qu'il veut dire?

220 — Plaise à Dieu que ce songe ne soit que mensonge », répond Pinte en qui il a confiance. « Quoi qu'il en soit, je vais vous expliquer la signification de ce que vous venez de me raconter, car je suis capable de le faire. Ce que vous avez vu dans votre sommeil, portant une pelisse rousse, et qui vous inquiétait fort, c'est un renard, j'en suis certaine. La preuve en est la pelisse rousse qu'il vous forçait à revêtir. La bordure en petits os, ce sont ses dents qui lui serviront à vous saisir. L'encolure qui n'était pas dans le bon sens et qui, trop étroite pour vous, vous faisait mal, c'est sa gueule dans laquelle il vous écrasera la tête. C'est ainsi que vous enfilerez sa pelisse et que vous la revêtirez, c'est certain. Quant à

²⁴⁰ Par les seinz de trestot le mont,
C'est li gorpils qui vos prendra
Parmi le col, quant il vendra.
Dont sera la coue desore.
Einsi ert, se Dex me secore.
Ne vos gara argent ne ors.
Li peus qui ert torné defors
C'est voirs, que tot jors porte enverse
Sa pel, quant il mels plot et verse.
Or avez oï sanz faillance
²⁵⁰ De vostre songe la senblance.
Tot soürement le vos di :
Ainz que voiez passé midi,
Vos avandra, ce est la voire.
Mes se vos me volieez croire,
Vos retorneriez ariere :
Car il est repos ci derere
En cest boisson, jel sai de voir
Por vos traïr et decevoir. »
    Quant cil ot oï le respons
²⁶⁰ Del songe, que cele ot espons,
— « Pinte », fait il, « molt par es fole.
Molt as dit vileine parole,
Qui diz que je serai sorpris,
Et que la beste est el propris
Qui par force me conquerra.
Dahez ait qui ja le crera!
Ne m'as dit rien ou ge me tiegne.
Ja nel crerai, se biens m'aviegne,
Que j'aie mal por icest songe ».
²⁷⁰ — « Sire » fait ele, « Dex le donge!
Mais s'il n'est si con vos ai dit,
Je vos otroi senz contredit,
Je ne soie mes vostre amie ».
— « Pinte » fait il, « ce n'i a mie ».

158

²⁴⁰ la queue qui restait en l'air, par tous les saints du ciel, c'est parce que le renard qui vous attrapera par le cou quand il viendra, gardera la queue dressée. Voilà ce qu'il en sera, si Dieu m'inspire, et ni or ni argent ne pourront vous en préserver. Le poil tourné vers l'extérieur correspond à la réalité : même quand il pleut à verse, c'est bien dans ce sens que Renart porte sa peau. Voilà à coup sûr ce que votre rêve veut dire. Et je vous le dis en vérité, vous ne verrez pas passer l'heure de midi sans que cela vous arrive. C'est pourquoi, si vous m'en croyiez, vous repartiriez, car il est caché ici derrière, dans ce buisson, je le sais, pour vous prendre à l'improviste. »

²⁶⁰ Telle est l'interprétation que Pinte lui donne de son rêve; alors Chantecler de s'écrier :

— « Tu perds la tête, Pinte. Tu dis des sottises. Ainsi, tu prétends que je serai attrapé par surprise et que la bête qui s'emparera de moi est déjà dans l'enclos ? Tant pis pour qui y ajoutera foi. Sornettes que tout cela! Je ne croirai jamais — Que Dieu me protège! — que ce rêve annonce mon malheur. »

A fable est li songes tornez.
A itant s'en est retornez
En la poudrere a solaller.
Si reconmance a someller.
Et quant il fu aseürez,
280 (Molt fu Renars amesurez
Et voisiez a grant merveille)
Quant il voit que celui somelle,
Vers lui aprime sanz demore
Renars, qui tot le mont acore
Et qui tant set de maveis tors.
Pas avant autre tot sanz cors
S'en vet Renars le col baissant.
Se Chantecler le par atent
Que cil le puisse as denz tenir.
290 Il li fera son jou poïr.
Quant Renars choisi Chantecler,
Senpres le volst as denz haper.
Renars failli, qui fu engrés,
Et Chantecler saut en travers.
Renart choisi, bien le conut,
Desor le fumier s'arestut.
Quant Renars voit qu'il a failli,
Forment se tint a malbailli.
Or se conmence a porpenser,
300 Conment il porroit Chantecler
Engignier : car s'il nel manjue,
Dont a il sa voie perdue.
— « Chantecler », ce li dist Renart,
« Ne fuïr pas, n'aiés regart!
Molt par sui liez, quant tu es seinz :
Car tu es mes cosins germeins ».
Chantecler lors s'asoüra.
Por la joie un sonet chanta.
Ce dist Renars a son cosin :

— Seigneur, que Dieu vous entende! Mais si ma prédiction ne se réalise pas, je consens à ne plus être votre amie.

— Là n'est pas la question, Pinte. »

Et, persuadé que son rêve est une pure invention de son imagination, il retourne sur son fumier profiter du soleil et se reprend à somnoler. Dès que Renart est sûr, à le voir sommeiller, de ne pas manquer son coup, il s'approche sans attendre davantage avec force précautions, lui, l'ennemi du genre humain, et qui n'est jamais en retard d'un mauvais coup. Il s'avance tout doucement, pas à pas, tapi au sol. Si Chantecler lui laisse le temps de le saisir entre ses dents, il aura sujet de le regretter. Aussitôt qu'il est bien en vue du coq, il va pour lui planter les crocs dans le corps, mais, dans son impatience, il manque son coup et Chantecler l'esquive, d'un saut de côté. Reconnaissant Renart, il marque un temps d'arrêt sur le fumier, tandis que le goupil, constatant son échec, se retrouve tout penaud et se demande comment parvenir à tromper Chantecler, car, s'il ne le mange pas, il aura perdu son temps.

— « Ne te sauve pas, Chantecler, n'aie pas

³¹⁰ — « Membre te mes de Chanteclin,
Ton bon pere qui t'engendra?
Onques nus cos si ne chanta.
D'une grant liue l'ooit on.
Molt bien chantoit en haut un son
Et molt par avoit longe aleine
Les deus els clos, la vois ot seine.
D'une leüe ne veoit,
Quant il chantoit et refregnoit. »
    Dist Chantecler : « Renart cosin,
³²⁰ Volés me vos trere a engin? »
— « Certes », ce dist Renars « non voil.
Mes or chantez, si clinniés l'œil!
D'une char somes et d'un sanc.
Meus voudroie estre d'un pié manc
Que tu eüses maremenz :
Car tu es trop prés mi parenz ».
Dist Chantecler : « pas ne t'en croi.
Un poi te trai ensus de moi
Et je dirai une chançon.
³³⁰ N'aura voisin ci environ
Qui bien n'entende mon fauset ».
Lores s'en sozrist Renardet :
— « Or dont en haut! chantez, cosin!
Je saurai bien, se Chanteclin,
Mis oncles, vos fu onc neant. »
Lors comença cil hautement :
Puis jeta Chantecler un bret.
L'un oil ot clos et l'autre overt :
Car molt forment dotoit Renart.
³⁴⁰ Sovent regarde cele part.
Ce dist Renars : « n'as fet neent.
Chanteclins chantoit autrement
A uns lons trez les eils cligniez :
L'en l'ooit bien par vint plaissiez ».

162

peur. Je suis bien heureux de te voir en bonne santé car tu es mon cousin germain. »

Et le coq, rassuré, pousse un joyeux cocorico. Alors Renart :

— « Te souviens-tu encore de la façon dont chantait ton cher père, Chanteclin? Aucun coq ne l'a égalé; sa voix portait à plus d'une lieue. Quand il chantait, il gardait les yeux fermés et sa voix s'élevait, haute et pure, sans qu'il perde jamais le souffle. Mais il ne voyait pas plus loin que son bec, quand il poussait couplets et refrains.

— Renart, mon cousin », rétorque Chantecler, « cherchez-vous à me tromper?

— Pas le moins du monde, mais chantez donc en fermant les yeux; nous sommes nés de la même chair et du même sang; je préférerais perdre une jambe plutôt qu'il t'arrive malheur : nous sommes trop proches parents. »

— Je n'ai pas confiance. Écarte-toi un peu de moi si tu veux que je chante. Tous les voisins alentour entendront ce que vaut mon fausset. »

Et, Renart, dans un sourire : « Allez-y de bon cœur, chantez, cousin et je verrai si vous

Chantecler quide que voir die.
Lors let aler sa meloudie
Les oilz cligniez par grant aïr.
Lors ne volt plus Renars soffrir.
Par de desoz un roge chol
350 Le prent Renars parmi le col,
Fuiant s'ent va et fait grant joie
De ce qu'il a encontré proie.
Pinte voit que Renars l'enporte,
Dolente est, molt se deconforte.
Si se conmence a dementer,
Quant Chantecler vit enporter,
Et dit : « sire, bien le vos dis
Et vos me gabiez todis
Et si me tenieez por fole.
360 Mes ores est voire la parole,
Dont je vos avoie garni.
Vostre senz vos a escharni.
Fole fui, quant jel vos apris,
Et fox ne crient tant qu'il est pris.
Renars vos tient qui vos enporte.
Lasse dolente, con sui morte!
Car se je ci pert mon seignor,
A toz jors ai perdu m'onor ».
La bone feme del mainil
370 A overt l'uiz de son cortil,
Car vespres ert, por ce voloit
Ses jelines remetre en toit.
Pinte apela, Bise et Rosete.
L'une ne l'autre ne recete.
Quant voit que venues ne sont,
Molt se merveille qu'elles font.
Son coc rehuce a grant aleine.
Renart regarde qui l'enmeine.
Lors passe avant por le rescore

êtes le digne fils de mon oncle Chanteclin. »

Sur ce, le coq entonne une chanson d'une voix forte, un œil fermé, l'autre ouvert, car il
340 a grand peur du goupil et regarde souvent dans sa direction. Et Renart : « Voilà qui ne va pas; Chanteclin chantait autrement, à longue haleine, les deux yeux fermés. On l'entendait bien dans vingt cours de ferme. »

Chantecler, mis en confiance, laisse alors vigoureusement s'exhaler la mélodie, en gardant les yeux clos. A cette vue, Renart ne peut plus se tenir. Bondissant de dessous un chou rouge, il l'attrape par le cou et s'enfuit tout joyeux d'avoir fait main basse sur une proie. Pinte, accablée de voir Renart l'emporter, se répand en plaintes douloureuses : « Seigneur, je vous l'avais bien dit, mais vous vous moquiez de moi et vous me traitiez de
360 folle. Pourtant, c'est moi qui avais raison, on le voit maintenant. Vous vous êtes laissé tromper. J'étais bien sotte de vouloir vous mettre en garde car le fou n'a peur qu'une fois pris! Et maintenant, Renart vous tient et vous emporte. Malheur à moi, je suis comme

³⁸⁰ Et li gorpils conmence a core.
Quant voit que prendre nel porra,
Porpense soi qu'el criera.
— « Harou! » escrie a pleine gole.
Li vilein qui sont a la çoule,
Quant il oent que cele bret,
Trestuit se sont cele part tret.
Si li demandent, que ele a.
En sospirant lor reconta :
— « Lasse, con m'est mal avenu! »
³⁹⁰ « Coment? » font il. — « Car j'ai perdu
Mon coc que li gorpil enporte. »
Ce dist Costans « pute vielle orde,
Qu'avés dont fet que nel preïstes? »
— « Sire », fait ele, « mar le dites.
Par les seinz Deu, je nel poi prendre ».
— « Por quoi? » — « Il ne me volt atendre. »
« Sel ferissiez? » — « Je n'oi de quoi. »
— « De cest baston. » — « Par Deu ne poi :
Car il s'en vet si grant troton,
⁴⁰⁰ Nel prendroient deus chen breton. »
— « Par ou s'en vet? » — « Par ci tot droit. »
Li vilein corent a esploit.
Tuit s'escrient : « or ça, or ça! »
Renars l'oï qui devant va.
Au pertuis vint, si sailli jus
Qu'a la terre feri li cus.
Le saut qu'il fist ont cil oï.
Tuit s'escrient : « or ça, or ci! »
Costans lor dist : « or tost aprés! »
⁴¹⁰ Li vilein corent a eslés.
Costans apele son mastin,
Que tuit apelent Mauvoisin :
— « Bardol, Travers, Humbaut, Rebors,
Corés aprés Renart le ros! »

morte! Car si je perds mon seigneur et maître, je n'aurai plus de raison de vivre. »

C'est alors que la brave fermière ouvre la porte de l'enclos car c'était le soir et elle voulait faire rentrer ses poules à l'abri. Elle appelle Pinte, Bise et Roussette, mais aucune ne répond : « Que peuvent-elles bien faire », se demande-t-elle. Elle appelle alors son coq de toute sa voix avant d'apercevoir Renart qui l'emmène; aussitôt, elle se précipite pour le sauver. Mais le goupil prend le galop. Comprenant qu'elle ne parviendra pas à le reprendre, elle se décide à appeler à l'aide : « Haro, Haro! » s'écrie-t-elle à tue-tête.

Les paysans qui étaient en train de jouer à la balle se dirigent du côté d'où viennent les cris et demandent à la fermière ce qu'elle a.

— « Ah, quel malheur! » soupire-t-elle.

— « Que se passe-t-il?

— J'ai perdu mon coq; le renard l'a emporté.

— Espèce de vieille sotte! » crie Constant. « Pourquoi ne l'avez-vous pas repris?

— Vous avez tort de parler ainsi, seigneur. Par tous les saints du Paradis, je n'ai pas pu lui mettre la main dessus.

Au corre qu'il font l'ont veü
t Renart ont aperceü.
Tuit s'escrient « vez le gorpil! »
Or est Chanteclers en peril,
S'il ne reseit engin et art.
420 — « Conment », fait il, « sire Renart,
Dont n'oez quel honte vos dient,
Cil vilein qui si vos escrient?
Costans vos seut plus que le pas.
Car li lanciez un de vos gas
A l'issue de cele porte.
Quant il dira « Renars l'enporte »,
« Maugrez vostre » ce poés dire.
Ja nel porrés mels desconfire ».
N'i a si sage ne foloit.
430 Renars qui tot le mont deçoit,
Fu deçoüs a cele foiz.
Il s'escria a haute vois.
— « Maugré vostre », ce dist Renart,
« De cestui enpor je ma part. »
Quant cil senti lache la boce,
Bati les eles, si s'en toche.
Si vint volant sor un pomer.
Renars fu bas sor un fomier,
Greinz et maris et trespensés
440 Del coc qui li est escapez.
Chantecler li jeta un ris.
— « Renart », fait il, « que vos est vis
De cest siegle? que vos en semble? »
Li lecheres fremist et tramle.
Si li a dit par felonie :
— « La boce », fait il, « soit honie
Qui s'entremet de noise fere
A l'ore qu'ele se doit tere ».
— « Si soit », fet li cos, « con je voil.

— Pourquoi donc?

— Il n'est pas resté là à m'attendre.

— Pourquoi ne pas l'avoir frappé?

— Et avec quoi?

— Avec ce bâton!

— Par Dieu, je ne pouvais pas; il a filé sans demander son reste; même des chiens [12] ne l'auraient pas rattrapé.

— Par où est-il parti?

— Par ici tout droit. »

Les paysans se précipitent en criant : « Allez, là, allez. » Renart qui est devant, les entend. Il franchit la palissade d'un saut en passant par la brèche et retombe le cul par terre. Ses poursuivants, qui ont entendu le bruit qu'il a fait en sautant, redoublent leurs cris :

— « Allez, par ici, allez.

— Vite, dépêchez-vous », leur hurle Constant.

Et tous de se précipiter, cependant que Constant appelle son chien, celui qu'on a baptisé Malvoisin.

— « Bardou, Travers, Hombaut, Rebours, tous, sus à Renart le rouquin! »

A force de courir, les paysans arrivent en

⁴⁵⁰ La male gote li cret l'oil
Qui s'entremet de someller
A l'ore que il doit veillier.
Cosins Renart », dist Chantecler,
« Nus ne se puet en vos fier.
Dahez ait vostre cosinage!
Il me dut torner a damage.
Renart parjure, alés vos ent!
Se vos estes ci longement,
Vos i lairois vostre gonele ».
⁴⁶⁰ Renars n'a soing de sa favele.
Ne volt plus dire, atant s'en torne.
Ne repose ne ne sejorne,
Besongnieus est, le cuer a vein.
Par une broce lez un plein
S'en vait fuiant tot une sente.
Molt est dolans, molt se demente
Del coc, qui li est escapés,
Quant il n'en est bien saolés.

vue de Renart. « Il est là », crient-ils. Mais Chantecler n'est pas tiré d'affaire pour autant, s'il ne trouve pas un moyen de s'échapper.

420 « Comment, seigneur Renart, vous n'entendez pas les injures que ces paysans crient après vous? Constant est sur vos talons. Lancez-lui donc une de ces plaisanteries dont vous avez le secret quand il passera par ici. S'il s'écrie : " Renart l'emporte! " vous pouvez répondre : " Malgré vous! " Il ne saura plus quoi dire. »

Il n'est si sage qui ne commette un jour une sottise. Et cette fois-là, ce fut au tour de Renart, le maître ès ruses, de se faire berner. Il se met à crier à tue-tête : « C'est malgré vous que j'emporte ma part de celui-là! » Dès qu'il sent la gueule se desserrer, Chantecler se sauve à tire-d'aile, se dépêchant de se percher sur un pommier tandis que Renart 440 reste en bas sur un tas de fumier, furieux et fort dépité de l'avoir laissé échapper. Le coq lui rit au nez : « Que pensez-vous de ce bas-monde, Renart? Que vous en semble? » Le bandit frémit et tremble de rage :

— « Vous feriez mieux de tourner sept fois

votre langue dans votre bouche avant de parler », dit-il méchamment.

— « Que ma volonté soit faite! » répond le coq, « que la male goutte crève l'œil de qui se met à somnoler au moment où il doit avoir soin de se tenir sur ses gardes. Cousin Renart », ajoute-t-il, « on ne peut avoir confiance en vous. La peste soit de votre cousinage : il a bien failli faire mon malheur! Dépêchez-vous de vous sauver, parjure que vous êtes! sinon, gare à votre pelisse. »

460 Renart veut ignorer la moquerie : il préfère se taire et s'éloigner en toute hâte, négligeant même de faire halte pour se reposer. Affamé, sans force, il fuit le long d'un sentier au milieu des broussailles, en bordure d'un champ. Dans son accablement, il se lamente d'avoir laissé échapper le coq grâce auquel il avait compté faire bombance.

Que qu'il se pleint de sa losenge,
470 Atant es vos une mesange
Sor la brance d'un cainne crués,
Ou ele avoit repost ses ués.
Renars la vit, si la salue.
— « Comere, bien soiez venue!
Car descendés, si me besiez! »
— « Renart », fet elle, « or vos tesiez!
Voirement estes mes comperes,
Se vos ne par fussiez si leres.
Mes vos avés fait tante guiche
480 A tant oisel, a tante biche,
Qu'en ne s'en set a qoi tenir.
Et que quidiez vos devenir?
Maufrés vos ont si deserté
Qu'en ne vos puet prendre a verté ».
— « Dame, » ce respont li gorpilz,
« Si voirement con vostre filz
Est mes fillous en droit bapteme,
Onques ne fis semblant ne emme
De rien qui vost doüst desplaire.
490 Savez, por quoi je nel vol fere?
Droiz est que nos le vos dions.
Mesire Nobles li lions
A or par tot la pes juree,
Se Dex plaist, qui aura duree.
Par sa terre l'a fait jurer
Et a ses homes afier
Que soit gardee et meintenue.

174

RENART ET LA MÉSANGE

Tandis que Renart se lamente ainsi, il aperçoit une mésange perchée sur un chêne : l'arbre cachait un creux où elle avait installé ses œufs à l'abri.

— « Bonjour, chère amie, descendez donc m'embrasser.

— Il n'en est pas question, Renart. On ne peut être l'ami d'un brigand de votre espèce. Vous avez fait tant de mauvais coups à tant d'oiseaux, à tant de biches, qu'on ne sait plus que penser. Qu'allez-vous devenir? Le mal vous a tellement corrompu qu'il est impossible de vous faire confiance.

— Dame, aussi vrai que votre fils est mon filleul par son saint baptême, je ne songe pas à mal, je vous assure. Savez-vous pourquoi? Il est normal que je vous le dise. Monseigneur Noble le lion a fait jurer la paix, et pour longtemps, s'il plaît à Dieu. Dans tout son royaume, il a fait promettre à ses vassaux qu'ils la respecteraient et veilleraient à son maintien. Voilà qui réjouit le cœur des petites

Molt lié en est la gent menue.
Cor or carront par plusors terres
500 Plez et noises et mortex guerres,
Et les bestes grans et petites
La merci Deu seront bien quites. »
La messange respont atant
— « Renart, or m'alés vos flatant.
Mes se vos plest, querés autrui :
Car moi ne beserés vos hui,
Ne ja por rien que vos diez,
Icist besers n'iert otroiez. »
   Quant Renars voit que sa conmere
510 Ne velt pas croire son compere,
— « Dame », fait il, « or m'escotez!
Por ce que vos me redotez,
Les ielz cloingniez vos beserai. »
— « Par foi », fait ele, « et jel ferai.
Or cligniez donc! » Cil a clignié
Et la mesengne a enpoignié
Plein son poing de mousse et de foille.
N'a talant que besier le voille,
Les gernons li conmence a terdre :
520 Et quant Renars la cuide aerdre,
N'i trove se la foille non,
Qui li fu remese au grenon.
La mesenge li escria
— « Haï Renart, quel pez ci a!
Tost oüssiez la trive enfrete,
Se ne me fusse arere trete.
Vos disiez que afiee
La pes et qu'ele estoit juree.
Mal l'a juree vostre sire. »
530 Renars li conmença a rire,
Si li a jeté un abai.
— « Certes », fait il, « je m'en gabai.

gens. C'en sera fini des disputes, des procès,
500 des guerres meurtrières à droite et à gauche
et les bêtes, grandes et petites, vivront tranquilles!

— Vous cherchez à me tromper, Renart.
Allez donc chercher ailleurs, je vous en prie,
car, vous aurez beau dire et beau faire, vous
ne me convaincrez pas de me laisser embrasser par vous. »

Renart, voyant que sa commère [13] ne veut
pas le croire, lui, son compère, ajoute :

— « Écoutez, dame, puisque vous avez
peur de moi, je garderai les yeux fermés pour
vous embrasser.

— Dans ces conditions, j'accepte. Fermez
les yeux. »

Il obéit, mais la mésange qui ne veut pas se
risquer à l'embrasser se saisit d'une pleine
poignée de mousse et de feuilles dont elle se
520 met à lui chatouiller le museau. Et Renart,
croyant la saisir, n'attrape que la feuille
restée accrochée à sa moustache.

— « Eh bien! Renart », s'écrie-t-elle, « de
quel accord parliez-vous? Vous auriez eu vite
fait de rompre la trêve si je ne m'étais écartée
à temps. Vous prétendiez que la paix

Ce fis je por vos poor fere.
Mes qui caut? or soit a refere.
Je reclingnerai autrefois ».
— « Or dont », fet ele « estez toz cois! »
Cil cligne qui molt sot de bole.
Cele li vint pres de la gole
Raiant, mes n'entra pas dedenz.
540 Et Renars ra jeté les denz.
Prendre la quide, mes il faut.
— « Renart », fait ele, « ce que vaut?
Ce n'iert ja que croire vos doie.
Par quel manere vos creroie?
Se ja vos croi, li maufés m'arde! »
Ce dist Renars : « trop es coarde.
Ce fis je por vos esmaier
Et por vos auques essaier.
Car certes je n'i enten mie
550 Ne traïson ne felonie.
Mes or revenés autrefoiz!
Tierce foïe, ce est droiz.
Par non de seinte carité,
Par bien et par estableté,
Bele conmere, sus levés!
Par cele foi que me devés
Et que vos devés mon fillol,
Qui la chante sor ce tilloil,
Si faisomes ceste racorde.
560 De peceor misericorde ».
Mes ele fet oreille sorde :
Qu'ele n'est pas fole ne lorde,
Ainz siet sor la branche d'un chesne.
Que que Renars si se deresne
Atant este vos veneor
Et braconier et corneor
Qui sor le col li sont çoü.

était chose faite et jurée. Votre roi ne s'est pas entouré de garanties suffisantes. »

Mais le goupil, glapissant de rire :

— « Allons, c'était une plaisanterie pour vous faire peur. Peu importe! Recommençons, je fermerai à nouveau les yeux.

— Alors, restez sans bouger. »

Le trompeur s'exécute et la mésange va jusqu'à lui frôler le mufle mais sans le toucher vraiment. Nouveau coup de dent de Renart dans l'espoir de l'attraper! Peine perdue.

— « Jamais plus je ne vous croirai, Renart. Comment faire autrement! Le diable m'emporte si j'ai encore confiance en vous. »

— Vous êtes bien peureuse! Je voulais vous effrayer et vous mettre à l'épreuve. Je vous assure que je n'y mettais aucune mauvaise intention. Revenez-y encore une fois. Jamais deux sans trois. Au nom des vertus de bonté, de charité, de constance, debout chère amie! Par la foi que vous me devez et que vous devez à mon filleul qui chante là-haut sur ce tilleul [14], scellons notre accord. A tout pécheur miséricorde!

Mais la mésange, ni folle ni sotte, fait la

Et quant Renars a ce veü,
Forment s'en est esmervelliez.
570 De fuïr s'est aparelliez.
Si drece la coue en arçon.
Forment s'escrient li garçon,
Sonent grailes et moieneax.
Et Renars trosse ses panaux,
Qui molt petit en els se fie.
Et la mesenge li escrie
— « Renart, cist bans est tost brisiez,
Et la pez que vos disiez.
Ou fuiez vos? ça revenez! »
580 Renars fu cointes et senez,
Si li ra trait une mençoigne.
Que qu'il parole, si s'esloigne.
— « Dame, les trives sont jurees
Et plevies et afiees,
La pes ausi de tot en tot.
Mes nel sevent mie par tot.
Ce sont çael qui ci nos vienent,
Qui la pes que lor pere tiennent,
N'ont encor pas aseüree,
590 Si con lor pere l'ont juree.
N'erent pas encore si saive
Au jor, que lor pere et lor aive
Jurerent la pes a tenir,
Que l'en les i feïst venir. »
— « Certes ore estes vos mavés.
Cuidiez qu'il enfrengnent la pés?
Ca revenez, si me baisiez! »
— « Jei n'en sui pas or aisiez. »
— « Ja jura la pes vostre sire. »
600 Renars s'en fuit, ne vout plus dire,
Come cil qui sot le travers.
Atant estes vos un convers

sourde oreille et ne bouge pas de la branche sur laquelle elle est perchée. Tandis que Renart s'occupe à discourir, voici que des chasseurs, avec valets de chiens et sonneurs de cor, lui tombent sur le poil. A cette vue, stupéfait, il s'apprête à fuir, la queue dressée en arc au milieu des cris que poussent les hommes et des sonneries des cors et des trompes. Il détale, rien moins que rassuré, tandis que la mésange lui crie : « La paix dont vous parliez est donc déjà rompue, Renart? Où fuyez-vous? Revenez. »

580   Il a la sagesse de ne pas s'arrêter pour lui crier ce mensonge :

— «On a bien promis-juré, dame, de respecter une trêve, et même de faire la paix. Mais tout le monde n'est pas encore au courant. Ce sont de jeunes chiens qui arrivent; ils ne se sont pas encore engagés à respecter la paix que leurs pères ont fait serment de garder. Le jour où leurs pères et leurs grands-pères ont promis de la maintenir, ils étaient encore trop petits pour participer à la cérémonie.

— Comme vous êtes soupçonneux! Croyez-vous qu'ils vont enfreindre la paix?

Que dous veautres enchaenez
Avoit lez la voie amenez.
Li gars qui seut Renart premiers,
Quant il choisi les leemiers,
Voit le convers, si li escrie :
— « Deslie, va, les chiens deslie!
Vois le gorpil! mar en ira. »
610 Renars l'oï, si sospira.
Bien set que il ert malvenuz,
Se il puet estre retenuz.
Car itel gent entor lui voit,
N'i a celui, s'il le tenoit,
Que bien ne li ostast la pel
A la pointe de son cotel.
Poor a de perdre sa corce,
Se plus n'i vaut engin que force.
Molt dote perdre sa gonele,
620 S'auques ne li vaut sa favele.
Li convers qui autre part muse,
Et Renars, qui pas ne rehuse,
Ne puet mucier ne puet guenchir
Ne nule part ne puet foïr
Ne trestorner en nule guise.
Es vos le convers qui l'avise,
Devant lui vient toz aïrez :
— « Ha ha, cuivrez, vos n'en irez. »
— « Sire », fait il, « por Deu ne dites!
630 Car seins hom estes et ermites.
Si ne devez en nul endroit
A nul home tolir son droit.
S'or estoie ci arestés
Ne par voz chenz point destorbés,
Sor vos en seroit li peciés :
Et j'en seroie corociez,
Car miens en seroit li damages.

Revenez donc m'embrasser!

— Le moment me paraît mal choisi.

— Mais puisque votre roi a fait jurer la paix! »

600 Sans répondre, Renart s'enfuit par les raccourcis qu'il connaissait bien, mais c'est pour tomber sur un frère convers qui tenait en laisse, le long du chemin, deux chiens de chasse de belle taille. Le paysan qui était en tête des poursuivants crie alors au religieux de lâcher les chiens : « C'est pour le goupil : il n'ira pas loin. » Paroles qui arrachent un soupir à Renart car il sait bien qu'il passera un mauvais quart d'heure si on l'attrape. Il se voit encerclé par des gens tout prêts, dès qu'ils le tiendront, à l'écorcher à la pointe de leurs couteaux. Il craint fort d'y laisser pelisse

620 et peau si, tout beau parleur qu'il est, il ne parvient pas à faire prévaloir la ruse sur la force. Il y a donc le moine qui flâne et Renart, en arrêt, qui ne peut ni se cacher ni s'échapper : où pourrait-il aller, on se le demande. Et le frère, qui l'a vu, s'approche, menaçant :

— « Ha! Ha! sale engeance! vous ne vous sauverez pas.

— Au nom de Dieu, mon père, ne parlez

Nos corrien ici a gages
Entre moi et ceste cenaille :
640 Molt a grant cose en la fermaille ».
Cil se porpense qu'il dist bien.
A Deu et a seint Julien
Le conmande, si s'en retorne.
Et Renars qui pas ne sojorne,
Molt esperone son cheval.
Par une sente lés un val
S'en vet fuiant tot une plegne.
Li cris qui aprés lui engregne
Le fet aler plus que le pas.
650 A une voie, a un trespas
A un grant fossé tressailli.
Iloques l'ont li chen gerpi;
N'en sevent mes ne vent ne voie.
Et Renars qui bien se devoie,
N'i atent per ne conpaignon :
Car molt dote mors de gaignon.
N'est merveille s'il est lassez,
Car le jor out foï asez.
Si a trové mauvés eür.
660 Mais que chaut? ore est asoür.
Asés a grant travail eü
Por ce qu'il li est mesçoü.
Par ce que il s'en va fuitis,
Manace molt ses enemis.

pas ainsi. Un ermite, un saint homme comme vous doit se garder sur tout de faire tort à personne. Si, vous ou vos chiens vous mettiez en travers de mon chemin, c'est vous qui seriez responsable. Mais c'est moi qui serais perdant — et furieux de l'être —, car ces
⁶⁴⁰ chiens et moi nous faisons une course sur paris dont les enjeux sont importants. »

Considérant que Renart est dans le vrai, le moine le recommande à Dieu et à saint Julien avant de faire demi-tour. Aussitôt, le goupil éperonne son cheval et reprend la fuite par un sentier qui remonte un vallon à travers champs. Les hurlements qui s'enflent derrière lui, lui font presser l'allure. Puis il saute un large fossé qui longe le chemin, faisant ainsi perdre sa trace aux chiens qui doivent abandonner la partie. Une fois ses poursuivants égarés, Renart ne demande pas son reste, il craint trop les dents des molosses. Bien sûr, il est fatigué par la longue course qu'il a dû fournir tout le jour, à cause de la malchance qui s'est acharnée sur lui. Mais qu'importe! Le voilà à l'abri. Il n'empêche!
⁶⁶⁰ Quelle épreuve cela a été! Et il se répand en menaces contre ceux qui s'en sont pris à lui.

Que qu'il se pleint de s'aventure,
Garde et voit en une rue
Tiebert le chat, qui se deduit
Sanz conpaignie et sens conduit.
De sa coe se vet joant
670 Et entor lui granz saus faisant.
A un saut qu'il fist se regarde,
Si choisi Renart qui l'esgarde.
Il le conut bien au poil ros.
— « Sire », fait il, « bien vegnés vos! »
Renars li dist par felonie :
— « Tibert, je ne vos salu mie.
Ja mar vendrez la ou je soie.
Car par mon chef, je vos feroie
Volentiers, se j'en avoie aise. »
680 Tibert besoigne qu'il se taise :
Qar Renars est molt coreciez.
Et Tibers s'est vers lui dreciez
Tot simplement et sanz grant noise :
— « Certes », fait il, « sire, moi poisse
Que vos estes vers moi iriez ».
Renars fu auques enpiriez
De jeüner et de mal traire.
N'a ores soing de noisse fere,
Car molt ot joüné le jor.
690 Et Tieberz fu pleins de sojor,
S'ot les gernons vels et cenuz
Et les denz trençans et menus,
Si ot bons ongles por grater.

186

RENART ET TIBERT

Renart en était à ce point de ses récriminations quand, jetant un coup d'œil autour de lui, il aperçoit, sur son passage, Tibert le chat qui s'amusait tout seul, à jouer avec sa queue, en tournant à grands sauts sur lui-même. Au milieu de ses ébats, il voit Renart en train de le regarder et le reconnaît à la couleur de son pelage.

— « Seigneur », dit-il, « soyez le bien-venu.

— Moi, je ne vous salue pas », fait Renart sur un ton brutal. « Gare à vous si vous m'approchez, je serais trop heureux de vous taper dessus. »

680 Devant la mauvaise humeur du goupil, Tibert juge plus prudent de ne pas insister. Il se contente de s'approcher de lui et de lui dire d'un ton humble : « Seigneur, votre colère à mon égard m'attriste. » La faim et la douleur qu'elle lui cause ont rendu Renart irritable, mais il n'a aucune envie d'envenimer la situation car il n'a rien mangé de la journée.

Se Renars le voloit mater,
Je cuit qu'il se vouldroit desfendre.
Mais Renars nel velt mie enprendre
Envers Tibert nule meslee
Qu'en maint leu ot la pel aree.
Ses moz retorne en autre guise.
700 — « Tibert », fait il, « je ai enprise
Guerre molt dure et molt amere
Vers Ysengrin un mien compere.
S'ai retenu meint soudoier
Et vos en voil je molt proier
Qu'a moi remanés en soudees.
Car ains que soient acordees
Les trives entre moi et lui
Li cuit je fere grant ennui ».
Tieberz li chaz fet molt grant joie
710 De ce dont dan Renars le proie.
Si li a retorné le vis.
— « Tenés », fait il, « je vos plevis
Que ja nul jor ne vos faudré
Et que volontiers asaudré
Dant Ysengrin : qu'il a mesfet
Vers moi et en dit et en fet ».
Or l'a Renars tant acordé
Qu'entr'aus dous se sont acordé.
Andui s'en vont par foi plevie.
720 Renars qui est de male vie
Nel laissa onques a haïr,
Ainz se peine de lui traïr.
En ce a mis tote s'entente.
Il garde en une estroite sente,
Si a choisi prés de l'orniere
Entre le bois et la carere
Un broion de chesne fendu,
C'uns vileins i avoit tendu.

188

Tibert, en revanche, est au mieux de sa forme, la moustache luisante, les dents pointues et acérées, les griffes aiguës, prêtes à sortir : si Renart s'en prenait à lui, il aurait affaire à forte partie. Mais sa peau, déchirée en plus d'un endroit, le détourne d'une telle pensée et le fait changer de langage : « Tibert, je suis engagé dans une guerre difficile et acharnée contre mon compère Ysengrin; j'ai donc recruté un grand nombre de soldats; accepteriez-vous d'en être? Car, je compte bien le mettre à mal avant de traiter avec lui. »

La proposition de Renart va droit au cœur de Tibert qui se retourne vers lui pour acquiescer : « Eh bien! je vous donne ma parole de demeurer fidèlement à vos côtés dans ce conflit; j'aurais certes plaisir à faire la guerre à maître Ysengrin qui m'a souvent calomnié et fait du tort. »

Bref, Renart l'a si bien embobiné qu'ils arrivent à un accord et s'éloignent de concert après s'être juré assistance mutuelle. Mais le goupil, toujours aussi fourbe, n'en continuait pas moins à haïr Tibert et à chercher avec soin toutes les occasions de lui jouer un

Il fu recuiz : si s'en eschive.
730 Mes danz Tibers n'a nule trive,
S'il le puet au braion atrere
Qu'il ne li face un mal jor traire.
Renars li a jeté un ris.
— « Tibert », fait il, « de ce vos pris
Que molt estes et prous et baus
Et tis chevaus est molt isnaus.
Mostrez moi, comment il set core.
Par ceste voie, ou a grant poure,
Corez tote ceste sentele!
740 La voie en est igax et bele ».
Tibers li caz fu eschaufez
Et Renars fu un vis maufez,
Qui le vost en folie enjoindre.
Tibers s'apareille de poindre,
Cort et recort les sauz menuz
Tant qu'il est au braion venuz.
Quant il i vint, s'aperçut bien
Que Renars i entent engien.
Mes il n'en fet semblent ne chere,
750 En eschivant se tret arere
Ensus du braion demi pié.
Et Renars l'a bien espié.
Si li a dit : — « Vos alés mal,
Qui en travers corez cheval ».
Cil s'est un petit esloigniez.
— « A refere est, or repoigniez!
Menés l'un poi plus droitement! »
— « Volontiers : dites moi, conment! »
— Conment? si droit qu'il ne guenchisse
760 Ne hors de la voie n'en isse. »
Cil lait core a col estendu
Tant qu'il voit le braion tendu.
Ne guenchit onques, einz tresaut.

mauvais tour. C'est ainsi qu'il avise, placé au bord de l'ornière qui marquait la limite entre le bois et un étroit sentier, un piège fait d'un billot de chêne fendu et qui avait été posé là par un paysan. Renart est assez malin pour l'éviter, mais il n'a de cesse d'y attirer Tibert, pour lui faire passer un mauvais quart d'heure. Aussi, est-ce d'un air riant qu'il s'adresse à lui : « Comme vous avez fière allure, Tibert, et comme ce cheval va bien avec vous! J'aimerais voir ce dont il est capable. Vous devriez le mettre au galop le long de ce chemin qui est tout indiqué pour ce faire avec ce sol égal et meuble. » En vrai démon, il entreprend de lui faire commettre une imprudence. Ainsi mis au défi, Tibert se prépare, éperonne et pique un galop. Parvenu au niveau du piège, il comprend que Renart cherche à l'y faire tomber; mais il n'en laisse rien voir, se contentant de faire un écart d'un demi-pied. Et Renart, qui l'épiait, lui dit : « Cela ne va pas! Votre cheval court de travers. » Et tandis que Tibert prend du champ : « C'est à recommencer », ajoute-t-il, « éperonnez-le à nouveau et dirigez-le bien droit.

Renars qui a veü le saut,
Sot bien qu'il s'est aperceüz
Et que par lui n'iert deceüz.
Porpense soi que il dira
Et conment il le decevra.
Devant lui vint, si li a dit
770 Par mautalant et par afit :
— « Tibert », fait il, « bien vos os dire,
Vostre cheval est asés pire
Et pore vendre en est meins vaillanz,
Por ce q'est eschis et saillanz ».
Tieberz li chaz forment s'escuse
De ce dont danz Renars l'acuse.
Forment a son cors engregnié
Et meinte fois recomencié.
Que qu'il s'esforce, es vos atant
780 Deus mastinz qui vienent batant.
Renart voient, s'ont abaié.
Andui s'en sont molt esmaié :
Par la sente s'en vont fuiant
(Li uns aloit l'autre botant)
Tant qu'il vindrent au liu tot droit
Ou li braions tendus estoit.
Renars le vit, guencir cuida.
Mais Tibers, qui trop l'anguissa,
L'a si feru del bras senestre
790 Que Renars ciet enz del pié destre,
Si que la clés en est saillie.
Et li engins ne refaut mie,
Si serrent li huisset andui
Que Renart firent grant anui :
Le pié li ont tres bien seré.
Molt l'a Tibers bien honoré,
Quant el braion l'a enbatu
Ou il aura le col batu.

— Volontiers, mais qu'entendez-vous au juste par là?

— Ce que j'entends? Mais que vous le meniez de telle façon qu'il ne dévie pas de sa direction et n'aille pas s'égarer hors du chemin. »

Tibert se lance alors à bride abattue jusqu'au piège et, cette fois, au lieu de le contourner, il le franchit d'un saut. A cette vue, Renart se rend compte que l'autre a compris et qu'il ne parviendra pas à le tromper ainsi. Mais, ne pourrait-il y arriver en lui racontant une histoire? Il le rejoint donc pour lui déclarer d'un air de mécontentement : « Il faut bien que je vous le dise Tibert, votre cheval a un défaut qui vous empêchera d'en tirer un bon prix : son allure est irrégulière. » Pour faire pièce à ces accusations, Tibert fait plusieurs autres tentatives jusqu'au moment où deux énormes mâtins, qui se précipitent en aboyant à la vue de Renart, viennent interrompre ses efforts. Les deux compagnons, très inquiets, prennent la fuite en se bousculant sur le sentier tant et si bien qu'ils arrivent à l'endroit où était tendu le piège. Renart le voit et pense pouvoir

Ci a meveise conpaignie,
800 Car vers lui a sa foi mentie.
Renars remeint, Tibers s'en toce.
Si li escrie a pleine boche :
— « Renart, Renart, vos remaindrez,
Mes jei m'en vois toz esfreez.
Sire Renart, vielz est li chaz :
Petit vos vaut vostre porchaz.
Ci vos herbergeroiz, ce cuit.
Encontre vezié recuit ».
Or est Renars en male trape,
810 Car li chen le tienent en frape.
Et li vileinz qui vint aprés,
Leva sa hace, s'ala prés.
A poi Renars n'est estestez.
Mais li cous est jus avalez
Sor le braion qu'il a fendu.
Et cil a son pié estendu :
A soi le tret, molt fu blechiez.
Fuiant s'en vet dolans et liez :
Dolenz de ce qu'il fu quassiez,
820 Liez qu'il n'i a le pié laissié.
Quant il senti qu'il fu delivres,
Ne fu pas estordi ne ivres,
Ainçois s'est tost mis a la fuie.
Et li vileins l'escrie et huie,
Qui molt se tient a engignié.
Li chien ont lor cours engregnié,
Si reconmencent a glatir.
Onc Renars ne s'osa quatir
Tresqu'il ot tot le bois passé.
830 Iloc furent li chen lassé,
Recraant s'en tornent arere.
Renars tote une grant charrere
S'en vait fuiant, car molt s'esmaie.

l'éviter, mais Tibert le serre de près et lui donne au passage un coup du bras gauche; Renart s'y prend le pied droit, faisant sauter la clavette. Le mécanisme fonctionne bien : les deux mâchoires se rapprochent de façon à lui coincer la patte pour son plus grand malheur.

Tibert lui a donc rendu la monnaie de sa pièce en le poussant dans ce piège et en l'exposant à recevoir une volée de bois vert. 800 Quel malheur pour lui de s'être acoquiné avec ce traître! Le chat se sauve en criant à pleine voix à l'adresse du goupil pris au piège : « Renart, Renart, vous, vous restez là mais moi, la peur m'interdit d'en faire autant. Le chat a l'expérience de l'âge, seigneur. Votre ruse ne vous a rien rapporté. Vous allez devoir coucher sur place. Ce n'est pas à un vieux singe qu'on apprend à faire des grimaces. »

Voilà donc Renart en mauvaise posture car les chiens le tiennent en respect tandis que le paysan qui les suivait, arrive, brandissant une hache. Le coup manque de décapiter le goupil, mais s'abat sur le piège en le brisant; il en profite pour dégager sa patte que le piège avait fort mise à mal, en la repliant sous son

Forment li cuit et dout la plaie.
Ne set li laz que fere puisse :
A pou qu'il n'a perdu la cuisse
Qui en la piege fu cougniee.
Si rot poor de la cogniee
Dont li vileins le vout ocirre.
840 Que d'un que de l'autre martire
S'en est tornés a molt grant peine
Si conme aventure le meime.

ventre, et pour s'enfuir, trop content malgré
la douleur. De se retrouver libre ne lui fait pas
820 perdre la tête pour autant : Il se dépêche au
contraire de prendre ses jambes à son cou,
sous les vociférations du paysan qui se
retrouve grosjean comme devant. De leur
côté, les chiens ont repris la poursuite en
aboyant. Renart n'ose se cacher avant d'avoir
traversé tout le bois. Arrivés là, les chiens
épuisés s'en retournent bredouilles.

Renart, toujours inquiet, continue à fuir
par un chemin de char; sa blessure le cuit
douloureusement, mais qu'y peut-il, le malheureux? Il a failli y perdre la cuisse écrasée
dans le piège. Et puis, il avait eu tellement
peur de la cognée du paysan! D'un côté
840 comme de l'autre, il a bien failli y rester et
maintenant il va à l'aventure.

Entre deus monz en une pleigne
Tot droit au pié d'une monteigne
Desus une riviere a destre
La vit Renart un molt bel estre
Que la gent n'ont geres hanté.
La vit Renart un fou planté.
L'eve passe outre et vint la droit
850 La ou li fouz plantez estoit.
Entor le fust a fet sa tresche,
Puis s'est cochez sor l'erbe fresce.
Voutrés s'i est et estenduz:
A bon ostel est descenduz.
Ne li estuet ostel changier
Por qu'oüst auques a mangier.
Li sojorners li est or baus.
Mes dan Tiecelins li corbeas
Qui molt ot jeüné le jor
860 N'ot ore cure de sejor.
Par besoing a le bois laissié
Et vint fendant a un plaissié
Priveement et en destor
Toz abreviez de fere estor.
De formages vit un millier
Qu'en avoit mis a sollellier.
Cele qui garder les devoit
En sa meson entree estoit.
Entree estoit en sa maison.
870 Tiecelins voit qu'or est seson
De gaengnier, si laisse corre.

RENART ET TIÉCELIN

Entre deux colllines, dans une vallée juste
au pied d'un tertre, Renart aperçoit au bord
d'un ruisseau, à droite, un coin agréable et
peu fréquenté, où un hêtre s'offre à sa vue.
Aussi traverse-t-il l'eau pour venir au pied de
l'arbre. Après quelques sauts et gambades
autour du tronc, il s'allonge sur l'herbe
fraîche, s'y roule en s'étirant. Il est descendu
à la bonne adresse et n'aurait pas de raison
d'en changer s'il trouvait à manger, car le
séjour n'y aurait alors que des agréments.
Pendant ce temps, Maître Tiécelin le corbeau
qui n'avait rien avalé de la journée, n'avait
860 guère la tête, lui, à se reposer. La nécessité
l'avait chassé du bois et il se dirigeait à
tire-d'aile vers un enclos, mais en prenant
garde de ne pas se faire voir, impatient de
livrer combat. Il y voit un bon millier de
fromages qu'on avait mis à affiner au soleil.
Celle qui devait les surveiller était rentrée
chez elle. Tiécelin comprend que c'est le
moment d'en profiter : il fonce et en saisit un.

Un en a pris: por le rescorre
Sailli la vielle en mi la rue.
Tiecelin voit, aprés li rue
Challox et pieres, si l'escrie :
— « Vassal, vos n'en porterois mie. »
Tiecelin la voit auques fole.
— « Vielle », fet il, « s'en en parole,
Ce porroiz dire, jei l'en port,
880 Ou soit a droit ou soit a tort.
De lui prendre ai eü bon leu.
La male garde pest le leu.
Le remanant gardés plus prés.
Cestui ne raurez vos hui més,
Ains en ferai mes barbes rere
Molt leement a bele chere.
En aventure de lui prendre
Me mis por ce que gel vi tendre,
Jaunet et de bone savor.
890 Tant ai del vostre par amor.
Sel puis porter jusqu'à mon ni,
De cuit en eve et de rosti
En mangerai tot a mon cois.
Ralez vos en: car je m'en vois. »
Atant s'en torne et vient tot droit
Au leu ou danz Renarz estoit.
Ajorné furent a cel ore
Renarz desos et cil desoure.
Mes tant i out de dessevraille
900 Que cil manjue et cil baëlle.
Li formaches est auques mous,
Et Tiecelins i fiert granz cous
Au chef du bec tant qu'il l'entame.
Mangié en a maugré la dame
Et del plus jaune et del plus tendre,
Qui tel anui li fist au prendre.

La vieille se précipite au milieu de la cour pour le récupérer et, visant l'oiseau, elle lui lance force cailloux en criant : « Maudit garçon, tu ne l'emporteras pas ! » Et le corbeau, voyant qu'elle perd la tête : « Si on en parle, la vieille, vous pourrez toujours dire que c'est moi le voleur ; peu importe que je sois dans mon bon droit ou non. L'occasion fait le larron. Mauvaise garde nourrit le loup. Surveillez mieux le reste. En tout cas, celui-là, inutile de compter dessus, car j'aurai le plaisir de me faire la barbe avec. J'ai pris des risques pour m'en emparer. Il était si moelleux, si crémeux ; il avait l'air si goûteux ! Merci pour ce présent d'amour ! Si je peux le porter jusqu'à mon nid, j'en mangerai bouilli et rôti tout à mon aise. Faites comme moi : allez-vous-en. »

Il s'en retourne donc et vient se poser tout droit sur l'arbre au pied duquel se trouvait Renart. Il était dit qu'ils devaient se rencontrer ce jour-là, Renart en bas, l'autre en haut. Mais il y avait une différence entre eux, c'est que l'un est en train de manger pendant que l'autre baille de faim. Tiécelin entame son fromage — qui était encore mou — à grands

Grans cols i fert a une hie.
Onc n'en sot mot, quant une mie
Li est a la terre choüe
910 Devant Renart qui l'a veüe.
Il conoist bien si fete beste,
Puis si en a crollé la teste.
Il leve sus por mels veoir :
Tiecelin voit lasus seoir,
Qui ses comperes ert de viez,
Le bon formache entre ses piez.
Priveement l'en apela :
— « Por les seins Deu, que voi ge la?
Estes vos ce, sire conpere?
920 Bien ait hui l'ame vostre pere
Dant Rohart qui si sot chanter!
Meinte fois l'en oï vanter
Qu'il en avoit le pris en France.
Vos meïsme en vostre enfance
Vos en solieez molt pener.
Savés vos més point orguener?
Chantés moi une rotruenge! »
Tiecelin entent la losenge,
Euvre le bec, si jete un bret.
930 Et dist Renars — « ce fu bien fet.
Mielz chantez que ne solieez.
Encore se vos volieés,
Irieez plus haut une jointe. »
Cil qui se fet de chanter cointe,
Comence de rechef a brere.
— « Dex », dist Renars, « con ore esclaire,
Con ore espurge vostre vois!
Se vos vos gardeés de nois,
Au miels du secle chantisois.
940 Cantés encor la tierce fois! »
Cil crie a hautime aleine.

coups de bec et il en mange du plus crémeux et du plus moelleux n'en déplaise à celle qui avait essayé de s'opposer au vol. Il y va de bon cœur, sans s'apercevoir qu'une miette tombe par terre juste sous les yeux de Renart, qui, comprenant aussitôt de quoi il retourne, hoche la tête et se met debout pour mieux se rendre compte. C'est Tiécelin, son vieux compère, qui est là-haut, un bon fromage entre les pieds. Il l'interpelle familièrement : « Par les saints du ciel, qui va là ? Est-ce vous, mon cher ami ? Paix à l'âme de votre père, maître Rohart qui était un si bon chanteur ! Je l'ai souvent entendu se vanter d'être le meilleur de France. Et vous aussi, dans votre jeunesse, vous pratiquiez cet art avec assiduité. Savez-vous encore la musique ? Chantez-moi donc une chanson à danser. »

A ces paroles enjôleuses, Tiécelin ouvre le bec et pousse un braillement. « C'est bien », dit Renart, « vous avez fait des progrès. Mais si vous le vouliez, vous pourriez monter d'un ton. »

Et l'autre, se remet à brailler, s'en faisant un plaisir. « Dieu, » dit Renart, « comme votre voix devient claire et pure ! Si vous ne mangiez

Onc ne sot mot, que qu'il se peine,
Que li piés destres li desserre
Et il formages ciet a terre
Tot droit devant les piez Renart.
Li lecheres, qui trestoz art
Et se defrit de lecerie,
N'en atoça onc une mie.
Car encor, s'il puet avenir,
950 Voldra il Tiecelin tenir.
Li formaches li gist devant
Il leve sus cheant levant:
Le pié trait avant, dont il cloce,
Et la pel, qui encor li loce,
Et la gambe et le pié mamis
Qui el braion fu entrepris.
Bien vout que Tiecelins le voie.
— « Ha Dex! » fait il « con poi de joie
M'a Dex doné en ceste vie!
960 Que fera ge, seinte Marie!
Cist formages me put si fort
Et flere qu'il ja m'aura mort.
Tel chose i a qui molt m'esmaie,
Que formages n'est prous a plaie.
Ne de lui talent ne me prent,
Car fisicle le me defent.
Ha Tiecelin, car descendés!
De cest mal si me defendés!
Certes ja ne vos en priasse :
970 Mes j'oi l'autrer la jambe qasse
En un braion par mesceance.
La m'avint ceste mesestance :
Onques ne m'en poi destorner.
Or me covient a sejorner,
Enplastre metre et enloer
Tant que je puisse renoer. »

plus de noix, vous n'auriez pas votre pareil au
monde. Chantez donc une troisième fois! » Et
le corbeau de se remettre à donner de la voix
de plus belle, sans se rendre compte que,
pendant qu'il s'évertue, sa patte se desserre et
laisse tomber le fromage juste sous le nez de
Renart. Mais, bien que le goupil brûle d'envie
de le manger, il est assez malin pour s'abs-
tenir d'y toucher, car il voudrait bien mettre
aussi la main, si c'était possible, sur Tiécelin.
Il se lève donc, comme pour s'éloigner du
fromage qu'il a sous le nez en ramenant à lui
son pied, — celui qui a été blessé par le
piège, — de manière que Tiécelin le voie
bien : « Mon Dieu, » dit-il, « comme vous
m'avez donné peu de joie en cette vie! Que
faire, sainte Marie? Ce fromage sent si fort!
Sa puanteur va m'achever. Car, ce qui
m'inquiète, c'est que le fromage est mauvais
pour les blessures, et il ne me dit vraiment
rien, puisque la Faculté me l'interdit. Ah!
Tiécelin, descendez pour me délivrer de ce
mal. Je n'aurais pas recours à vous si la
malchance n'avait voulu que je me casse la
jambe l'autre jour dans un piège. Je n'ai pas
pu éviter ce malheur et me voilà condamné au

Tiecelins cuide que voir die
Por ce que en plorant li prie.
Il descent jus, que ert en haut :
980 Mes mar i acointa le saut,
Se danz Renars le puet tenir.
Tiecelin n'ose prés venir.
Renars le vit acoarder,
Sel conmença aseürer.
— « Por Deu » fait il, « ça vos traiés!
Quel mal vos puet fere un plaiés! »
Renars devers lui se torna.
Li fous qui trop s'abandona,
Ne sot ains mot, quant il sailli.
990 Prendre le cuida, si failli.
Et neporquant qatre des penes
Li remeintent entre les canes.
Tiecelin saut tos esmaiés,
Qui dut estre molt mal paiés.
Detrers et devant se regarde.
— « Hé Dex », dist il, « si male garde
Ai hui prise de moi meïsme.
Ja ne cuide que feïst esme
Cil fel, cist ros et cist contrés,
1000 Qui qatre des tuiax m'a trez
De la destre ele et de la qeue.
Li siens cors aille a male veue!
Faus et traïtres est por voir
Or m'en puis bien apercevoir ».
Or est Tiecelins molt pleins d'ire.
Et Renars s'en volt escondire
Mais dan Tiecelins l'entrelet,
N'est ore pas haitiés de plet.
Si dist : — « li formages soit vostre!
1010 Plus n'aurois vos hui mais del nostre.
Je fis que fous que vos creoie

repos et à me mettre des emplâtres et des onguents jusqu'à ce que je sois de nouveau sur pied ». Ses larmes et son ton suppliant inspirent confiance au corbeau qui descend du haut de l'arbre où il était perché, ce qui va 980 causer sa perte si maître Renart peut l'attraper. Cependant, il n'ose pas trop s'approcher et Renart, comprenant qu'il a peur, s'efforce de le rassurer : « Par Dieu, venez donc! Quel mal peut vous faire un estropié? » Et il se tourne de son côté. Le sot, trop confiant, ne comprit pas ce qui lui arrivait quand Renard bondit. Le goupil espérait bien le prendre mais il a mal calculé son coup. Seules quatre plumes lui restent entre les crocs. Mais il s'en est fallu de peu que Tiécelin ne se voie bien plus mal récompensé. Malgré son affolement il se met hors de portée d'un saut et s'examine sous toutes les coutures : « Eh bien! je n'ai guère fait attention à moi aujourd'hui. Je ne croyais pas qu'il aurait pensé à mal. Ce 1000 cochon de rouquin, ce bancal, il m'a arraché quatre belles plumes de l'aile droite et de la queue. Qu'il aille au diable! Il n'y a pas là à dire : c'est un menteur, un hypocrite; je l'ai appris à mes dépens! » Devant la fureur de

Puis que escacier vos veoie. »
Tiecelins parla et grondi.
Renars un mot ne respondi.
Soef en a le dol vengié.
Car le formache a tot mangié,
N'en pleint que la male foison,
Car tant li vaut une poison.
Quant il s'en fu desjeünez,
1020 Si dist, dés l'oure qu'il fu nez
Ne manja il de tel formache
En nule terre que il sache.
Onques sa plaie n'en fu pire.
Atant s'en vet, ne volt plus dire.
Cilz plaiz fu ainsi affinez
Et Renars s'est acheminez.

Tiécelin, Renart veut se justifier, mais le corbeau, qui n'a plus aucune envie de discuter, le plante là en lui disant de garder le fromage : « Vous n'aurez rien de plus de moi. J'étais bien bête de vous faire confiance parce que je vous voyais boiter. » Renart le laisse grogner sans lui répondre et se console avec le fromage. Il ne se plaint que du peu car il n'en fait qu'une bouchée. Mais à la fin de ce repas, il se dit qu'il ne se souvient pas avoir mangé, depuis sa naissance, d'aussi bon fromage. Et comme sa blessure ne s'en porte pas plus mal, il s'en va sans rien ajouter.

Ainsi finit cette affaire et il reprend la route.

Renars vint par un bois fendant
Par une broche en un pendant.
Onc ne fina, que qu'il s'esgaie,
1030 Tant que il vint en une haie
Par dessus une fosse obscure.
La li avint une aventure,
De quoi li anuia et poise.
Car par ce commença la noise
Par mal pechié et par dyable
Vers Ysengrin le connestable.
Quant il vit la chevee roche,
Ne sot que faire : avant s'aproche
Pour enquerre et pour savoir,
1040 C'on n'i eüst repost avoir.
Onc n'en sot mot, quant il avale,
Qu'il se trouva enmi la sale
Dant Ysengrin son anemi.
Quatre louviaus gisent enmi
Et madame Hersent la louve
Qui ses louviax norrist et couve :
A chascun donnoit sa bouchie.
Nouvelement ert acouchie.
Mais n'avoit pas son chief couvert :
1050 Garda, si vit l'uis entrouvert.
Pour la clarté qui trop la grieve
Pour esgarder sa teste lieve,
Savoir qui leens fu venuz.
Renars fu grelles et menuz
et fu repost derrier la porte.

RENART ET HERSENT

Renart, coupant à travers bois sur une pente broussailleuse, poursuit son chemin, sans s'apercevoir qu'il est en train de s'égarer, jusqu'à une haie qui domine un renfoncement obscur. Ce fut pour lui l'origine d'une bien malencontreuse et coupable aventure où le diable eut sa part : je veux parler de sa querelle avec Ysengrin. Quand il voit la cavité creusée dans le rocher, il hésite, puis s'avance pour voir si elle constitue une bonne cachette. Mais, au moment où il descend, il ignore qu'il va se retrouver en plein dans la demeure de maître Ysengrin son ennemi. Dans la grande salle, quatre louveteaux sont couchés auprès de ma dame Hersent la louve qui nourrit et surveille sa progéniture, donnant à chacun sa part. Elle venait d'accoucher, et, comme elle ne portait pas de voile [15], elle peut voir la porte s'ouvrir et, la clarté du jour lui faisant mal aux yeux, elle lève la tête afin d'identifier le visiteur. Renart, qui se faisait tout mince et petit, s'était caché

Et Hersent qui se reconforte
Le connut bien a la pel rousse.
Ne puet muer que ne s'escousse.
Si li a dit tout en riant :
1060 — « Renart, qu'alez vous espiant? »
Adonques fu touz desconfis,
De honte avoir fu il bien fis.
N'ose mot dire, tant se doute,
Car Ysengrin ne l'aime goute.
Hersent saut sus, lieve le chef,
Si le rappelle de rechief
Et asenne a son grelle doit.
— « Renart, Renart, li poilz le doit
Que soiez felz et deputaire.
1070 Ainc ne me vousistes bien faire
Ne ne venistes la ou j'ere.
Je ne sai rien de tel compere
Qui sa conmere ne revide. »
Cilz a tel paour et tel hide,
Ne puet muer qu'il ne responde.
— « Dame », fait il, « Dex me confonde,
S'onques pour mal ne pour haïne
Ai eschivé ceste gesine;
Ainz i venisse volentiers.
1080 Mais quant je vois par ces sentiers,
Si m'espie dant Ysengrins
Et en voies et en chemins.
Ne je ne sai que je i face,
Tant con vostre sire me hace.
Moult fait grant pechié qu'il me het.
Mais li mien cors ait cent deshet,
Se onc li fis chose nezune,
Dont me deüst porter rancune.
Je vous ains, ce dist, par amors.
1090 Il en a fait maintes clamours

212

derrière la porte. La vue de son pelage roux, frémissant au moindre mouvement, lui permet de le reconnaître et cette vue la rassure.

1060 « Qu'êtes-vous en train d'espionner, Renart ? » dit-elle avec un sourire engageant. Tout penaud, l'autre était sûr à l'avance de voir les choses tourner à son désavantage. La peur lui ferme la bouche car Ysengrin le déteste. Hersent se met debout, en redressant la tête et l'interpelle de nouveau, lui faisant signe de son doigt mince : « Renart, avec ce poil, vous ne pouvez être que traître et parjure. Vous n'avez jamais été attentionné à mon égard et vous n'êtes même pas venu me voir. Qu'est-ce donc qu'un compère qui ne rend pas visite à sa commère ? » Et lui, sous le coup de la peur, ne peut que lui répondre : « Dame, j'en prends Dieu à témoin : si je ne suis pas venu à l'occasion de votre maternité, ce n'est pas méchanceté ni malveillance de ma part. Au contraire, j'aurais eu plaisir à vous voir, mais Maître Ysengrin espionne

1080 toutes mes allées et venues. Je ne sais plus que faire pour éviter la haine de votre mari qui, d'ailleurs, se met dans son tort en agissant ainsi. Que je sois pendu si j'ai jamais commis

Par ceste terre a ses amis,
Et si leur a avoir promis
Pour moi faire laidure et honte.
Mais dites moi de ce que monte
De vous requerre de folie?
Certes je nel feroie mie,
Ne tel parole n'est pas belle ».
Quant Hersent entent la nouvelle,
De maltalant tressue et art.
1100 — « Comment? », fet ele, « dant Renart,
En est donc parole tenue?
Certes mar en fui mescreüe.
Tel cuide sa honte venger,
Qui pourchace son encombrier.
Me m'est or pas honte nel die :
Onc mais n'i pensai vilanie,
Mais pour ce qu'il s'en est clamez,
Viel je des or que vous m'amez.
Si revenez souvent a mi
1110 Et je vous tenrai pour ami.
Acolez moi, si me baisiez!
Or en estes bien aiesiez :
Ci n'a qui encuser nous doie. »
Renars en demaine grant joie
Et vient avant, si l'a baisiee.
Hersens a la cuisse hauciee,
Qui moult plaisoit itel atour.
Puis s'est Renars mis ou retour
Qui crient que Ysengrins ne viengne,
1120 Que moult doubte qu'il ne seurviengne.
Et ne pourquant ainz qu'il s'en isse,
Vient aus louviaus, si les conpisse,
Si conme il erent arrengié.
Si a tout pris et tout mengié
Et hors gete ce qu'il y trueve,

une action qui justifie sa rancune à mon égard. J'éprouve, prétend-il, de l'amour pour vous; il va s'en lamenter auprès des amis qu'il a dans ce royaume et il leur a proposé de l'argent pour qu'ils m'outragent et me déshonorent. Mais, dites-moi, à quoi rimerait-il que je vous adresse une requête malhonnête? Certes, je m'en garderais bien : ce sont là coupables propos. » La colère que lui inspire cette nouvelle fait suer Hersent à grosses gouttes : « Comment, Renart, voilà ce qu'on dit? C'est bien à tort qu'on me soupçonne! C'est en croyant venger son honneur qu'on fait son malheur. Je n'ai pas honte de le dire, je n'ai jamais pensé à mal; mais puisque mon mari s'en est plaint, je veux que désormais vous m'aimiez. Revenez souvent me voir, vous serez mon ami de cœur. Prenez-moi dans vos bras, embrassez-moi. Profitez-en, il n'y a personne ici pour nous accuser. » Renart s'approche pour l'embrasser sans dissimuler sa joie et Hersent, qui se plaisait à ce jeu, lève la cuisse. Puis Renart songe au retour, car il craint plus que tout d'être surpris par Ysengrin. Pourtant, avant de partir, il va pisser sur les louveteaux un à un. Il prend tout, mange

Toute la viez char et la nueve.
Ses a de leur liz abatuz
Et laidengiez et bien batuz
Autressi con s'il fust leur mestres.
1130 Ses a clamez avoutres questres
Priveement conme celui
Qui ne se doute de nului
Fors de dame Hersent s'amie,
Qui ne l'en descoverra mie.
Les louviaus a laissié plorant.
Ez vos Hersent qui vint avant,
Si les a blandiz et proiez.
— « Enfans », fait elle, « ne soiez
En vostre foi felon ne sot
1140 Que vo pere n'en sache mot,
Ne ja ne li soit congneü
Qu'aiez ceenz Renart veü. »
— « Quoi, diables? nous noierons
Renart le rous que tant heons
De mort, qu'avez ci receü
Et nostre pere deceü,
Qui en vous avoit sa fiance?
Ja se Diex plaist, tele viltance,
Que nous sonmes si laidengiez,
1150 Ne remaindra, ne soit vengiez. »
Renart les a oï groignier
Et vers leur mere couroucier.
Moult tost se rest mis a la voie
Le col baissié que nulz nel voie.
Si repourchace son affere.
Atant estez vous que repaire
Dant Ysengrin a sa maisniee
Qui souz la roche est entesniee.
Tant a couru, tant a tracié
1160 Et tant pourquis et pourchacié

tout, jette dehors tout ce qu'il trouve, la viande salée aussi bien que la fraîche. Il sort les petits de leurs lits, les insulte et les bat comme s'il était en droit de le faire; — profitant de ce qu'il est tranquille, — puisqu'il n'a personne à craindre que dame Hersent qui est son amie et ne le dénoncera pas, — il les traite de sales bâtards et part, les laissant en larmes. La louve s'empresse d'aller les cajoler :

— «Soyez gentils, mes petits», les supplie-t-elle; «et ne faites pas la bêtise de mettre votre père au courant : il n'a pas besoin de savoir que vous avez vu Renart ici.

— Comment diable? Nous devrions taire que vous avez reçu Renart le rouquin, notre ennemi mortel, et que vous avez trompé notre père qui avait confiance en vous? Bien au contraire, s'il plaît à Dieu, une telle honte et tous les mauvais traitements que nous avons subis ne resteront pas sans vengeance. »

Quand Renart les entend grogner ainsi et se fâcher contre leur mère, il se dépêche de se remettre en route, museau à ras de terre, par peur d'être vu, et de reprendre la poursuite de

Que touz est charchié de vitaille.
D'autrui damage ne li chaille.
Conme il a trouvé sa mesniee,
Que Renars a si atiriee,
Si fil se sont a lui clamé
Que batu sont et afamé
Et conpissié et chaallé
Et laidengié et puis clamé
Fil a putein, batart avoutre.
1170 — « Encore desist il tot outre,
Que il dist que vous estes cous. »
Lors s'est Ysengrins d'ire escous,
Quant de sa fame oï le blasme.
A bien petit qu'il ne se pasme.
Il urle et brait conme maufé :
— « Hersent, or sui je malmené,
Pute orde vilz, pute mauvese.
Je vous ai nourrie a grant aise
Et bien gardee et bien peüe
1180 Et uns autres vous a foutue.
Moult est tes corages muanz,
Quant Renars, cilz rous, cilz puanz,
Cilz vilz lechieres, cilz garçons
Vous monta onques es arçons.
Par le cuer be, mar i fu cous.
Honni m'avez tout a estrous.
Jamais ne gerrez a ma coste,
Quant receü avez tel oste,
Se ne faites tout mon voloir. »
1190 Ja se peüst Hersent doloir,
S'ele n'eüst acreanté
Tout son bon et sa volenté.
— « Sire », fait elle, « vous diroiz :
Courouciez estez, n'est pas droiz
Que vous moustrez ici vostre ire.

ses affaires. Maître Ysengrin, de son côté, rentre chez lui, dans sa tanière. Il a tant couru, tant suivi de traces, tant chassé et
1160 pourchassé qu'il est tout chargé de victuailles. Le sort de ses victimes est le cadet de ses soucis. Dès qu'il est auprès des siens, que Renart avait mis à mal comme on sait, ses fils se plaignent à lui d'avoir été battus et insultés par le rouquin, couverts de pisse et, en plus, traités de fils de putain et de bâtards : « Et il ne s'en est pas tenu là : il a dit que vous étiez cocu. » En entendant ainsi accuser sa femme, Ysengrin tremble de colère et frôle l'évanouissement. Il hurle et braille comme un beau diable : « Hersent, je n'ai pas mérité ce qui m'arrive. Sale putain, maudite ordure! je vous ai donné tout ce dont vous aviez besoin; je vous ai protégée, nourrie. Et c'est un autre
1180 qui vous baise. Tu as [16] le cœur bien changeant pour avoir laissé Renart, ce cochon de rouquin, ce flatteur au petit pied, ce vaurien te monter comme une jument! Par Dieu, me faire ça à moi! Vous m'avez déshonoré devant tout le monde. Vous ne coucherez plus jamais avec moi après avoir reçu pareil hôte, à moins que vous n'en

Que se me lessiez escondire
Par serement ne par joïse,
Jel feroie par tel devise,
C'on me feïst ardoir ou pendre,
1200 Se ne m'en pooie desfendre.
Si vous affi enseurquetout
Que mon pooir ferai de tout
De ce que voudrez conmander ».
Cilz ne set plus que demander.
Il ot que elle dit assez.
Ses mautalens fu trespassez,
Mais que il li a fait jurer
Que jamais ne laira durer
Renart, s'elle em puet aise avoir.
1210 Or s'en gart, si fera savoir.
Ysengrins iert baus et haitiez
Et dist que Renars ert gaitiez
Souvent ainz que la guerre esparde :
Que fous fera, s'il ne se garde.
De lui gaitier sont ore en paine.
Mais ainz que passast la semaine,
Li avint aventure estrange.
Ainsi conme la voie change
Lez un vergier d'un essart clos,
1220 La dut estre Renars enclos.
L'en avoit ja les poiz soiez
Et li pesaz estoit loiez
Et amassez et trait en voie.
La savoit bien Renars la voie.
Venus i estoit por forgier
Et pour enquerre et porcachier,
Dont il peüst avoir viande.
Ysengrins qui el ne demande
Mais que il tenir le peüst,
1230 Baisse la teste, sel connust :

220

passiez par mes quatre volontés. » Et il lui aurait certes donné des raisons de se plaindre, si elle n'avait pas promis de faire tout ce qu'il voudra, tout ce qui lui plaira. « Laissez-moi vous parler, seigneur » dit-elle, « vous êtes furieux, vous avez tort d'écouter votre colère, car, si vous le permettiez, je me justifierais par un serment ou une épreuve judiciaire [17]. Je veux bien être pendue ou brû-lée, si je ne puis me disculper. Et de sur-croît, je vous jure de faire tout ce que vous exigerez de moi. »

Ysengrin ne sait plus que dire après avoir entendu ces paroles. Sa colère est calmée. Néanmoins, il lui fait jurer de ne pas laisser Renart en vie si une occasion se présente à elle : il ne lui reste plus qu'à être sur ses gardes. Et le loup, fier de sa force, ajoute qu'il faudra longuement épier Renart avant de lui déclarer la guerre : le goupil serait fou de ne pas se méfier. Lui-même et Hersent se mettent aussitôt à la tâche. Mais avant la fin de la semaine, il arriva à Ysengrin une étrange mésaventure. Au tournant d'un che-min qui longeait un jardin conquis sur la forêt, il s'en faut de peu qu'il ne surprenne le

Geta un brait, si s'escria.
Renars qui point ne s'i fia
L'a bien oï et entendu :
Si s'en fuit a col estendu
Aprés se mettent ou chemin
Entre Hersent et Ysengrin.
Il se painent de lui chacier.
Mais ne le puent devancier.
Renars courut la voie estroite
1240 Et Ysengrins court la plus droite.
Hersent a enforcié son poindre,
Qui a Renart se voudra joindre.
Vit Ysengrin qui l'a failli,
Que Renars d'autre part sailli.
Aprés Renart s'est adrecie.
Renars la vit si couroucie
Ne s'ose a lui abandonner.
Onc ne fina d'esperonner
Jusques au recept de Valcrués.
1250 Quant il i vint, si entra lués,
Quant vit dame Hersent s'amie
Qui vers lui vint si esgramie :
Et de lui n'a il huimais garde.
La fist Hersent trop que musarde.
Aprés Renart en la fosse entre
De plein ellais de ci au ventre.
Li chastiaus estoit granz et fors :
Et Hersent par si grant esfors
Se feri dedenz la tesniere
1260 Que ne se pot retraire arriere.
Quant Renars vit qu'elle fu prise,
Ne voult lessier en nule guise
Que il ne aille a lui gesir
Et faire de lui son plaisir.
Par un pou que Hersent ne crieve.

goupil. On avait déjà cueilli les pois et rassemblé et attaché leurs rames au bord du chemin. Renart, qui connaissait bien le coin, y était venu voir ce qu'il pourrait trouver à manger. Ysengrin qui n'a qu'une idée : s'emparer de lui, tend le cou en avant et, le reconnaissant, l'interpelle; mais l'autre qui se méfiait de lui, prend ses jambes à son cou dès qu'il l'entend. Ysengrin et Hersent se lancent sur ses traces, tout à l'effort de la poursuite, sans parvenir pourtant à le rattraper. Il s'est
1240 engagé dans un étroit sentier tandis que le loup coupe tout droit et qu'Hersent pique de plus belle pour rejoindre le goupil. Voyant qu'Ysengrin a perdu la trace du fugitif qui galope dans une autre direction, elle dirige sa course de ce côté et Renart, devant son courroux, n'ose se fier à elle. Il ne cesse d'éperonner jusqu'à son abri de Valcreux où il se précipite au moment où survient Hersent son amie, toujours au comble de la colère : maintenant, il peut ne plus lui prêter attention. Mais elle, non sans imprudence, s'engage en plein élan jusqu'au ventre, dans le terrier, à la suite de Renart. La forteresse était vaste et solide et Hersent a fait preuve

223

Car la fosse et Renars la grieve :
La fosse qui dedenz l'estraint
Et Renars qui dessus l'enpaint.
Il n'est ileuc qui la resqueue
1270 Fors que seulement de sa queue,
Qu'ele estraint si vers les rains
Que des deus pertuis deerains
Ne pert un dehors ne dedens.
Et Renars prist la queue aus dens
Et li reverse sor la croupe
Et les deus pertuis li destoupe :
Puis li saut sus liez et joianz.
Si li a fait ses iex voianz,
Ou bien li poist ou mal li plaise,
1280 Tout a loisir et a grant aise.
Elle dist, que qu'il li fesoit :
— « Renart, c'est force et force soit. »
Sire Renars tel li redonne
Que toute la fosse en ressonne.
Ainz que la chose fust fenie,
Li dist Renars par felonnie :
— « Dame Hersent, vous disiez
Que ja ne me proieriés
Et que jamés ne le feroie
1290 Por seul itant que m'en vantoie.
Ja voir ne m'en escondirai :
Se gel fiz, encor le ferai.
Fis et ferai, dis et redis,
Plus de set foiz, voire de dis. »
Et l'afaire ont recommencie
Ainz qu'il eüssent partencie.
Ez vous poignant par mi les broces
Ysengrin qui s'embat es noces.
Ne se puet mie tant tenir
1300 Que il peüst a eus venir :

d'une telle vigueur en se jetant dedans
¹²⁶⁰ qu'elle ne peut plus se dégager. Le goupil, la
voyant coincée ainsi, se fait un malin plaisir
de profiter d'elle. Elle est bien près d'en
crever, victime et de la tanière et de Renart,
et de la tanière qui l'étouffe à l'intérieur et de
Renart qui l'écrase par-dessus. Elle n'a pas
d'autre moyen de se défendre que sa queue
qu'elle serre si bien entre ses jambes que les
deux trous de son derrière en disparaissent
complètement. Mais Renart lui saisit la
queue avec ses dents pour la lui retourner sur
la croupe et les lui dégager. Puis il lui saute
dessus, gai et content, et lui fait la chose tout
tranquillement et en prenant son temps, que
le bien lui en pèse ou que le mal lui en plaise.
¹²⁸⁰ Et pendant qu'il était en action : « Renart, »
lui dit-elle, « c'est un viol! Eh bien! vas-y! »
Renart lui remet ça de plus belle tant que tout
le terrier en résonne et, avant d'en avoir fini,
lui dit vicieusement : « Dame Hersent, vous
prétendiez que jamais vous ne m'en prieriez
et que jamais je ne vous le ferais pour la
simple raison que je me vantais de l'avoir fait.
Je ne soutiendrai jamais le contraire. Je vous
ai eue, je vous aurai encore. Je l'ai fait et je le

Ainz s'escrie moult hautement :
—« Haï, Renart, or bellement!
Par les sainz Dieu mar m'i honnistes. »
Renars fu remuanz et vistes.
Si li a dit tot en alant :
— « Sire Ysengrin, cest mautalent
Ai je conquis par bel servise.
Veez con Hersent est ci prise!
Se je l'aïde a delivrer
1310 De cest pertuis et a oster,
Pour ce si estes effreez.
Pour Dieu, biau sire, ne creez
Que nulle rien i aie faite,
Ne draps levez ne braie traite.
Onc par cest corps ne par ceste ame
Ne mesfis rien a vostre fame.
Et pour moi et pour lui desfendre
Partot la ou le voudrez prendre
Un serement vous aramis
1320 Au los de vos meillors amis. »
— « Serement? traïtres prouvez,
Voir pour noient i conterez.
N'i controverez ja mençonge
Ne vaine parole ne songe.
N'i convient nulle couverture :
Toute est aperte l'aventure. »
— « Avoi », ce dist Renars, « biau sire,
Vous pourriez assez miex dire.
Ice maintenir ne devez ».
1330 — « Conment, ai je les iex crevez?
Cuidez vous que ne voie goute?
En quel terre empaint on et boute
Chose que on doit a soi traire,
Con je vous vi a Hersent faire? »
— « Par Dieu, sire », ce dist Renart,

ferai; je l'ai dit et je le redirai, plus de sept fois et peut-être même de dix. » Et Renart n'attend même pas la fin de la dispute pour s'y remettre. Mais voilà qu'Ysengrin, à force d'éperonner à travers les broussailles, tombe au milieu de la noce. Rien ne l'empêchera
1300 d'arriver jusqu'à eux; alors, ce sont des cris à gorge déployée : « Holà, Renart! C'est du propre! vous m'avez déshonoré, mais vous ne l'emporterez pas en paradis. » Le goupil, sans perdre un instant, se retire en lui disant : « Voilà donc, seigneur Ysengrin, ce que je gagne à vous rendre service! Vous vous mettez en colère contre moi! Mais regardez donc comme Hersent est coincée là. Et c'est parce que je l'aide à sortir de ce trou que vous perdez la tête à ce point! Au nom de Dieu, cher seigneur, n'allez pas croire que je lui ai fait quelque chose, comme de lui soulever ses jupons ou de lui enlever sa culotte. Sur mon corps et mon âme, je n'ai rien fait de malhonnête à votre femme; pour nous disculper, elle et moi, je prêterai serment, au lieu de
1320 votre choix, devant vos meilleurs amis. »

— « Un serment, maudit traître, ne comptez pas vous en tirer comme ça! Vous n'aurez

« Vous savez bien, enging et art
Si vaut a chose mainbournir
C'on ne puet par force fournir.
Madame ert prise en ceste fosse,
1340 Et elle est moult espesse et grosse.
En nul sens traire ne l'en puis
A reculons par ce pertuis.
Elle i est jusqu'au ventre entree.
Et la fosse a estroite entree :
Mais elle est de lonc auques graindre.
Pour ce la vouloie enz enpaindre.
Pour noient a moi la sachasse
Que j'oi l'autrier la jambe quasse.
Or en avez oï la voire :
1350 Si m'en devez bien atant croire,
Se vous controuver ne voulez
Achoison, si con vous soulez.
Et quant la dame iert de ci traite,
Ja ne cuit clamour en soit faite
Ne ja, s'elle n'en veult mentir,
Ne l'en orrez un mot tentir. »
A icest mot s'est entesniez,
Quant se fu assez desresniez.
Ysengrins est de l'autre part
1360 Et voit Renart qui prent et part,
Qui l'a honni ses iex voiant,
Puis si le gabe et vait moquant.
Mais n'a ore soing de plaidier,
Ainz se redresce pour aidier
Sa fame qui va male veue.
Il l'a saisie par la queue :
De tel aïr a soi la tire
Que Hersens est en tel martire
Que il li convint par angoisse
1370 Que li pertuis derrier s'esloisse.

pas l'occasion de raconter encore des histoires, d'inventer un nouveau mensonge, une
fable de plus. Plus de faux-fuyant! L'affaire
est trop claire.

— Voyons, cher seigneur, vous avez tort
de parler ainsi. Vos affirmations sont sans
fondement.

— Comment, est-ce que je n'ai pas des
yeux pour voir? En quel pays enfonce-t-on et
pousse-t-on ce que l'on veut tirer vers soi
comme je vous ai vu le faire avec Hersent?

— Par Dieu, vous le savez bien, là où la
force ne sert de rien, l'adresse et l'astuce ont
des chances d'aboutir. Ma dame Hersent est
prisonnière de ce terrier, et comme elle est
1340 grosse et qu'elle a les hanches larges, je suis
incapable de la faire sortir à reculons de ce
trou. Elle s'y est engagée jusqu'au ventre et
l'entrée du terrier est étroite; mais il va en
s'élargissant. C'est pourquoi, je voulais l'y
faire pénétrer plus avant. Quant à la tirer vers
moi, il n'en était pas question : je me suis
cassé la jambe, il y a quelques jours. Voilà la
vérité. Et il faut m'en croire, à moins que vous
ne cherchiez encore des prétextes, comme

Ysengrins voit qu'elle se vuide :
Or l'aura il si conme il cuide.
Un petitet s'est trait arriere.
Or voit bien que se la charriere
N'estoit un petit alachie,
Hersens n'en puet estre sachie.
S'il ne l'en trait, il est dolens.
Il n'est pas pereceus ne lens.
Aus ongles s'est pris et si grate,
1380 Trait la terre fors a la pate :
Garde de ça et puis de la.
Deables la tient, s'il ne l'a.
Con il en a assez osté
Et sus et jus et en costé,
Vint a Hersent, si la souffache.
Si l'a un poi trouvee lasche.
Empaint et sache et tire et boute :
A poi la queue ne ront toute.
Mais moult estoit bien atachie.
1390 Tant l'a empainte et souffachie
Que traite l'en a a grant paine :
Mais a poi ne li faut l'alaine.
Ysengrins voit, Renars n'a doute,
Que il s'est mis dedens sa croute.
Arriere vient a sa maisniee
Qui souz la roche iert entesniee.

d'habitude. Lorsque la dame en sera sortie, je doute que l'on jase et vous ne l'entendrez pas elle-même, sans mentir, en souffler mot. »

Sur ce, il rentre dans sa tanière, estimant en avoir assez dit pour sa justification. Ysengrin, de son côté, voit partir celui qui, non content de l'avoir déshonoré sous ses propres yeux, l'accable de ses moqueries. Plutôt que de discuter davantage, il préfère aller aider sa femme qui est en fâcheuse posture. Il la saisit par la queue et tire avec tant de vigueur qu'elle souffre le martyre et ne peut plus se retenir : elle en fait dans sa culotte. Quand Ysengrin la voit se vider ainsi sur place, il pense qu'il a une chance de la sauver. Mais, prenant un peu de recul, il comprend qu'il ne pourra pas la dégager sans d'abord élargir le passage. Et il serait bien malheureux de la laisser là. Aussi, il se met sur-le-champ à gratter avec ardeur en se servant de ses griffes, tout en rejetant soigneusement la terre à l'extérieur avec ses pattes, à droite et à gauche. Ce sera bien le diable s'il n'arrive pas à la délivrer. Après avoir beaucoup creusé dessus, dessous et sur les côtés, il s'approche pour la soulever et, comme il constate qu'il y

a un peu de jeu, il pousse et tire, et tire et pousse au risque de lui arracher la queue : heureusement qu'elle était bien accrochée! A force de la pousser et soulever, il finit par la sortir de là. Mais il est à bout de souffle.

Quant à Renart, il n'a rien à craindre; Ysengrin voit qu'il est rentré dans son terrier et, de son côté, il retourne chez lui, dans sa tanière, sous le rocher.

III

LES ANIMAUX SATIRIQUES ET PARODIQUES

Dans les branches précédentes, les animaux étaient figurés dans des relations d'individu à individu. Dans celles-ci, c'est en face d'une véritable société animale que nous nous trouvons. On voit l'artifice : chaque espèce n'est représentée que par un personnage, ou tout au plus par une famille; il n'y a pas une opposition loup/renard/cheval/cerf/etc. — ce qui supposerait autant de sociétés que d'espèces —, mais une opposition hommes/animaux. On voit aussi les à-peu-près : les animaux sont ceux des forêts de nos régions, mais leur roi est un lion (et le représentant du Pape un chameau); on s'y réfère aux commandements du Dieu chrétien et à ceux de son Église, mais on peut y être prêtre ou moine à titre temporaire, etc.

Ces animaux, indéniablement, sont des hommes... mais pas tout à fait : cet écart seul, sans doute, pouvait rendre supportable aux puissants des XIIᵉ et XIIIᵉ siècles l'image rien moins qu'édifiante qu'ils leur donnaient d'eux-mêmes. Le loup et le goupil sont des chevaliers, et même des personnages de haut rang : Renart est châtelain, Ysengrin est le connétable du roi; et les conflits qui opposent les deux héros ne vont pas se régler à coups de crocs, mais par une plainte en bonne et due forme devant la cour royale. Ce sont là deux seigneurs féodaux qui s'affrontent, chacun ayant derrière soi une famille (le lignage) et des partisans (vassaux et amis) solidaires. Leur guerre est une de ces guerres privées que se mènent les grandes familles rivales et que le pouvoir royal et l'autorité de l'Église s'efforcent de limiter en attendant de pouvoir, — mais nous n'en sommes pas là à la fin du XIIᵉ siècle, — les interdire efficacement. Les auteurs vont s'engager dans un ensemble satirique très vaste car la justice des grands seigneurs et du roi nous introduit dans le maquis des relations féodales et peut aboutir à la guerre, seul moyen pour le roi de faire respecter ses décisions par un seigneur récalcitrant.

Le point de départ de cette fresque juridico-féodale est la plainte d'Ysengrin contre Renart pour le viol d'Hersent. La plainte n'est pas absurde en elle-même, mais la balourdise du plaignant, la ruse de l'accusé, la duplicité de la victime, le ton docte ou ridicule de différents membres de la cour (dont le chameau, légat pontifical, qui jargonne en italo-latino-provençal), les arrière-pensées de chacun vont faire rire certes, mais aussi faire apparaître une image plutôt sombre de la société humaine que l'animale, ici, reflète.

A la satire sociale, s'ajoute la parodie littéraire : car tout autant que la réalité historique de l'époque, c'est la vision idéalisée qu'en offrent les grands genres littéraires

236

médiévaux, et au premier rang la chanson de geste et le roman, qui est visée. Ce n'est pas que ces œuvres ne recèlent, elles aussi, leur contingent de traîtres. Mais ils finissent toujours par trouver la justice qu'ils méritent; et surtout, face à eux, et les faisant apparaître sans équivoque comme les héros négatifs qu'ils sont, se trouvent toujours de courageux champions du bien qui le défendent sans se soucier de leurs intérêts particuliers. L'épopée et le roman prétendent donc nous renvoyer à un monde dont les ombres n'occultent jamais complètement la lumière. Or, la réalité, avec les querelles d'intérêt, les luttes armées, les rivalités sourdes entre les grands seigneurs était sans aucun doute moins belle. Cela, le Roman de Renart *le laisse deviner.*

Qu'y voyons-nous en effet? Un plaignant et un accusé également peu sincères, exploitant leur différend actuel pour tenter d'éliminer un ennemi de longue date. Un roi, faisant fonction de juge-arbitre, certes plein de bonne volonté (il ne le sera pas toujours), mais obligé de tenir compte des avis divers, et opposés, du conseil des barons; quant à ceux-ci, naïfs ou roublards, ne comprenant rien au conflit en jeu et parlant à côté de la question, ou le comprenant trop bien et s'efforçant d'en retirer quelque avantage personnel, tels ils nous sont donnés à voir. Certes, on peut en rire, mais, si le public des justiciables pouvait s'esclaffer franchement, gageons que ce comique devait paraître grinçant à quelques châtelains souverains au petit pied et détenant droit de justice, basse et haute, sur leurs terres.

La solution retenue, un serment purgatoire de Renart sur des reliques, est juridiquement concevable. Mais Ysengrin veut transformer cet acte solennel de justice en un sombre guet-apens contre son ennemi : fourberie d'un grand de ce monde certes, mais aussi, assurément, allusion au scepticisme contemporain vis-à-vis d'une procédure facile à tourner en dérision, et on ne s'en privait pas.

En même temps que le fonctionnement humain de la justice, c'est aussi la caution apportée par l'Église à cette façon de faire qui est mise en cause. La satire anticléricale ne se limite donc pas ici à dauber sur les mœurs ou l'ignorance de quelque curé de paroisse.

Des analyses du même ordre pourraient être faites à propos de la médecine et des médecins; à propos aussi de l'amour et des relations entre homme et femme. Chaque fois, on peut distinguer un aspect satirique (critique et dénonciation d'une réalité) et un aspect parodique (critique d'une mode littéraire ou exploitation de cette mode). Jusqu'à Molière et au-delà, le médecin-charlatan sera la source de bien des morceaux de bravoure littéraire. Quant au viol d'Hersent, qui dira si ce récit prétend montrer la brutalité masculine, ou dénoncer l'artifice du langage poétique des troubadours ou encore celui qui consiste à utiliser ce même langage dans une réalité précisément toute opposée?

Bref, Renart, le châtelain de Maupertuis, mène une existence dont s'accommode une société féodale dont le vernis courtois et chrétien dissimule mal les compromissions et les vices. Le masque animal révèle la vérité au premier degré du proverbe : « L'homme est un loup pour l'homme. »

Adont se pensa d'une chose
Dont il sa feme en son cuer chose,
De ce que il ferue l'a,
250 Renars, molt par s'en abaissa.
Tele ire a au cuer eü
De ce qu'il a a lui jeü.
Si se remet molt tost arere
Et vint molt tost a la qarrere
O sa feme trova seant.
Maintenant la va ledenjant :
Del pié la fiert con s'il fust ivre.
— « Haï » fait il, « pute chaitive,
Pute vix orde et chaude d'ovre,
260 Bien ai veüe tote l'ovre,
Bien me set Renars acopir.
Jel le vis sor voz braz cropir :
Ne vos en poez escondire ».
A poi Hersent n'enrage d'ire
Por Ysengrin qui si la chose.
Mes neporqant tote la chose
De chef en chef tote li conte.
— « Sire, voirs est, il m'a fet honte.
Mes n'i ai mie tant mesfet
270 Endroit ce que force m'a fet.
Laissiez ester tot cest contrere :
Ce qui est fet n'est mie a fere.
A autre cose entendés :
Ja cist meffez n'iert amendez
Por cose que nos en dion.

[*Ysengrin vient d'avoir de nouveaux ennuis avec Renart.*]

... Alors Ysengrin peut prendre le temps de penser à la raison qu'il a d'en vouloir à sa femme : c'est que Renart l'a bel et bien baisée; il a osé coucher avec elle. La fureur le fait aussitôt revenir sur ses pas jusqu'au chemin où elle se trouve toujours. C'est une pluie d'insultes et de coups de pieds qui tombent sur elle, comme si Ysengrin était pris de boisson.

260   — « Sale vieille foutue pute en chaleur! j'ai tout vu. Renart a su s'y prendre pour me faire cocu. Je l'ai bien vu s'enfoncer sous votre queue. Vous ne pouvez pas dire le contraire. »

Rendue folle de colère par ses injures, Hersent ne lui en raconte pas moins en détail tout ce qui s'est passé :

— « C'est vrai, mon mari, il m'a déshonorée, mais ce n'est pas de ma faute : il m'a prise de force. D'ailleurs, à quoi bon revenir

En la cort Noble le lion
Tient on les plez et lez oiances
Des mortex gueres et des tences :
La nos alons de lui clamer.
280 Bien le porra tost amender,
Se ce puet estre champeté. »
Cist mos a tot reconforté
Dant Ysengrin le corocié.
— « Ahi » fet il, « trop ai grocé.
Trop fu fox et petit savoie.
Mes cist consels m'a mis en voie.
Mar vit Renars son grant desroi,
Sel puis tenir a cort de roi ».
A ces paroles cheminerent.
Onques ne cessent ne finerent
Tant que il vindrent a la cort.
Or cuit, Ysengrins tendra cort
Renart le ros, se tant puet fere
Qu'a la cort le puisse atrere :
Que molt ert voiziez et sages,
Et si savoit plussors languages,
Et li rois l'a fait conestable
De sa meson et de sa table.
Parvenu furent el palez
300 La ou li rois tenoit ses plez.
La cors estoit granz et plenere.
Bestes i ot de grant manere,
Feibles et fors, de totes guises,
Qui totes sont au roi susmises.
Li rois sist sor un faudestuet
Si riche conme a roi estuet.
Tot entor lui siet a corone
Sa mesnie qui l'avirone :
N'i a un sol qui noise face.
310 Atant es vos venu en place

sur cette triste affaire? Ce qui est fait est fait. Quoi que nous puissions dire, les paroles ne répareront pas le malheur. Demandez-vous plutôt ce que vous pouvez faire : à la cour de Noble, plaidoieries et audiences concernent aussi bien les différends qui opposent de simples particuliers que les conflits armés. Allons y porter plainte. Si la question peut se régler par un combat en champ clos [18], nous n'aurons pas de mal à obtenir réparation. »

Ces paroles ont vite fait de calmer la colère d'Ysengrin.

— « Oui », dit-il, « j'étais bien fou de grogner comme je l'ai fait; c'est que je ne savais pas comment c'était arrivé. Mais ton conseil me montre ce que j'ai à faire. Renart se trompe s'il s'imagine que son crime restera impuni pour peu que je puisse mettre la main sur lui à la cour du roi. »

Sur ce, ils se mettent en route et gagnent la cour sans s'arrêter. J'ai l'impression que c'en est fait de Renart le rouquin si du moins Ysengrin parvient à l'y attirer. Mais le loup est rusé et astucieux et sait tenir plusieurs langages. Le roi l'avait nommé connétable [19] de sa maison et en particulier de sa table. Ysengrin arrive donc au palais où Noble donnait audience. La cour au grand complet

Dant Ysengrin, il et s'amie
Qui la parole ont aramie.
Trestuit li autre font silence.
Et mesire Ysengrin conmence
Devant le roi en sozpirant :
— « Rois, justise va enpirant :
Verités est tornee a fable,
Nule parole n'est estable.
Vos feïstes le ban roial
320 Que ja mariage par mal
N'osast en freindre ne brisier :
Renars ne vos velt tant prisier
N'onques ne tint por contredit
Ne vostre ban ne vostre dit.
Renars est cil qui toz mals seme,
Que il m'a honi de ma feme.
Renars ne dote mariage
Ne parenté ne cosinnage :
Il est pire que ne puis dire.
330 Ne cuidiez mie, baux doz sire,
Que jel die por li reter
Ne por blame sor li jeter!
Rien que je die n'est mençoigne :
Veis ci Hersent qui tot temoigne. »
— « Oïl, sire, il dit voir » fet ele.
« Puis cele ore que fui pucele
M'ama Renars et porsivi :
Et je li ai toz jors foï,
Onques ne me veil apaier
340 A rien qu'il me vousist proier.
Et puis que j'oi pris mon segnor,
Me refist il enchauz gregnor.
Mes je nel voil onques atendre.
Ne ainz mes ne me pot sorprendre
Des q'a l'autrer en une fosse :

était réunie en séance plénière. Il y avait là des animaux de toute espèce, grands et petits, ous vassaux du roi. Celui-ci est assis sur un trône d'apparat comme il convient à son rang. Autour de lui, siègent en cercle sans souffler mot les gens de sa maison. C'est alors que se présentent Ysengrin et sa femme pour prendre la parole. Dans le silence général, le loup, en soupirant, s'adresse au roi en ces termes :

— « Seigneur, il n'y a plus de justice, la vérité est tournée en dérision, on ne tient plus parole. Vous avez fait proclamer officiellement dans le royaume que personne n'ait [320] l'audace de troubler ni de briser un mariage. Renart vous respecte si peu qu'il viole les interdictions que vous avez fait publier. Il est capable de tout, comme il l'a bien montré en me déshonorant avec ma femme. Il n'y a pour lui ni mariage ni liens familiaux, qu'il s'agisse de parents par le sang ou par alliance. Sa conduite est inqualifiable. Ne croyez surtout pas, très cher seigneur roi, qu'il y ait là calomnie ou malveillance de ma part. Je ne fais que dire ce qui est : Hersent que voici en est témoin.

— Oui, seigneur, il dit la vérité. Déjà quand j'étais jeune fille, Renart me poursui-

Que j'estoie et crasse et grosse.
Tant qu'il me vit en cel pertuis,
Il sailli fors trés parmi l'uis,
Et vint derers, si me honi
350 Tant que li jeus li enbeli.
Ce vit Ysengrins mes maris
Qui dolanz en iert et maris,
Et je sui ci qui oï la honte. »
Et con ele out feni son conte,
Et Ysengrins si a repris :
— « Voire voir, sire, je le pris,
Seignor Renart, de cest mesfet.
Que vos en senble? A il forfet
Bien ne raison en cest endroit?
360 A vos m'en clein, fetes m'en droit
Par devant trestoz vos barons
De ce dont nos reté l'avons!
Por ce m'en cleim au conmenchier
Que dant Renars ala tenchier
A mes loveax en la tesniere,
Et si pissa sor ma loviere,
Si les bati et chevela,
Et avoutres les apela,
Et dist que cox estoit lor pere,
70 Qu'il avoit foutue lor mere.
Tot ce dist il, mes il menti.
Onques por ce ne s'alenti
De ma grant honte porchacher.
L'autrer estoie alez chacer,
Hersens estoit o moi venue.
La fu ceste descovenue
Que je vos ai ci acontee.
Je les sorpris a la montee,
Et le blamai de cest afere,
380 Et il m'en ofri droit a fere

246

vait de ses assiduités. Mais je l'ai toujours évité sans jamais écouter aucune de ses prières. Depuis que je suis mariée, il est devenu encore plus pressant, mais il n'a rencontré qu'indifférence de ma part. Et il n'avait jamais pu me surprendre jusqu'à l'autre jour dans le terrier. Comme je suis ronde et bien en chair, en me voyant dans ce trou, il est sorti par une autre porte pour me prendre par-derrière et il m'a déshonorée aussi longtemps que le jeu lui a fait plaisir. Ysengrin mon mari, qui a tout vu, en est au désespoir, mais la honte, c'est moi qui l'ai subie.

— C'est vrai, seigneur », reprend alors Ysengrin, « je l'ai pris sur le fait, le sieur Renart! Qu'en pensez-vous? Ne s'est-il pas conduit là de façon contraire au Bien et à la Raison? Je porte plainte devant vous. Rendez-moi justice en présence de tous vos barons sur les chefs d'accusation que voici. D'abord, il est allé chercher querelle à mes louveteaux dans ma tanière; il leur a pissé dessus, les a battus, leur a arraché des touffes de poil, les a traités de bâtards, leur a dit que leur père était cocu et que c'était lui qui avait baisé leur mère. Voilà tout ce qu'il a dit, mais ce sont des mensonges. En plus, il n'arrête pas

Un serement por lui desfendre
Tot la o jel voudroie prendre.
Sor ce me fetes jugement
Et amender delivrement
Cest mesfet et ceste descorde,
Q'autre musart ne s'i amorde ».
 Ysengrins a son cleim finé,
Li rois en a son chef levé,
Si conmence un poi a sozrire.
390 « Avez vos » fet il « plus que dire? »
— « Sire, naie : de tant me poise
C'onques en fu meüe noise,
Et que j'en sui si vergondez. »
— « Hersent » dist li rois, « respondez
Qui vos estes ici clamee
Que dant Renars vos a amee :
Et vos, amastes le vos onques? »
— « Je non, sire. » — « O me dites donques
Por qei estiez vos si fole
400 Qu'en sa meson aleez sole
Puis que vos n'estiez s'amie? »
— « Merci, sire! ce n'i est mie.
S'il vos plest, mielz dire poez
Selonc le cleim que vos oez
Que je vos di, li connestable
Mes sires qui bien est estables,
Que il ensemble o moi la vint
Ou ceste vergoigne m'avint. »
— « Ere il o vos? » — « Oïl sanz faille. »
410 — « Qui cuidast ce, que Diex i vaille,
Que il esforcer vos doüst
La ou vostre mari soüst? »
Lores s'est Ysengrins levez.
— « Sire » dist il, « vos ne devez,
Se vos plest, moi ne lui desfendre

de chercher comment me faire honte. L'autre jour, j'étais à la chasse avec Hersent : c'est là que s'est produit le malheur que je viens de vous dire. Je les ai surpris au moment où il la montait; devant mon indigna tion, il m'a 380 proposé aussitôt de se justifier par une procédure de serment, là où je voudrais. Je demande donc prompte justice et réparation du tort subi dans cette affaire, de peur qu'un autre plaisantin ne s'amuse à en tâter. »

Ainsi prend fin le discours du plaignant. Le roi relève la tête en souriant :

— « Vous n'avez plus rien à dire? » demande-t-il.

— « Non, seigneur, et je suis bien fâché que tout cela se soit su, car c'est une atteinte à mon honneur.

— Répondez-moi, Hersent, » dit le roi, « vous vous êtes plainte que le seigneur Renart vous ait aimée : et vous, l'avez-vous jamais aimé?

— Moi, oh non! Seigneur.

— Alors, dites-moi donc pourquoi, s'il n'y avait rien entre vous, vous avez été assez 400 imprudente pour aller toute seule chez lui?

— Avec votre permission, seigneur, les choses ne se sont pas passées ainsi. Il faudrait plutôt dire que, conformément à la plainte

Ainz devez pleinement entendre
A la clamor, que que nus die,
Que il la meut o l'escondie.
Que je vos di bien a fiance
420 Con cil qui vos a fet liance
Que se Renars ert ci presenz,
Ge mosteroie qu'a Hersenz
Jut il a force, que jel vi,
Par la foi que je vos plevi ».
Et li rois par sa grant franchise
Ne velt sofrir en nule guise,
Hon fust en sa cort mal mené
Qui d'amors fust achoisonné :
Et si quida que non feïst.
430 Sachez, volentiers le guerpist
Envers Renart de sa querele
Dont mesire Ysengrins l'apele.
    Et con il vit quil volt tencher,
Si conmença a agencier.
Si li respondi mot a mot :
— « Ce » fait il « que Renars l'amot,
Le quitte auques de son pechié.
Se par amor vos a trechié,
Certes prouz est et afeitiez.
440 Et neporquant il ert traitiez
Selonc l'esgart de ma meson.
Par jugement et par reson
Bien en faites prendre conroi ».
Li camels sist joste le roi,
Molt fu en la cort cher tenuz.
De Lombardie estoit venuz
Por aporter mon segnor Nobłe
Treü devers Costentinoble.
La pape li avoit tramis,
450 Ses legas ert et ses amis :

que vous venez d'entendre et à ce que j'affirme de mon côté, mon mari, le connétable, sur qui vous pouvez compter, m'accompagnait lorsque j'ai subi ce déshonneur.

— Il était avec vous?

— Mais oui.

— Et qui croirait, Dieu Tout-Puissant, que Renart ait pu vous violer, en sachant que votre mari était là?

— Seigneur », intervient Ysengrin, « vous ne devez, s'il vous plaît, prendre le parti ni de mon adversaire ni de moi-même, mais prêter une oreille attentive et impartiale à la plainte, quoi que l'on dise, et exiger de Renart réparation ou justification. Je vous assure, en vassal soumis, que, s'il était ici présent, je prouverais qu'il a abusé d'Hersent sous mes yeux; je vous l'affirme au nom de la fidélité que je vous ai jurée. »

La grande générosité du roi lui interdit absolument de laisser traiter sans égards, à sa cour, un homme accusé d'avoir commis un crime par amour. D'ailleurs, il pensait bien que Renart n'en avait pas tant fait et il l'aurait volontiers, croyez-moi, tenu quitte de la plainte déposée contre lui par Monseigneur Ysengrin. Mais voyant que le loup veut chercher querelle, Noble se fait plus conci-

Molt fu sages et bon legistres.
« Mestre » fet li rois, « s'onc oïstes
En nule terre tel conpleinte
Con a ma cort a l'en fet meinte,
Or volons nos de vos aprendre
Quel jugement en en doit rendre ».
— « Quare, mesire, me audite!
Nos trobat en decrez escrite
En la rebrice publicate
460 De matrimoine violate :
Primes le doiz examinar
Et s'il ne se puet espurgar,
Grevar le puez si con te place,
Que il a grant cose mesface.
Hec est en la mie sentence :
S'estar ne velt en amendance,
Dissique par mane conmune
Uneverse soe pecune :
O lapidar lo cors o ardre
470 De l'aversier de la Renarde!
Et vos si mostre si bon rege :
Se est qui destruie la lege
Et qui la voil vituperar,
Il le doive fort conperar.
Messire, par la corpe seinte,
Se la jugement si aseinte,
Et tu nos sies bon seignor,
Fai droit jugar par toe anor,
Par la seinte croise de Dé!
480 Que tu ne soies bonne ré,
Se reison ne droit ne vos far
Ausi con fist Julius Cesar
Et en cause voille droit dir.
Se tu veoil estre bonne sir,
Vide ti bonne favelar!

liant et, pesant ses mots : « L'amour de Renart pour Hersent est une circonstance atténuante pour lui; dans ces conditions, même s'il vous a trompé, cela ne l'empêche pas d'être un valeureux et galant homme. Mais cela ne le dispense pas non plus d'être soumis aux procédures en usage dans mon palais. Montrez-vous tous, seigneurs, scrupuleux à cet égard, comme il est juste et raisonnable de le faire. »

Le chameau était assis tout à côté du roi. Arrivé de Lombardie pour apporter à Sa Majesté Noble le tribut en provenance de Constantinople que le Pape, dont il était à la fois le légat et l'ami [20], lui avait confié, il était fort estimé à la cour. C'était un homme de grand sens et un excellent juriste.

— « Maître », dit le roi, « s'il vous est arrivé d'entendre en un autre pays une plainte semblable à celle-ci (et ici ce n'est pas la première du genre), nous voudrions apprendre de vous la sentence qu'il faut rendre.

— « Quare, messire, m'écoutez; nous, il trouve écrite au Décret [21] dans la rubrique publique du matrimoine violé, primo, tu dois examen à l'accusé et s'il ne peut pas se purgar, toi le peux accablar comme te plaire,

Par la foi toe tiegn le car!
Se ne tiens car ta baronnie
Rendar por amendar lor vie,
N'aies cure de reiautat!
490 Se tu ne juches par bontat,
Et se tu ne faces droitor,
Tu non sies bonne segnor.
Favalar ce que bon te fache!
Plus ne t'en di ne plus ne sache. »
    Quant li baron l'ourent oï,
Tex i a se sont esjohi,
Et tex i a molt corocié.
Li lions a le chef drecié.
— « Alés » fait il, « vos qui ci estes
500 Li plus vaillant, les granor bestes!
Si jugiez de ceste clamor,
Se cil qui est sopris d'amor
Doit estre de ce encopez
Dont ses conpainz est escopez ».
A ces paroles lievent sus,
Del tref roial en vont en sus
A une part por droit jugier.
Plus en i ala d'un millier.
Dant Bricemers li cers i va
510 Qui de mautalent s'aïra
Por Ysengrin qui est triciez,
Et Brun li ors s'est aficiez,
Dist qu'il voudra Renart grever.
Avec aus deus ont fet lever
Baucen le sengler qui de droit
En nul sen guencir ne voudroit.
Asemblé sont au parlement.
Li cers parla premerement
Qui sor Baucent fu acoutez.
520 — « Seignor » dist il, « ore escotez!

car il a grand crime meffait. Ecco la mienne sentence s'il ne veut être en réparation, que sa toute entière argent devienne commune, alors le lapidar ou brular le corps ce diable de Renart. Et vous monstrar être bon roi : si est que la loi détruire et la vouloir violar, devoir cher payar, messire, par corpus sainte, si ta justice sainte et toi si être bon seignor, far bon jugar par honneur. Par la Sainte Croce de
480 Dieu, car toi n'être pas bon roi, si pas far justice et droit comme a fait Julius Cesar et volar le droit dire en cette chose. Si toi veuilles être bonne seignor, vois à bonnes paroles. Par la tienne foi, prends le bien. Si toi n'aimes pas tes barons, toi devenir moine pour amandar leur vie, plus souciar de royauté. Si toi ne jugar pas bien et ne far justice, tu non être bonne seignor. Parlar ce que bien semblar, plus savoir quoi te dire [22]. »

Ce discours amusa bien certains barons, il en irrita d'autres :

— « Allez, fait le lion en redressant la tête, « vous qui êtes ici, vous les animaux les plus
500 puissants et les plus courageux, prononcez-vous sur la plainte d'Ysengrin : Doit-on considérer comme coupable celui des deux partenaires qui agit sous l'emprise de l'amour alors que l'autre est réputé innocent ? »

Vos avez oï d'Ysengrin,
Nostre ami et nostre cosin,
Con il a Renart encusé.
Mes nos avons en cort husé,
Quant en se pleint de forfeture
Et l'en velt en avoir droiture,
Mostrer l'estuet par tierce mein :
Que tel porroit d'ui a demein
Fere clamor a son voloir
530 Dont autre se porroit doloir.
De sa feme vos di reson :
Celui a il en sa prison,
Quanqu'il velt dire ou tesir,
Tot li puet fere a son plesir
Et bien mentir a escient.
Ne sont mie soficient
Itex teimoins a recevoir :
Autres lor convendra avoir ».
— « Par Deu, segnor » ce a dit Bruns,
540 « Des jugeors sui je li uns.
Puisque nos somes ci ensemble,
Si en dirai ce que me senble.
Dant Ysengrin est connestables
Et de la cort bien est creables.
Mes se il fust uns bareteres
O faus o traïtres o leres,
Sa feme ne li poïst mie
Porter teimoing ne garantie.
Mes Ysengrins est de tel non
550 Que s'il n'i oüst li non,
Si l'en poïst l'en tres bien croire ».
— « Par foi » fait Baucen, « sire, voire.
Mes une cose i a encore :
En vostre foi car dites ore,
Qui est li pires ne li meudre?

Tous se lèvent alors et se retirent de la tente royale pour délibérer. Ils sont là plus d'un millier. Parmi eux, Brichemer le cerf, que les machinations sournoises du loup ont eu le don d'irriter au plus haut point, Brun l'ours affirmant à qui veut l'entendre qu'il est bien décidé à faire condamner Renart et Baucent le sanglier qui, lui, se soucie avant tout de respecter le droit. Le cerf, qui a pris place à côté de Baucent, est le premier à prendre la parole devant l'assemblée :

520   — « Seigneurs, écoutez-moi. Vous avez entendu l'accusation que notre cousin et ami Ysengrin a portée contre Renart. Mais notre usage à la cour, c'est que, si on porte plainte pour un délit dont on veuille obtenir justice, on doit produire le témoignage d'un tiers. Sinon, n'importe qui pourrait du jour au lendemain accuser tout le monde de n'importe quoi, et ainsi porter préjudice à autrui. Quant à sa femme, voici mon opinion : il la tient sous sa coupe. Tout ce qu'il veut, il peut le lui faire faire ou dire : elle n'hésitera pas à mentir si cela leur est utile. De tels témoignages ne sont pas recevables. Il faudra qu'ils en aient d'autres. »

540   — Par Dieu, seigneurs, » dit Brun, « moi aussi, j'ai rang de juge ; et comme nous

Chascun se velt au suen aqeudre.
Se vos dites que Isengrins
Est li meudres de ses voisins,
Renars le voudra contredire
560 Que n'est ne meins loiaus ne pire.
Chascun si se tient por prodome.
Por ce vos di a la parsome :
Ce ne puet estre que vos dites.
Donc n'i a plus coses eslites.
Chascun porroit tel clamor fere
Por sa feme a teimong traire,
Et dire « cent sols me devez »,
Dont meint home seroit grevez.
Ce n'iert ja fet la u je soie.
570 Oissuz estes hors de la voie.
A vos me tieng, dan Bricemer :
Il n'a home jusq'a la mer
Qui en deïst plus sagement
Ne loiauté ne jugement ».
— « Seignor » ce dist Plateax li deins,
« D'autre cose est ore li cleins :
Que messire Ysengrins demande
Restorement de sa viande
Que Renars prist en sa meson
580 A force par male reson,
Et qu'il pissa par mal respit
Sor ses enfanz en son despit,
Si les bati et chevela
Et avoltres les apela.
Et a ce afiert grant amende.
Se dant Renars ne li amende
Et s'il s'en puet einsi estordre,
Encor s'i voldra il amordre ».
Et dist dan Brun : « c'est verité ».
590 Honi soit et deshonoré

sommes réunis ici, je vais vous donner mon opinion. Monseigneur Ysengrin est le connétable de la cour : celle-ci peut donc avoir confiance en lui. Si c'était un menteur, un hypocrite, un traître, un bandit, sa femme n'aurait pas pu témoigner pour lui ni cautionner ses dires. Mais le prestige d'Ysengrin est si grand que ce témoignage constitue, à lui seul, une garantie suffisante.

— Certes, seigneur », rétorque Baucent, « mais on peut voir les choses autrement. En toute sincérité, dites-moi! Qui est le meilleur, qui est le pire? Chacun parle pour soi. Si vous dites qu'Ysengrin vaut mieux que ses voisins, 560 Renart voudra soutenir le contraire en s'affirmant ni moins loyal ni pire. Chacun a bonne opinion de soi. Bref, ce que je veux dire, c'est que votre opinion ne tient pas : il n'y aurait plus de défense possible et n'importe qui pourrait porter plainte en présentant sa femme comme témoin, et dire : " Vous me devez cent sous ", faisant ainsi tort à beaucoup de gens. Il n'en sera pas question tant que je serai là. Vous faites fausse route. Je me range à votre avis, Monseigneur Brichemer, il n'y a personne au monde de meilleur sens que vous pour rendre des jugements conformes à la justice.

Qui ja Renart consentira
Que un prodome honira,
Et si li toudra son avoir,
Si n'en porra nul droit avoir :
Donc auroit il borse trovee.
Ce seroit folie provee,
Se li rois son baron ne venge
Que Renars honist et ledenge.
Mes a tel morsel itel tece,
600 Chaz set bien qui barbes il leche.
Et ne quit pas, sauve sa grace,
Que noz sire s'ennor i face,
Qui s'en aloit ore riant
Et Ysengrin contraliant
Por un garçon, un losenger.
Dex me laist de son cors venger!
Por Deu vos pri, ne vos soit gref
Se je vos fas un conte bref
Del traïtor felon encrime,
610 Con il concia moi meïme.

   Renars qui molt par est haïz,
Avoit dejoste un plasseïz
Une riche vile espiee
Novelement edifiee.
Lés le bois avoit un manoir
O un vilein soloit manoir
Qui molt avoit cos et jelines.
Renars en fist grant dechiplines
Que bien en manja plus de trente.
620 Tote i a tornee s'entente.
Li vileins fet Renart guetier,
Ses chens avoit fet afetier :
El bois n'ot ne sente ne triege
Ou il n'oüst cepel o piege
O trebucet u laz tendu

— Seigneurs », ajoute Plateau le daim, « la plainte porte également sur un autre point car Monseigneur Ysengrin demande ⁵⁸⁰ réparation pour les vivres dont Renart s'est emparé chez lui sans avoir aucun sujet de le faire, et aussi parce qu'il a pissé sur ses enfants pour se moquer d'eux, les a battus en leur arrachant des touffes de poil et les a traités de bâtards. Cela exige une sérieuse compensation. Si Monseigneur Renart n'en fait pas amende honorable et qu'il puisse encore s'en tirer, il voudra recommencer.

— C'est vrai », fait Monseigneur Brun. « Honte à qui acceptera que Renart déshonore un homme de bien et lui vole ce qu'il possède en toute impunité. Autant dire qu'il aurait trouvé le filon! Le roi serait bien fou de ne pas venger son vassal que Renart a déshonoré et outragé. Mais à telle morsure telle cicatrice, et un chat sait bien quelle ⁶⁰⁰ barbe lécher. Je ne crois pas, sans vouloir l'offenser, que notre roi agisse à son honneur, lui qui avait commencé d'en rire en déboutant Ysengrin au profit d'un individu qui n'est qu'une crapule. Je voudrais bien pouvoir, moi aussi, avec l'aide de Dieu, me venger de lui! J'espère donc que vous ne m'en voudrez pas si je vous raconte un peu comment ce maudit

O rois ou roisel estendu.
Renart greva, qant il le sot,
Quant a la vile aler ne pot.
Dont porpensa li vis diables
630 Que j'ere grans et bien voiables,
Et il ert petis et menuz :
Si seroie einz retenuz,
O fust a bois o fust a plein,
Plus tost meïst on a moi mein,
O que nos fussion ambedui :
Ainz tendist en a moi qu'a lui,
Et je meulz i fusse atrapez
Et il plus tost fust escapez.
Il savoit que j'amoie miel
640 Plus que chose qui soit sos ciel.
A moi vint en esté oen
Devant la feste seint Johen :
— Ahi fist il, messire Brun,
Quel vassel de miel je sai un!
— Et o est? — Ches Costant des Noes.
— Porroie i ge metre les poes?
— Oïl, je l'ai tot espié.
Li blé estoient espié,
Le blé trovames tot covert,
650 S'entrames par un uis overt.
Lés une granche en un verger,
La nos doümes herbergier
Et jesir trestot a repos
De si au vespre entre les chox.
Cele nuit al eserisier
Deveion le vesel brisier,
Le miel manger et retenir.
Mes li glos ne se pot tenir :
Vit les jelines el pailler,
660 Si conmença a baellier.

traître fieffé m'a possédé, moi qui vous parle. Ce Renart que tout le monde déteste, avait repéré une riche ferme récemment construite et entourée d'une haie. La maison du paysan donnait sur le bois et il nourrissait dans l'enclos force poules et coqs. Renart en fit un beau carnage, en mangeant plus de trente. Il ⁶²⁰ n'y était pas allé de mainmorte. Alors, le paysan fait surveiller les allées et venues du goupil et tient ses chiens prêts. Dans le bois, pas un sentier, pas un passage où il ne place piège ou traquet, trappe ou lacet, où il ne tende filet ou collet. Quand il l'apprend, Renart est bien ennuyé de ne plus pouvoir aller à la ferme; mais ce maudit démon s'avise que je suis grand et qu'on me voit de loin, tandis que lui, il est mince et petit; ainsi je serai le premier à me faire prendre, où que nous soyons, dans les bois ou dans les champs. Pendant qu'on me poursuivra et qu'on mettra la main sur moi, parce que ce sera plus facile, lui pourra s'échapper. Et il savait bien que ⁶⁴⁰ j'aime le miel plus que tout au monde; il est donc venu me voir, cet été avant la saint Jean :

— Ah! monseigneur Brun », me dit-il, « je connais un de ces pots de miel!

— Où ça?

A l'une saut, celes crierent.
Li vilein qui de laienz erent,
Lievent la noise par la vile,
Tost en i out plus de deus mile :
Vers le cortil vindrent corant
Et Renart durement huiant,
Plus de quarante en une rote.
Ne fu merveille s'en ou dote,
Les granz galoz m'en sui tornez.
670 Renars s'en fu tost detornez
Qui sot les pas et les destorz,
Sor moi verssa tot li estorz.
    Quant jel vi trere a une part :
— « Conment, » dis-je, » « sire Renart,
Volés me vos laissier en place?
— Qui mielz porra fere, si face,
Bau sire Brun : or del troter,
Que besoing fet vielle troter.
Fetes del meulz que vos porrez,
680 Se trenchanz esperons avez
O bon cheval por tost aler.
Cil vilein vos voudront saler.
Or oiez con il font grant noise.
Se vos peliçon trop vos poise,
Ja n'en soiez desconfortez :
Il vos sera par tans portez.
G'irai avant a la cuisine,
S'i porterai ceste jeline.
Si la vos aparellerai :
690 Dites quel savor i ferai ».
Li traïtres atant s'eslese,
Si me laissa en cele presse.
La noisse ala si engrennant.
Li chen me vindrent au devant :
A moi se lient pelle melle,

— Chez Constant des Marais.

— Je pourrai y mettre les pattes?

— Oui, je l'ai bien repéré.

Les blés étaient mûrs; nous nous y sommes dissimulés et nous sommes entrés par une porte ouverte. Près d'une grange, dans le jardin, nous avons dû attendre en nous cachant en silence dans les choux jusqu'au soir. C'est à la tombée de la nuit que nous devions casser le pot pour prendre et manger le miel. Mais le goinfre n'a pas pu y tenir : à
660 la vue des poules dans le poulailler, il ne peut retenir ses bâillements de faim; il saute sur l'une d'elles tandis que les autres se mettent à caqueter et que le fermier, qui se trouvait par là, ameute les gens à force de vacarme. Les voilà qui se retrouvent à deux mille au bas mot. A plus de quarante, ils se précipitent vers le jardin en poussant des cris pour effrayer Renart. Rien d'étonnant si j'ai eu peur et si je me suis sauvé au grand galop. Comme il connaissait tous les passages et les chemins détournés, il a eu vite fait de s'en tirer et toute la troupe m'est retombée dessus. Quand je l'ai vu se sauver, je lui ai dit : ' Comment, monseigneur Renart, vous me laissez tout seul? — Chacun pour soi! Dépêchez-vous, mon bon seigneur Brun! Le besoin

Et pilet volent conme grelle,
Si cornent li vilein et huient
Que li champ environ en bruient.
    Quant oï les vileins corner,
700 Qui lors me veïst trestorner
Vers les mastins tot abandon,
Fouler et mordre environ,
Hurter et batre et desconfire,
Bien poïst por verité dire
Que onc ne fu veüe beste
Qui de chens feïst tel tempeste.
Molt me pensoie d'els desfendre
Quand je vi les pilés descendre
Et les sajetes barbelees
710 Chaoir entor moi granz et lees,
Et vileins venir, si m'en part,
Les chens guerpi de l'autre part,
Vers les vileins ving eslessiez.
Atant me fu li chans lessiez.
N'i ot si hardi ne si cointe,
Trés que je vers eus fis ma pointe,
Qui lors ne s'en tornast fuiant.
Et je ving un d'aux consuiant,
A terre a mes piez le cravant.
720 Un autre s'en fuï avant
Qui portoit une grant maçue :
Cil que je ting si crie et hue,
Et il retorne, si me greve.
A deus poinz la maçue leve,
Tel cop me dona lés l'oreille,
Que je chaï, voille o ne voille.
Quant je me senti si qassé,
Son compaignon li ai lessié.
Je sailli sus et il s'escrient,
730 Et li chen a moi se ralient,

fait trotter la vieille. Débrouillez-vous pour
fuir au plus vite : j'espère pour vous que vos
680 éperons sont bien aiguisés et votre cheval
rapide. Ces paysans vont vouloir vous mettre
au saloir. Écoutez tout le bruit qu'ils font! Si
vous trouvez votre peau trop lourde, ne vous
en faites pas : d'ici peu, c'est un autre qui la
portera. Moi, je vais jusqu'à la cuisine apporter cette poule et vous la préparer. Dites-moi
à quelle sauce vous voulez la manger. ' Le
traître détale alors en m'abandonnant dans la
mêlée. Le vacarme grandit, les chiens me
sautent dessus et s'acharnent sur moi à qui
mieux mieux; les épieux se mettent à pleuvoir
drus comme grêlons, tandis que les paysans
font retentir les champs tout à l'entour de
l'éclat de leurs trompes et de leurs cris. Mais
alors, qui m'eût vu, à ce bruit, riposter avec
700 violence aux assauts des chiens, les piétiner,
les mordre à belles dents, les bousculer, les
faire reculer et fuir, aurait vraiment pu dire
que jamais avant moi, une bête n'avait fait tel
massacre. Je ne pensais qu'à me défendre
contre eux, quand je vois les épieux et les
longues et grosses flèches barbelées se remettre à tomber tout autour de moi et les paysans
arriver. Alors, laissant les chiens là où ils
étaient, je me retourne pour faire face aux

Si me sacent et me decirent.
Quant li vilein entre elz le virent,
Estes les vos toz apoignant.
De lor glaives me vont poignant,
Pierres jetent, sajetes traient.
Li mastin crient et abaient.
La ou j'en pooie un ateindre,
Si le faisoie a force geindre.
Mes durement m'i ont plaié,
740 Et li vilein m'ont esmaié.
Vers le bois conmençai a tendre
La ou je vi la presse mendre.
Si m'en estors le melz que poi.
Retenuz i fui a bien poi.
Mes que fuiant que desfendant
Par une broce en un pendant
Maugré trestoz mes enemis
Fis je tant que el bois me mis.
Renars li ros m'a si bailli
750 Por la jeline q'asailli.
Ge nel di pas por clamor fere,
Mes por essample de lui trere :
Que s'est clamé sire Ysengrins,
L'autrier se repleint Tiecelins
Qu'il le pluma en traïson.
Or voloit il metre en prison
Tybert le chat a un copel,
Ou il redut laissier la pel;
Et puis refist il bien que lere
760 De la mesenge sa conmere,
Quant il au baissier l'asailli
Conme Judas qui Deu traï.
Or en doit conseil estre pris,
Con il est si sovent repris.
Nos i avon molt grant pecié,

paysans qui s'écartent devant moi. Aucun n'était assez hardi ou téméraire pour ne pas tourner les talons dès que je chargeais. J'en poursuis un que je piétine à terre tandis qu'un autre s'enfuit droit devant lui, sa massue à la main. Mais ne voilà-t-il pas qu'il fait demi-tour, aux cris poussés par le premier et que, brandissant à deux mains son arme, il me porte un coup sérieux près de l'oreille, me faisant tomber bien malgré moi. Je suis dans un tel état que je dois laisser aller le compagnon de mon adversaire mais je réussis quand même à me mettre debout. Aux cris des deux compères, la meute revient sur moi, me bouscule et me déchire, tandis que les hommes à cette vue, se précipitent pour me piquer avec leurs couteaux; ils me lancent des pierres, des flèches, au milieu des abois et des hurlements des chiens. Quand je pouvais en attraper un, je me chargeais bien de le faire gueuler; mais à eux tous, ils avaient réussi à me blesser sérieusement; et puis j'avais peur des paysans. Je me suis alors élancé vers la forêt du côté où j'ai vu la foule moins dense et je m'en suis sorti de mon mieux, mais j'ai bien failli y rester. Malgré tout, fuyant d'un côté, me défendant de l'autre, j'ai tant et si bien fait en dépit de mes adversaires que je me suis

Quant tant li avon aluchié. »
   Li ors a parlé longuement.
Li senglers li a dit brement :
— « Mesire Brun », fet il, « cist plés
770 N'iert pas finés as premiers trez.
Encore n'est aconseüe
La clamor qui ci est venue.
Molt seroit sages qui sauroit
Juger d'un conte, et il n'auroit
L'autre partie encore ateinte.
Nos avon oï la conpleinte :
Renart devon le conpleint tendre,
Et l'un droit aprés l'autre rendre
Tant que l'en viengne a la parsomme.
780 En un jor ne fist l'en pas Romme.
Nel di pas por Renart tenser,
Mes nus ne doit a ce penser
Que nos les melomes en cort :
Que pechiez seroit et grant tort.
Je ne sai que dire en doions
Tant que ensemble les oions.
Quant Renars ert a cort venus,
Icist cleinz sera retenus
Que Ysengrins a ci mené.
790 Lors a primes ert ordené
Conment sera de l'amendise :
Par jugement i aura mise. »
   Ce dist li singes Cointereax :
— « Mal dahez ait cis hatereax
Se vos ne dites que i a. »
Et li ors respundu li a :
— « N'estes mie trop forsenez
Quant devers Renart vos tenez.
Entre vos deus savez asez :
800 Meins maveis plés a il pasez,

270

réfugié dans le bois, en passant par des fourrés à flanc de côteau. Voilà les remerciements que j'ai reçus de Renart le rouquin pour l'avoir aidé à attraper une poule. Si je vous raconte cela, ce n'est pas que j'ai l'intention de porter plainte, mais pour vous donner un exemple de ce dont il est capable. Aujourd'hui, c'est le seigneur Ysengrin qui a intenté une action en justice contre lui. L'autre jour, c'était Tiécelin qui, de son côté, s'était plaint de ce qu'il lui avait traîtreusement arraché des plumes. En outre, il a voulu faire prendre au piège Tibert le chat qui a dû y laisser de sa peau pour s'en tirer. Enfin, il s'est conduit en traître avec sa commère la mésange quand il lui a sauté dessus au moment où elle l'embrassait, un vrai Judas! Bref, il faut prendre une décision puisqu'il ne cesse de récidiver. A force de complaisance à son égard, nous nous faisons ses complices. »

A ce long discours de l'ours, le sanglier répond en peu de mots :

— « Seigneur Brun, cette affaire va prendre du temps. L'instruction de la plainte n'est pas terminée. Il faudrait être bien sage pour pouvoir se prononcer sur une seule version des faits! Nous avons entendu le plaignant, main-

Si fera il molt bien cestui,
Si l'en velt croire vos et lui. »
Le singes dist qui s'en coroce,
(Petit li est de ce qu'il groce,
Moe li fet por plus irestre) :
— « Et Dex vos saut » fet il, « bau mestre!
Or me dites a vostre endroit,
Que en dirieez vos par droit? »
— « Sos ciel n'a cort, par seint Richier,
810 Que je n'ossasse aficher,
Se j'en devoie estre creüs,
Que trestot cist max est moüs
Par dant Renart et par sa cope,
Et Ysengrins a droit l'encope.
Et qu'alon nos plus atendant
Quant la cose est venue avant
Que il est pris a avoutere
Nomeement a sa conmere?
Et ice derennent vers lui
820 Ysengrins et Hersens andui :
Por droit fust il ore avenant
Que Renars fust pris meintenant,
Si li liast en meins et piez,
Et fust jetez einsi liez
En la cartre tot sanz prologue.
Ja n'i oüst autre parole
Que de fuster et d'escoillier.
Puis qu'il enforce autrui moiller,
Ne feme cumune ne el,
830 Neïs se c'estoit un jael :
L'en en doit ja justice prendre
Que autre fois n'i ost mein tendre.
Et qu'est donc d'une feme espose
Qui dolente en est et hontose
De ce que ses maris le sot?

tenant nous devons informer Renart et entendre ce qu'il a à dire : ainsi chacun aura vu ses droits respectés et nous pourrons conclure.
780 Rome ne s'est pas faite en un jour; ce n'est pas pour protéger Renart que je parle ainsi. Mais aucun de nous ne doit songer à dénigrer l'une des deux parties devant la cour : Ce serait une grave injustice et une faute morale. Je ne vois pas ce que nous pourrions dire avant de les avoir confrontés. Quand Renart sera arrivé à la cour, alors sera prise en considération la plainte d'Ysengrin, alors sera décidée officiellement quelle réparation imposer au coupable. Tel sera l'objet du jugement. »

— « Pauvre Ysengrin! Il sera bien à plaindre si vous ne condamnez pas Renart », s'écrie le singe Cointereau.

— « Vous n'êtes pas fou de vous mettre de son côté », lui répond l'ours. « A vous deux,
800 vous formez une bonne paire! Combien de fois s'est-il tiré de mauvaises passes, et il fera bien encore de même cette fois-ci s'il faut vous en croire l'un ou l'autre. »

Et le singe, mis en colère par ces insinuations (il se moque bien des grognements et grimaces de l'autre qui voudrait le faire sortir de ses gonds) de répliquer :

Et qui cuide Ysengrin si sot
Qu'il oüst plet de ce meü
S'il ne l'oüst as elz veü?
De tant est il plus vergondez,
840 Se cist mesfet n'est amendez,
Des que Hersens garant li porte.
Dont sai je bien, justice est morte. »
Dist li senglers : « Ci a descorde :
De pecheor misericorde!
D'un prodome por tel forfet.
Por Deu, se Renars a mesfet,
Si en fetes aucune acorde!
De grant guerre vient grant acorde.
Li lous est mendres c'on ne crie,
850 Par petit vent ciet il grant pluie.
Renars n'est conveincuz encore,
Ançois vendra une autre ore.
Dit en avez vostre plaisir,
S'avez perdu un bon taisir. »
Dant Brichemer fu molt voiseus,
Ne fu jangleres ne noiseus
Conme li autre conpaignon.
— « Segnors » fet il, « ore pernon
Un jor de cest acordement.
860 Renars face le serement
Et l'amende par tel devise,
Con il a Ysengrin promise.
Car si conme li singes dit,
Ne por mesfet ne por mesdit
Qui n'est aperz ne coneüz
Ne doit ja estre plet tenuz
D'ome afiner ne de desfere :
Ainz i afiert la pes a fere.
Et primes gardons par mesure
870 Qu'il n'i ait point de mespresure.

274

— « Que Dieu vous garde, cher maître! Dites-moi donc votre opinion : quel jugement rendriez-vous?

— Par saint Riquier, je me porterai garant sans hésitation devant tous les tribunaux du monde que c'est Renart qui est l'auteur de tout ce mal. C'est lui le coupable et Ysengrin a raison de l'accuser. Pourquoi tarder davantage puisque la cause est entendue? Il a été pris en flagrant délit d'adultère avec sa complice; Ysengrin et Hersent l'attestent tous les deux. Il serait donc convenable et juste de l'arrêter immédiatement et de le jeter pieds et poings liés en prison sans discuter davantage. Trêve de bavardages! Qu'on lui donne la bastonnade et qu'on lui coupe les couilles! Puisqu'il a violé la femme d'autrui — peu importe qu'il s'agisse d'une femme facile ou même d'une putain — il faut que justice soit faite, de façon qu'il n'ose plus récidiver. Et à plus forte raison quand c'est une femme mariée qui est en cause, et qui est toute malheureuse et honteuse parce que son mari est au courant. Qui va croire Ysengrin assez stupide pour avoir engagé le procès s'il n'avait tout vu de ses propres yeux? Son déshonneur sera d'autant plus grand si ce crime n'est pas puni, du fait qu'Hersent s'en

Une cose a qui molt me serre,
Se li rois n'est en ceste terre,
Devant qui cist plés soit tretiez?
Mes se Roïnaux fust haitiez,
Li chens Frobert de la Fonteine,
Cil nos en metroit hors de peine.
En li a bon home et vrai,
Ne ja home ne troverai
Qui ne die « tu as bien fet ».
880 Devant li soit ice retret. »
A ce se sont tuit asenti,
Nesun d'ax ne s'en repenti.
Cil consalz ne fu plus tenuz.
Estes les vos avant venuz
A grant joie et a grant baudor
Devant le roi el consitor.
Tuit li autre vont arestant
Et Bricemer fu en estant.
Sa parole a conmenciee :
890 Bien l'a dite et agenciee
Si conme bons rectoriens.
— « Sire », fet il, « nos estiens
Alé le jugement enquerre
Selonc la guise de la terre.
Trové l'avon : s'il n'est quil die,
Jel dirai, puis que l'on m'en prie,
Volentiers, sauve vostre grace. »
Li lions li torne la face,
Del otroier li a fet signe,
900 Et dant Brichemer li encline.
— « Segnors » fet il, « or m'entendez
Se je i fail, si m'amendez.
Ce m'est avis que nos veïmes
D'Ysengrin qui se clama primes,
Que tote sa droiture auroit

276

porte garant. Mais je sais bien qu'il n'y a plus de justice.

— Je ne suis pas d'accord », réplique le sanglier. « Pitié pour le pécheur! Pitié pour l'honnête homme qui a commis un crime de cette sorte! Au nom de Dieu, si Renart s'est mal conduit, trouvez un arrangement. Une paix sincère peut naître d'une longue guerre. Le loup est moins puissant qu'on ne le dit. Petit vent chasse grande pluie [23]. Renart n'a pas encore été reconnu coupable et il viendra présenter sa déposition à la Cour plus tard. Vous avez parlé à votre aise, mais vous avez perdu une belle occasion de vous taire. »

Maître Brichemer, qui était très avisé et non pas bavard ni querelleur comme les autres, prend la parole à son tour :

— « Seigneurs, fixons maintenant une date pour cette conciliation. Renart devra prononcer son serment de réparation dans les termes où il l'a promis à Ysengrin, car, ainsi que l'a dit le singe, pour un forfait ou pour une calomnie, lorsqu'ils ne sont ni flagrants ni avoués, on ne doit pas prononcer de condamnation à une peine capitale; cependant, il convient de faire la paix. Prenons d'abord garde par prudence à ne pas faire de fausse manœuvre. Mais il y a une chose qui m'in-

De ce que demander sauroit :
Mes il li covendroit mostrer,
Se la cose voloit prover,
Soi tierz por desriennier son droit
910 A jor nomé o orendroit.
Puis feïmes por droit ester
Qu'il ne pooit riens conquester,
Ne tort ne droit dont riens preïst,
De ce que sa feme deïst.
Brun et Baucent en desputerent,
Mes cil qui avoc els alerent,
Se tindrent plus a ma partie.
Or est la cose si partie
Que chascun aura sa droiture.
920 Puis gardames en quel mesure
Et quant en sera la loi dite
Que Ysengrin cleint Renart quite.
Ch'ert diemenche par matin
Devant Roenel le mastin.
La manderon Renart qu'il veingne
Et en tel guise se contiegne
Que sa pes face de par Dé
Si con nos l'avons esgardé. »
    Li lions respont en riant :
930 « Ja par les seinz de Bauliant,
Ne fusse si liez por mil livres
Con de ce que j'en sui delivres.
Or ne m'en veoil plus entremetre,
Ainz lor donrai jor de pes metre
Devant Roenel le gaignon,
En qui il a bon conpaignon,
Le chen Frobert de la Fonteinne
Apres la messe diemeine.
Renart covient donc qu'il responde,
940 Mes avant le covient semondre.

quiète : si le roi n'est pas dans ses terres,
devant qui le procès sera-t-il plaidé? Si
Roonel, le chien de Frobert de La Fontaine,
acceptait de le remplacer, il nous enlèverait
ce souci : c'est un homme de bien, un juste. Je
ne trouverai personne qui ne m'approuve sur
880 ce point. Prenons-le donc comme juge. »

Tous tombent d'accord là-dessus et personne n'eut sujet de le regretter. La séance
est donc levée. Et les voilà tous revenus
devant le roi en assemblée plénière, ne dissimulant pas leur satisfaction. Brichemer reste
debout pour prononcer avec art, en bon
orateur qu'il est, un discours soigneusement
construit :

— « Seigneur, nous avons instruit l'affaire
selon la coutume de votre domaine. Nous
avons trouvé la solution et, puisqu'il n'y a
personne d'autre pour l'exposer et qu'on m'a
demandé de m'en charger, je le ferai volontiers avec votre permission. »

Le lion tourne la tête vers lui et, d'un signe,
900 lui accorde la parole. Maître Brichemer,
après s'être incliné devant le souverain, poursuit donc :

— « Écoutez-moi bien seigneurs, et si je
commets une erreur, reprenez-moi. Nous
avons veillé, selon moi, à ce qu'Ysengrin, le

Grinbers li tessons i ira
Qui de nostre part li dira
Que aprés la prosession
Li face satifacion,
Et gart que riens ne contredie
De ce que Roenel en die. »
A cest mot se sont tuit teü,
Et li plus joune et li chenu.
A son repere va chascuns,
950 Brichemer et Baucens et Bruns,
Et des autres une partie.
Et quant la cort fu departie,
Grimbers va son message fere.
Droit a Malpertuis son repere
Trova Renart, et puis li conte
Conment li baron et li conte
L'ont atorné por la pes fere :
Del plet sera Roonel mere,
Gart qu'il i soit, li rois li mande.
960 Renars dist que plus ne demande :
A tans i ert et bien fera
Ce que la cors esgardera.
Grimbers s'en va, Renars remeint.
Or li convient qu'il se demeint
Plus sagement que il ne seult.
Mes ne lessa qu'il ne s'orguelt :
Ne li chaut gueres qui le hace,
Ne se porquiert ne se porchace,
Conment pregne li siens aferes.
970 Mes Ysengrins ses averseres
N'a mie sa boche en despit.
A un jor devant le respit
Vint droit a Roenel errant
Qui se deduit en esbatant,
Et gist es pailles a grant aise

premier à porter plainte, obtienne entière justice. Mais, s'il veut étayer sa plainte il devra se présenter dès maintenant ou au jour fixé, avec deux témoins qui se portent garants pour lui. Puis, nous avons considéré qu'il ne pouvait, légalement, tirer aucun argument, qu'il ait tort ou raison, des affirmations de sa femme. Brun et Baucent se sont partagés sur ce point, mais ceux qui ont pris part à la discussion avec eux se sont ralliés à mon point de vue. L'affaire est donc engagée de manière
920 que chacun obtienne son droit. Pour finir, nous nous sommes demandé quand et sous quelle forme sera prononcé le serment par lequel Ysengrin renoncera à poursuivre Renart. Ce sera dimanche matin, devant le chien Roonel. Nous convoquerons Renart et lui signifierons qu'il ait à se conduire de manière à faire la paix au nom de Dieu, comme nous l'avons décidé.

— Par les saints de Bethléem », fait le lion, « si on me donnait une fortune, je ne serais pas plus heureux que je ne le suis d'être débarrassé de cette affaire. Je ne vais pas m'en occuper davantage. Je vais seulement signifier à Renart la date de la conciliation devant Roonel, le chien de Frobert de La Fontaine, qui est un bon compagnon : ce sera

Devant l'ostel delez la haise.
Ysengrin vit, si s'en eschive :
Mes il le rapela par trive.
Ysengrins li dist doucement :
980 — « Roonel » fait il, « or m'entent!
Conseil sui venus a vos querre.
Entre moi et Renart a guerre,
Que il a molt vers moi mespris.
Clamés m'en sui, jor en ai pris
Aprés la messe diemenche,
De celui qui tant set de guenche.
Renars i ert par tel devise,
Et vos serés del plet justise.
Et l'en m'a dit del jugement
990 Que Renars par un serement
Se doit devers moi escondire
De ce que je li saurai dire.
Or si vos pri con mon ami
Que vos soiés del plet a mi
Tant que il l'ait reconeü.
Tot est clamé et respondu.
N'i a mes autre chose a fere
Fors porçascier le seintuere :
Mes de ce sui je esgarez. »
1000 Dist Roenel : « asés aurez
En ceste vile seinz et seintes,
Ja mar en ferois tex conpleintes.
Trés bien en serés conseilliez :
Que je serai aparelliez
Fors de la vile en un fossé.
Si me tendrez por enossé,
Dites que je sui meenniez :
Je me jerrai denz recigniez,
Le col ploié, la langue traite.
1010 La soit vostre asenblee fete,

pour la messe de dimanche. Il devra y présenter sa défense, mais auparavant il faut
940 le convoquer. Grimbert le blaireau ira lui dire de faire amende honorable après la procession; qu'il se garde bien de s'opposer en rien à ce que Roonel lui dira. »

Personne, jeune ou vieux, ne trouvant rien à ajouter, chacun s'en retourne chez soi, Brichemer, Baucent, Brun, d'autres encore. Après que la cour s'est séparée, Grimbert s'acquitte de son message. Il va tout droit à Maupertuis, le repaire de Renart et lui expose comment les barons et les comtes ont prévu un arrangement pour faire la paix, Roonel devant être l'arbitre de la procédure. Qu'il n'aille pas s'aviser de ne pas venir, le roi
960 le lui fait dire. Renart répond qu'il ne demande rien de plus. Il y sera et se conformera en tout aux décisions du tribunal. Grimbert s'en va, Renart reste, mais il va devoir faire preuve d'une prudence plus grande encore qu'à l'ordinaire. Il n'en demeure pas moins plein d'une orgueilleuse assurance. Peu lui importe qui le déteste et il ne s'inquiète pas outre-mesure de la tournure que prend l'affaire. En revanche, Ysengrin, son adversaire, ne manifeste pas la même indifférence. La veille du jour fixé, il va tout

Renars i ert et vos li dites
Qu'il sera bien envers vos quites,
S'il puet jurer desor ma dent
Qu'il n'ait mespris envers Hersent.
Se tant s'aproche de mon groing
Que le puisse tenir au poing,
Bien porra dire ainz qu'il m'estorde,
Ains mes ne vit seint qui si morde.
Et se de ce se velt retrere
1020 Que il ne vegne au seintuere,
N'en porra torner, bien s'i gart :
Que je auré mis en esgart
De tos mes meillors conpaignons
Bien plus de quarante gaignons
Des plus viaus et des plus felons.
Donques sera Renars trop bons,
Se par reliques o par chiens
Ne puet chaoir en mes liens.
Dex vos saut, pensez de bien fere! »
1030 Ez vos Ysengrins qui repere
Vers la foreste de Joenemande.
Molt se porquiert et molt demande
La ou a nul de ses amis.
N'i a nul messagier tramis,
Mes il meïsmes les va querre
Et en bois et en pleine terre :
N'i remeist cevelus ne cax.
Dant Brichemer li senescax
I est venuz la teste droite,
1040 Et dans Bruns l'ors molt tost s'esploite :
Baucent le senglers vint a cort,
Musarz li camels i acort.
Li lions mande le lipart
Qu'il viegne de la soue part.
Li tigres vint et la pantere,

droit trouver Roonel qui s'amusait à sa vautrer, couché dans la paille, devant la maison, près de la clôture. Dès qu'il aperçoit le loup, il veut se dérober. Mais celui-ci s'adresse à lui avec humilité, en invoquant la trêve conclue :

980   — « Écoutez-moi, Roonel. Je suis venu vous demander un conseil : je suis en guerre contre Renart car il m'a gravement offensé; j'ai porté plainte et j'ai obtenu de le faire comparaître dimanche après la messe, ce maître fourbe. Il y sera certainement et c'est vous qui présiderez l'assemblée. On m'a dit que, dans ce procès, Renart doit se justifier devant moi par un serment sur tous les points que je soulèverai. C'est pourquoi, je vous demande, comme à un ami, de m'aider à le faire avouer. J'ai pensé à tout : plainte et réponses. Il ne me reste qu'à trouver des reliques, mais là, je suis dans l'embarras.

1000   — Ce ne sont pas les saints ni les saintes qui manquent dans ce village », lui répond Roonel. « Il n'y a pas de quoi vous lamenter. Voici ce que je vous propose : je me mettrai en dehors des limites du hameau dans un fossé; vous direz que je me suis étouffé avec un os et que je suis au plus mal; je serai étendu, les babines retroussées, le cou incliné sur l'épau-

Et Cointeraus li enchantere,
Un singe qui fu nez d'Espaigne,
Cil refu avoc la conpaigne.
Tant fet li leus qu'il les asenble.
1050 Quant il furent venu ensemble,
Molt les a semons et proiez.
— « Bauz seignor » dist il, « ore oiez!
A mon plet vos ai amenez :
Or vos pri que le meintenez,
Puis que ci estes aüné. »
Et li estrange et li privé
Et tuit cil de son parenté
Li ont plevi et craanté
Que ja ne seront recraant
1060 Des que il ait tot son creant.
Ice jurent a tot le meins.
Bien les a tos entre ses meins.
Einsi a sa gent atiree
Et trestoz cels de sa mesnee.
Quanqu'en pot avoir par priere
Sont aüné a sa banere.
Cel jor porta son gonfanon
Li putois qui Foinez ot non,
Et Tybers li chaz vint avoc
1070 Qui Renart het : et ne por oc
Molt en i ot de par Renart
Qui tuit se tienent de sa part.
Mesire Grinberz en fu uns,
C'onques ne pot amer dan Bruns :
Cosins estoit Renart germeins.
Cil ne li pot faillir au meins.
Ne Rosselez li escuirous
Qui n'estoit mie pereçous,
Ne va pas corant, eins i trote :
1080 Et dame More la marmote,

le, la langue pendante. Votre assemblée se tiendra là. Comme Renart y sera, vous n'aurez qu'à lui dire que vous le considérez comme quitte à condition qu'il vous jure sur ma dent qu'il n'a fait aucun outrage à Hersent. S'il s'approche assez de ma gueule pour que je puisse l'attraper par la patte, il pourra bien dire avant de m'échapper qu'il n'avait jamais vu auparavant de saint mordre de la sorte. Et s'il veut s'en retourner sans approcher des reliques, il n'ira pas loin! Gare à lui! Car j'aurai mis en embuscade plus de quarante chiens parmi mes meilleurs compagnons, les plus expérimentés et les plus rusés. Il faudra qu'il soit bien fort pour ne pas tomber dans mes filets grâce aux reliques ou aux chiens. Sur ce, que Dieu vous garde! Vous savez ce qu'il vous reste à faire. »

Ysengrin s'en retourne donc vers la forêt de Jeunemande. Il se met en quête de tous les amis qu'il peut avoir. Ne se reposant pas de ce soin sur un messager, il se dérange lui-même pour aller les chercher à travers champs et bois. Il n'en est aucun pour se dérober. Maître Brichemer le sénéchal arrive la tête haute; maître Brun l'ours presse l'allure; Baucent le sanglier vient également à la cour et Musart le chameau y accourt. Le lion a fait convo-

Corte la taupe et dans Pelez
Li raz qui fu bien apelez.
Dant Galopin i vint li levres,
La loirre, la martre et li bievres,
Li hiriçons et la mostele,
Et li furés pas ne s'i ceille
Que il n'i viegne fierement,
Quar il voudra hardiement
Renart aidier a son besoing :
1090 A lui vint il et sanz resoing.
A l'asenbler ot molt grant presse.
Renars ne fine ne ne cesse,
Ne cil qui avec lui alerent,
Desq'a la vile s'avalerent
O li plez doit estre tenuz.
Ysengrins i est ja venuz.
Il et Renars ont departies
Lor compaignes en troi parties.
Sire Ysengrins fu en la pleigne
1100 Et Renars devers la monteigne :
Et Roenel qui Renart guete
Le col ploié, la langue trete,
Contrefet si la morte beste
Que il ne muet ne pié ne teste.
Sor le fossé s'est arestez :
Toz li aguais fu porpensez
En un verger delez la soi
De cels qu'il ot mandé o soi,
Bien qu'entre lisses et gaignons
1110 Plus de cent de ses conpaignons,
Proisiez et esleüs par non,
Qui ne heent se Renart non.
   Brichemers fu chés de la rote :
A lui s'acline la cort tote,
Que par conmun asentement

quer le léopard; le tigre est là ainsi que la panthère; Cointereau le farceur, le singe né en Espagne, est lui aussi de l'assemblée. Le loup réussit à les faire tous venir et quand ils sont rassemblés, il leur adresse cette prière instante :

— « Chers seigneurs, écoutez-moi. C'est pour mon procès que je vous ai appelés; je vous demande maintenant de me soutenir puisque vous êtes réunis ici. »

Ses parents, ses amis intimes, comme ceux qui le connaissent moins, tous lui ont promis et juré qu'ils ne cèderont pas avant qu'il n'ait obtenu tout ce qu'il exige. Ils ne s'estimeront pas satisfaits à moins. Il peut compter sur eux. Voilà en quelles dispositions il a mis ses partisans et tout son entourage. Tous ceux qu'il a pu toucher par ses prières sont réunis sous sa bannière. Au jour dit, c'est le putois, nommé Bonnefoi, qui portait son enseigne. Tibert le chat, qui déteste Renart, était venu avec lui. Et pourtant nombreux aussi étaient ceux qui, appuyant le parti de Renart, se tenaient à ses côtés : Monseigneur Grimbert en était (car il n'avait jamais pu aimer Brun); cousin germain de Renart, il ne pouvait pas l'abandonner. Rousseau l'écureuil, pressé comme à l'ordinaire, n'y court pas, il y galope

Fu enparlés au parlement.
Tot premer s'en estoit levez.
— « Renart » fait il, « vos qui devez
A Ysengrin fere escondit
1120 Einsi con li baron l'ont dit,
Aprochez vos au serement,
Si le fetes delivrement.
Nos savon bien, se li ploüst,
Asés croire vos en doüst
Sanz le jurer : et nequedent
Vos jurerez desor la dent
Seint Roenau le rechingnié
Qu'Ysengrin n'avez engignié
N'en tel manere deçoü :
1130 A tort en estes mescreü. »
A cest mot salt Renars en place.
Si se recorce et se rebrace,
Molt s'apareille vistement
Come de fere serement.
Toz jors sot molt Renart de guiche,
Onc n'en sout tant ne cherf ne biche.
Bien aperçut qu'il iert guetiez
Et que Roenel est haitiez,
Au flanc qu'il debat et demeine
1140 Et au reprendre de s'aleine.
Arrier se tret, si le resoingne.
Qant Brichemer vit qu'il s'esloingne :
— « Renart » fait il, « ce que puet estre?
Metre vos covient la mein destre
Sor la dent Roenel tot droit ».
— « Sire », fait il, « o tort o droit
Me covient sivre veirement
Et tenir vostre atirement
Conme cil qui muer ne l'ose.
1150 Mes je voi ci une autre cose

¹⁰⁸⁰ ainsi que Dame Brune la marmotte, Courte la taupe et seigneur Pelé le rat, qui porte bien son nom. Voici encore seigneur Galopin le lièvre, le loir, la martre, le castor, le hérisson et la belette ainsi que le furet qui, loin de se cacher, se montre fièrement, bien décidé à aider courageusement le goupil au besoin. Il y avait foule pour l'assemblée. Renart et ceux qui l'accompagnent n'ont de cesse d'être descendus au hameau où le jugement doit avoir lieu. Ysengrin est déjà sur place. Renart et lui répartissent leurs partisans en trois groupes. Le seigneur Ysengrin occupe la
¹¹⁰⁰ plaine et Renart les côteaux. Roonel, tout en guettant Renart, fait le mort, le cou tordu, la langue pendante, ne bougeant ni pieds ni tête, immobile dans le fossé. Ceux qu'il s'était chargé d'amener avec lui se tenaient en embuscade dans un verger, près de la clôture : chiens de garde et chiennes de chasse, ils étaient plus de cent, bêtes d'élite soigneusement choisies, qui vouent une haine mortelle à Renart. Brichemer préside l'assemblée et toute la cour s'incline devant lui car il avait été désigné à l'unanimité pour être le porte-parole du conseil. A ce titre, il est le premier à se lever pour prendre la parole :
¹¹²⁰ — « Renart, vous qui devez vous justifier

Espoir que vos n'i veez mie.
Talant ai que je le vos die :
Mes ne puet estre, or le lerons. »
    Dant Grinberz ses niés li tessons
Aperçut bien la traïson,
Si li a tret autre acoison.
— « Sire, car entendez a moi!
Je cuit que je bien vos dirai
Raison et droit au mien espoir.
1160 Dant Renars ne doit mie avoir
Presse de tote cele gent.
Ne seroit mie bel ne gent
A tel baron n'a si vaillant
Qu'en li voist sor le col saillant.
Faites vos barons esloingner
Tant que il se puist aprocher
Au meins devers le seintuere,
Tant que il puist l'escondit fere. »
Dist Brichemer : — « ne m'en gardoie.
1170 Or li ferai vidier la voie
Tant qu'il puist venir et aler. »
Ses homes a fait avaler
Et trere arere plus qu'einçois.
Renars a fet le tor gueinçois
Qui n'a cure de sejorner.
Qant au reliques dut torner,
D'autre part a torné sa chere;
Foï s'en est li mau trechere.
Renars s'en fuit teste levee
1180 Par une viels voie chevee.
Si enemi li escrierent;
Et li chien qui en aguet erent,
Il saillent aprés et corurent.
Ja m'orrez dire qui il furent.
Primes i cort ainz que li autre,

devant Ysengrin, ainsi qu'en ont décidé les barons, approchez-vous pour prêter serment immédiatement. Nous savons bien qu'il aurait pu accepter de vous croire sur parole; mais comme il s'y est refusé, vous allez jurer sur la dent de saint Roonel à la babine retroussée, que vous n'avez rien à vous reprocher à son sujet, que vous ne l'avez trompé en aucune façon et qu'on a tort de refuser de vous croire. »

A ces mots, Renart se dresse d'un saut, retrousse sa tunique et ses manches, comme s'il avait hâte de prêter serment. Il est maître en ruses et pourrait en remontrer aux cerfs et aux biches. Il a vite fait de se rendre compte qu'il est tombé dans un guet-apens et que Roonel se porte comme un charme, en voyant le flanc du chien se soulever au rythme de sa 1140 respiration. Il recule rempli de crainte. Brichemer, le voyant s'éloigner, lui dit :

— « Que se passe-t-il, Renart? Vous devez prêter serment en posant votre main droite à même la dent de Roonel.

— Seigneur », répond-il, « que le droit soit ou non pour moi, il me faut assurément me conformer respectueusement à vos dispositions sans prétendre les modifier. Mais je vois ici quelque chose, — peut-être ne le voyez-

Lance levee sor le fautre,
Roonel le chien dant Frobert
Et Espillars le chien Robert,
Le riche vilein del plessié :
1190 Icil l'ont premer ençauchié.
Aprés revint a grant eslés
Harpin et Moranz et Bruiés,
Espinars et Hurtevilein,
Et Rechignié le chien Gilein,
La feme Erart le drapier.
Aprés se metent el frapier
Afaitié, Gorfaut et Tirant,
Foillet, Lovel et Amirant.
Clermont i fu et Oliviers,
1200 Le chien Macare Deriviers.
Apres i cort Cornebrias
Et Herbouz, Ferin et Frias,
Brisebois, Fricans et Voisiez,
Liepart, Tisons et Escoilliez.
Cortin i cort aprés Rigaut,
Et Passelevé et Gringaut,
Loiher, Passe-outre et Fillart,
Et Estormi et Vaculart,
Li chiens sire Tibert del Fresne :
1210 C'est celui qui miels se desresne,
Qui plus tost va et miels le chace.
Aprés se metent en la trace
Pilez, Chapez et Rechigniez,
Pastor, Estor et Engigniez,
Escorchelande li barbez
Et Violez li malflorez,
Et Oiselez et Gresillons,
Eclariax et Esmerillons,
Chanus et Morganz et Vergers,
1220 Et Passe-avant, Outrelevriers.

vous pas, — que j'ai bien envie de vous dire, mais cela ne se peut, alors nous en resterons là. »

Grimbert le blaireau, son neveu, comprend, lui aussi, que Renart est trahi. Mais il donne une autre explication de l'attitude de son oncle :

— « Écoutez-moi, seigneur. Je crois que ce que je vais vous dire est raisonnable, — en tout cas, ce l'est à mes yeux. Renart ne doit pas avoir autour de lui toute cette foule de gens. Il ne serait pas convenable qu'on aille sauter à la tête d'un chevalier de sa valeur. Faites écarter vos barons afin qu'il puisse au moins s'approcher de la relique et prononcer son serment de justification.

— Je n'y prenais pas garde », répond Brichemer. « Je vais faire dégager la place, pour qu'il puisse s'avancer sans être gêné. »

Il fait alors descendre et reculer ses hommes davantage. Mais Renart, à qui il tarde d'être ailleurs, a déjà pris la tangente. Au moment où il aurait dû se diriger vers la relique, il a tourné les talons d'un autre côté et s'est échappé, le maudit fourbe. Il s'enfuit, tête levée, par un vieux chemin creux. Ses ennemis crient après lui et les chiens qui

Aprés i est corus Bolez,
Porchaz et Poignant et Malez,
Et le chien Rainbaut le bocher :
Se cil puet Renart aprocher
Que il le puisse as denz aerdre,
Toz soit soürs de la pel perdre.
Aprés i sont poignant venu
Hopitax et Trotemenu,
Et Folejus et Passemer
1230 Qui vint devers Pont Audemer.
Tuit icil furent conpaignon.
Bien s'aroterent li gaignon :
N'i a un sol qui ne s'en isse,
Et aprés els ne remeint lisse
Qui ne crit et ne face noise.
Si i acort Baude et Foloise,
Coqillie, Briart et Sebille,
Et la lisse desoz la vile.
Aprés i cort Fauve et Bloete,
1240 Cloete, Brechine, Morete,
Et Malignouse et Malparliere,
Qui fu Robert de la Marlere
Et Genterose et Primevoire,
La lisse qui fu au provoire,
Pinçonete qui si se peine
De Renart tenir en demeine.
Renart ne lesse retorner,
Qui meint tor li a fet torner
Ainz que poüst au crues venir :
1250 Molt se peine del retenir.
Ysengrin va les chiens huiant :
Et se Renars s'en va fuiant,
Ja n'i doit l'en nul mal noter,
Que besoing fet vielle troter.
A l'oralle du bois menu

étaient en embuscade se lancent à sa poursuite en bondissant. Il y a là, galopant en tête,
en position de combat, Roonel le chien de
maître Frobert, et Espillart le chien de
Robert, le riche paysan de la ferme bien
clôturée. Ce sont ceux qui l'ont pris en chasse
les premiers. Ensuite viennent à toute allure
Harpin, Morant et Bruié, Épinard, Heurte-
vilain et Rechigné le chien de Gille, la femme
d'Érard le drapier. A leur suite, s'élancent
Élégant, Gorgaut et Tirant, Fouillé, Louve-
teau et Émir ainsi que Clermont et Olivier, et
1200 Derivier le chien de Macaire [24]. Puis viennent
au galop Cornebrias et Herbeux, Férin et
Frias, Brisebois, Fricant et Lastucieux, Léopard, Tison et Écouillé. Courtain court derrière Rigaut avec Passe-levé, Gringalet,
Lohier, Passeoutre, Fillart, Labruti et Vaculart le chien du seigneur Tibert du Frêne.
C'est lui qui se démène le plus, qui est le plus
rapide et met le plus d'ardeur à la poursuite.
Ensuite se sont mis en piste Pilé, Chapé,
Rechigné, Pasteur, Estour et Engigné, Écor-
chelande le barbet et Violet le crotté, Oiselet
et Grésillon, Esclareau et Esmerillon, Chenu,
1220 Morgan et Verger, Passe-avant, Outrelévrier.
Puis on trouve encore Bolet, Plaisir, Piquant,
Malé et le chien de Raimbaut le boucher. Si

Li en sont qatre avant venu,
Trenchant, Bruamont et Faïz :
Renars qui molt estoit haïz
Ot ici grant peor de mort,
1260 N'avoit en soi nul reconfort.
Toz jors est bien Renart choü,
Mes or li est si mesçoü :
Ne li ourent mestier ses bordes,
Que n'en volassent les palordes.
Tant ont li chien Renart pelé
Et desachié et detiré,
Que en bien plus de treize leus
Li est aparissanz li jeus.
A la parfin l'ont tant mené,
1270 Tant travellié et tant pené :
Tant l'ont folé et debatu,
Qu'en Malpertuis l'ont enbatu.

celui-là s'approche assez de Renart pour le saisir entre ses dents, l'autre peut être assuré d'y laisser sa peau. Derrière arrivent en éperonnant Hopital et Trotte-menu, Foulejus et Passemer qui vient de Pont-Audemer. A eux tous, ils forment une troupe solide qui s'avance en bon ordre et ne compte aucun traînard. Derrière eux se précipitent les chiennes qui aboient en chœur à qui mieux mieux : ce sont Hardie et Falaise, Coquille, Briarde, Sibille et la chienne d'en bas du
¹²⁴⁰ village. Puis Fauve et Bleuette, Clouette, Bréchine, Brunette, Maligne, Malparlière qui appartient à Robert de La Marlère, Bellerose et Primevère, et la chienne du curé, Pinsonnette, qui voudrait bien tenir Renart en son pouvoir. Il doit multiplier les détours pour parvenir à lui échapper et à regagner son terrier : elle fait vraiment tout ce qu'elle peut pour l'en empêcher.

Ysengrin, de son côté, excite les chiens et si Renart réussit malgré tout à fuir, il ne faut en blâmer aucun : mais le besoin fait courir la vieille. Quatre d'entre eux parviennent à la lisière du petit bois, dont Tranchant, Bruamont et Faïz. Et là Renart, qui ne peut compter sur aucune aide, croit bien sa dernière heure arrivée. Il est à bout de forces et la

[1260] chance, qui jusque-là l'avait favorisé, cette fois l'abandonne. Avec toute sa ruse, il ne peut empêcher ses poils de s'envoler en touffes. Les chiens mordent sa fourrure à belles dents, la déchirent et la déchiquètent en trente-six endroits. Ils s'en donnent à cœur joie. Finalement, à force de le faire courir, de le malmener et de le houspiller, le piétinant et l'accablant de coups, ils le repoussent jusqu'à Maupertuis.

Misire Noble l'enperere
Vint au castel ou Renart ere :
Et vit molt fort le plasseïs,
Les murs, les tors, les rolleïs,
Les fortereces, les donjons :
Si haut n'i tressist uns bozons.
Vit les trenchees et les murs
Fors et espés et hauz et durs.
Vit les quernaux desus la mote
1630 Par la ou en entre en la crote.
Garde, si vit levé le pont
Et la chaene contremont.
Li chastax sist sor une roche.
Li rois tant con il puet l'aproce,
Devant la porte a pié descent
Et li barnages ensement.
Au chastel vienent environ.
Chascun i tent son pavellon
Et herbergent de totes parz.
1640 Or puet avoir peor Renarz.
Mes par asaut n'iert ja conquis.
Ne par force ne sera pris.
Se traïs n'est ou afamez,
Ja ne sera par host grevez.
Renart fu bien en sa vigor.
Montés s'en est en son la tor :
Si vit Hersent et Ysengrin
Qui sont logié desos un pin.
A haute vois lor escria :

302

LE SIÈGE DE MAUPERTUIS (Ia)

[Renart vient d'échapper à la justice royale et s'est réfugié dans sa forteresse où le roi le poursuit.]

Monseigneur Noble l'empereur, aussitôt arrivé devant le château de Renart, constate la solidité des enceintes; il parcourt du regard les murailles, les tours, les fortifications, les bastions, les donjons que leur hauteur met hors de portée des traits d'arbalètes. Il voit aussi les créneaux qui couronnent l'éminence du côté où l'on entre dans le repaire et remarque que le pont est maintenu relevé par les chaînes. La forteresse est construite sur un rocher. Le roi s'en approche le plus possible et met pied à terre avec tous ses barons devant la porte. A eux tous, ils l'encerclent en dressant leurs tentes pour camper alentour.

1640 Il y a bien là de quoi inquiéter Renart. Pourtant, impossible de pénétrer dans le château par la force des armes ou de le prendre d'assaut. Seule, la trahison ou la

303

¹⁶⁵⁰ — « Sire conpaing, antendés ça!
Que vos senble de mon castel?
Veïstes vos onques si bel?
Dame Hersent, conment qu'il prenge,
Ge vos ai folé la vendenge :
Et moi ne caut, s'iriés en est
Li cox, li jalox qui vos pest.
Et vos, sire Tyberz li chaz,
Ge vos fis cheoir en mes laz.
Ainz qu'ississiez de la prison,
¹⁶⁶⁰ Eüstes vos tel livroison;
Tex cent cous quit que vos oüstes
Que vin ne eve n'i boüstes.
Et vos, misire Brun li ors,
Ge vos fis ja prendre tel cors,
Quant voussistes le miel manger,
Bien vos i quidai damacher :
Vos i laissastes les oreilles
Si que tuit virent les merveilles.
Et vos, misire Chantecler,
¹⁶⁷⁰ Je vos fis ja si haut chanter,
Que par cele gorge vos ting.
Vos m'eschapastes par engin.
Et vos, danz Brichemers li cers,
Je vos ting ja dedenz les ners.
Par mon engin et par mon los
Perdistes de la pel del dos
Trois coroies que chen vos firent;
Molt a ci de cels qui le virent.
Et vos, sire Pelés li ras,
¹⁶⁸⁰ Ge vos fis ja çaoir es laz,
Qui bien vos estreindrent la gorge,
Quant vos alastes mengier l'orge.
Et vos, misire Tiecelin,
A vos di ge, par seint Martin,

faim permettrait de le réduire. Renart, qui est au mieux de sa vigueur, monte au sommet de la tour d'où il voit Ysengrin et Hersent installés sous un pin :

— « Seigneur, mon compère », crie-t-il à pleins poumons, « dites donc! Que pensez-vous de mon château? En avez-vous jamais vu d'aussi beau? Et vous, dame Hersent, quoi qu'il arrive maintenant, je vous aurais bien fouillé la moule! Et si le cocu qui vous entretient est en colère, que voulez-vous que ça me fasse! Et vous, seigneur Tibert le chat, vous êtes tombé dans un piège de ma façon et, avant de vous en sortir, vous avez eu votre compte! C'est une bonne centaine de coups que vous avez reçus avant d'avoir le temps de dire ouf! Et vous, Monseigneur Brun l'ours, je vous ai fait changer d'allure quand vous vouliez manger le miel (et le hasard n'y a été pour rien). Vous y avez laissé vos oreilles, à la surprise générale. Et vous, monseigneur Chantecler, je vous ai bien fait chanter quand je vous tenais à la gorge et, sans ruse de votre part, vous ne m'échappiez pas! Et vous, maître Brichemer le cerf, je vous ai attrapé par les tendons; à coup d'astuces et de bonnes

Je vos fis ja mon ju poïr,
Se bien ne soüssiez foïr,
Vos i laississiez vostre gaje.
Quant je vos toli le formaje
Que je mangai a molt grant joie
1690 Por ce que mester en avoie.
Et vos, Rossaus li escuireus,
Ge vos fis ja de molt granz dels,
Quant je vos dis qu'estoit juree
La pés et bien aseürée.
Del cesne vos fis je descendre,
Ice vos quidai ge cher vendre.
Par la coue vos ting as denz,
Molt fustes tristres et dolenz.
Qu'iroie je fesant lonc conte?
1700 N'i a celui n'aie fet honte.
Encor en quit je fere asez
Ainz que cist mois soit trespassés.
Qar j'ai l'anel en ma sesine
Que me dona ier la roïne.
Bien sachez tuit, se Renart vit,
Tel le conperra qui nel vit. »
— « Renart, Renart » dit li lions,
« Molt par est fors vostre mesons ·
Mes n'est si fors ne l'aie asisse,
1710 N'en tornerai, si sera prise.
Et d'une rien vos assoür,
Qu'a mon vivant le sege jur.
Ne por pluie, ne por orage,
N'en tornerai en mon aage :
Anchois iert li castax rendus
Et vos par la gule penduz. »
— « Sire, sire » ce dit Renart,
« Einsi esmaie l'en coart :
Qar j'ai çaiens asés vitaille,

paroles, je vous ai fait perdre la peau de votre dos; il y avait largement de quoi faire trois courroies avec ce que les chiens vous en ont arraché. Beaucoup de ceux qui sont ici l'ont vu de leurs yeux. Et vous, seigneur Pelé le rat, vous n'avez pas manqué de tomber dans ce piège qui vous a étranglé quand vous étiez allé manger de l'orge. Quant à vous, Monseigneur Tiécelin, rappelez-vous, par saint Martin : vous étiez à deux doigts de regretter de m'avoir servi de partenaire; si vous n'aviez pu fuir à temps, vous y perdiez votre gage, le jour où je vous ai pris votre fromage que j'ai mangé de bon cœur tant il me faisait envie. Rousseau l'écureuil, je vous ai fait du mal, le jour où je vous ai déclaré que la paix avait été solennellement jurée; j'ai réussi à vous faire descendre de votre chêne et j'escomptais bien tirer un bon prix de vous; vous n'en meniez pas large quand je tenais votre queue entre mes dents! A quoi bon poursuivre? Il n'y en a pas un parmi vous que je n'aie ridiculisé. Et j'espère bien continuer à en faire autant avant la fin du mois. Car je détiens toujours l'anneau que la reine m'a donné hier. Et je vous en avertis, si Renart est toujours de ce

1720 Ne quit devant set ans me faille.
Et anchois que il soit rendus,
Vos sera il molt chers vendus.
J'ai asés capons et jelines,
Et asés bestes armelines.
Si ai assez oés et formaches :
Grosses brebiz et grosses vaches.
En cest castel est la fontene
Qui asés est et clere et seine.
Et d'une rien me puis vanter,
1730 Ne puet tant plovoir ne venter,
Se l'eve chaoit del ciel tote,
Que ja chaens n'en caroit gote.
Cist chastax est si bien assis,
Ja par force ne sera pris.
Or vos seés, je m'en irai,
Travelliez sui, si mangerai
Avec ma feme la cortoise.
Se jeünez, pas ne m'en poise. »
A icest mot jus s'en avale,
1740 Par un guicet entre en la sale.
La nuit se dorment cil de l'ost,
Et lendemein se levent tost.
Ses barons fait li rois venir.
— « Or tost » fait il, « del asaillir
Nos estovroit aparellier,
Qar cest laron veoil desrochier. »
A icest mot s'eslessent tuit,
Au castel vienent de grant bruit.
Li asaus fu molt mervelleus,
1750 Onc ne vit nus si perilleus :
Dés le matin dusqu'a la nuit
Ne finerent d'asaillir tuit.
La nuit les a fait departir,
Vont s'ent, si laissent l'asaillir.

monde, ceux qui ne l'ont pas vu le paieront cher [25].

— Renart, Renart », dit le roi, « votre demeure a beau être solidement fortifiée, cela ne m'empêchera pas d'y mettre le siège et je n'en partirai pas avant de l'avoir prise! Tenez-le-vous pour dit. Je fais le serment de ne pas lever le siège, ma vie durant s'il le faut; qu'il pleuve ou qu'il tonne, je ne partirai pas avant d'avoir vu la reddition de votre château et vous pendu par le cou.

— Seigneur, seigneur », répond Renart, voilà qui effraierait un lâche! Mais j'ai ici assez de vivres pour tenir sept ans et avant que je ne me rende, vous l'aurez payé cher. J'ai quantité de chapons, de poules, de bétail, d'œufs, de fromage, de brebis et de vaches bien grasses. En outre, il y a une source claire et pure à l'intérieur de l'enceinte. Et je peux me flatter d'une chose : même s'il ventait et pleuvait comme au temps du déluge, il ne tomberait pas une goutte d'eau chez moi. Bref, ce château est si solidement bâti que vous ne l'enlèverez pas par la force des armes. Installez-vous; moi je rentre, j'en ai assez et je vais manger avec ma chère épouse. Quant à

Et lendemein aprés mangier
Reconmencerent le mestier.
Onc nel pourent de tant grever
Que piere en poïssent oster.
Bien i fu demi an li rois,
1760 Renart n'i pert vaillant un pois.
Onques n'i furent un sol jor
Que n'asaillissent a la tor,
Mes ne la porent enpirier
Dunt el vausist meins un denier
Un soir furent molt travellié
Et d'asaillir molt anué,
Chascuns se jut soürement
En sa loge molt longement.
Et la roïne fu iree
1770 Et vers lo roi molt corecee,
Si va cocher a une part :
Atant es vos venir Renart
De son castel molt coiement,
Vit les dormir soürement,
Chascun gisoit dessoz un cesne,
Ou fou, ou tremble, ou charme, ou fresne.
Renart a bien chascun loié
Ou par la coue ou par le pié.
Molt par a fait grant diablie,
1780 A chacun arbre le suen lie,
Nés lo roi lia par la coue,
Grant merveille est se il desnoue.
Puis si s'en vint par la roïne
La ou ele gisoit sovine :
Entre les janbes li entra.
Cele de lui ne se garda,
Bien cuida que ce fust li ber,
Q'a lui se voussist acorder.
Or poez oïr grant merveille,

vous, si vous n'avez rien à vous mettre sous la dent, ce n'est pas mon affaire. »

¹⁷⁴⁰ Sur ce, il descend et rentre dans la grande salle par une porte étroite. De leur côté, après une nuit de sommeil, les soldats de l'armée impériale se lèvent de bon matin et le roi convoque ses barons : « Vite, il nous faut préparer l'attaque car je veux déloger ce bandit! » Tous s'élancent alors à grand fracas vers le château et lui donnent un assaut furieux qui dure jusqu'au soir sans répit. C'est la nuit qui les fait se replier et abandonner l'attaque pour reprendre les opérations le lendemain après manger. Et pourtant ils ne parvinrent même pas, pour tout dommage, à en desceller une pierre. Le roi eut beau y passer six bons mois, Renart n'y subit ¹⁷⁶⁰ pas la moindre perte. Tous les jours sans exception, les troupes impériales partaient à l'assaut, et pas moyen de lui causer le moindre dommage! Pas le plus petit dégât! Un soir, épuisés et découragés de ces attaques, tous s'étaient couchés en sécurité dans leurs abris pour une longe nuit. Et la reine, qui boudait le roi, était allée se coucher à l'écart, afin de manifester sa colère. C'est

¹⁷⁹⁰ Il li fist et ele s'esveille.
Quant vit que Renart l'a traïe
Si s'escria tote esbahie,
Et ja estoit l'aube crevee,
Li jorz granz et la matinee.
Por le cri sont tuit estormi
Cil qui estoient endormi :
De Renart le rox s'esbahirent
Qant avec la dame le virent,
Et por ice qu'il li fesoit
¹⁸⁰⁰ Tel jou qui pas ne lor plesoit.
Tuit escrient : « levez, levez,
Et cel privé laron pernez! »
Mis sire Nobles en piez saut,
Et sache et tire : ne li vaut.
Par pou la coue n'a ronpue,
Grant demi pié l'a estendue.
Et li autre sachent et tirent,
Par pou li cul ne lor descirent.
Mes dan Tardif li limaçon,
¹⁸¹⁰ Qui solt porter le gonfanon,
Oblia Renart a loier.
Cil cort les autres desloier,
Tret l'espee, si les desnoe,
A chascun coupe ou pié ou coue :
Del desloier s'est si hastez
Qu'asés i ot des escoez.
Ainz que tuit soient desnoé
Sont li plusor tuit escoué.
Envers lo roi s'en vienent tuit
¹⁸²⁰ Si cum il pueent de grant bruit.
Et quant Renart les vit venir,
Si s'aparelle de foïr.
En ce qu'il entre en sa tesniere
Le saisist Tardis par derrere,

alors que Renart sort en catimini de son château et les voit tous profondément endormis sous les arbres, qui sous un chêne, qui sous un hêtre, un tremble, un charme ou un frêne. Un par un, il les attache solidement par ¹⁷⁸⁰ la patte ou par la queue. Diable de Renart! Lier ainsi chacun à son arbre! Même le roi est attaché par la queue! Il faudrait un miracle pour qu'il puisse défaire le nœud. Puis le goupil se glisse du côté de la reine qui dormait allongée sur le dos et s'enfonce entre ses cuisses. Persuadée que c'était son mari qui voulait se réconcilier avec elle, elle ne pensa pas qu'il pouvait s'agir de Renart. Tenez-vous bien : ce n'est qu'une fois qu'il lui a fait la chose qu'elle s'éveille. Se rendant compte que le goupil a abusé d'elle, elle se met à pousser les hauts cris. L'aube était levée depuis un moment et il faisait grand jour. Les hurlements de la reine réveillent brutalement tous les chevaliers endormis et ils n'en croient pas leurs yeux de voir Renart le rouquin jouer ¹⁸⁰⁰ avec leur dame ce méchant jeu qui leur déplaisait fort : « Debout, debout! » s'écrient-ils tous. « Saisissez-vous de ce fieffé bandit! » Monseigneur Noble saute sur ses pieds, tire

Par un des piez ariers le tire,
Molt se contint bien conme sire.
Atant i vint li Rois pognant
Et tuit li autre esporonant,
Et dan Tardis qui Renart tient,
1830 Lo roi le rent qui devant vient.
De totes pars le prenant tuit,
Tote l'ost en fremist et bruit.
Estez vos que Renart fu pris,
Molt en sont lié cil du païs.
As forces le meinent por pendre,
Li rois n'en volt raençon prendre.
— « Sire » dist Ysengrin au roi,
« Por amor Deu bailliez le moi :
Et j'en prendrai si grant venchance
1840 Qu'en le saura par tote France. »
Li rois n'en velt fere neent,
De ce sont tuit lié et joiant.
Les elz a fait Renart bender,
Li rois li prist a demander :
— « Renarz, Renarz » dist li leons,
« Ci voi de tex escorpions
Qui vos vendront encui l'outrage
Que fait avez en vostre aage,
Et le deduit de la roïne
1850 Que teniez iui sovine :
De moi honir vos vit tot prest.
Mais je sai bien conment il est.
Or parleron d'autre Bernart :
Si vos metron el col la hart. »
Danz Ysengrin en piez se drece,
S'aert Renart par la chevece,
Del poing li done tel bufet,
Del cul li fait salir un pet.
Et Brun l'aert par le chaon,

314

et retire, — peine perdue! Il manque même d'y laisser la queue après lui avoir fait prendre un bon demi-pied. Quant aux autres, à force de tirer, c'est tout juste s'ils ne se déchirent pas le cul. Mais Renart avait oublié d'attacher Tardif le limaçon, le porte-enseigne du roi, qui court délivrer les autres; il tire son épée dans l'intention de trancher les nœuds, mais dans sa hâte, il coupe patte ou queue aux uns et aux autres, faisant parmi eux bon nombre d'éclopés et d'équeutés; tel est le prix que la plupart doivent payer pour retrouver leur liberté. Tant bien que mal, tous se regroupent à grand bruit autour du roi. Renart, les voyant approcher, cherche son salut dans la fuite. Mais au moment où il va pénétrer dans sa tanière, voici que Tardif l'attrape par-derrière et le tire par une patte : action digne d'un vrai baron! Noble se précipite, suivi de tous ses chevaliers qui éperonnent leur monture. Tardif qui tenait toujours Renart, le remet au roi et on se saisit de lui au milieu des vociférations de l'armée tout entière. Ainsi donc, le voilà prisonnier, au grand soulagement de tous les habitants de la contrée qui le conduisent au gibet afin de l'y

1860 Les denz i mist dusqu'au braon :
Et Roenax parmi la gorge
Trois tors li fet fere en un orge.
Tiberz li chaz gite les denz
Et les ongles qu'il ot ponnanz,
Sesist Renart au peliçon.
Bien li valut une friçon.
Tardis qui porte la banere,
Li a doné une cropere.
Tant veïssez bestes venir,
1870 Li tierz n'i puet pas avenir.
Tant en i vient parmi la rue,
Qui n'i puet avenir s'i rue.
Dan Renarz qui le secle engigne,
Fiert meinte beste et hocepigne
Ne set sos ciel que fere doie.
Molt crient que morir ne se voie :
Renart n'i avoit nul ami,
Tuit li estoient enemi.
Bien savés tuit certeinement
1880 Ceste parole apertement,
Que puis que hon est entrepris
Et par force loiez et pris,
Bien puet l'en veoir au besoing
Qui l'eime et qui de lui a soing.
Por dan Renart que l'en devoure
Ploure Grinbert et prie et oure :
Ses parens ert et ses amis
Loié le voit et entrepris :
Ne set conment il le reqoe,
1890 Que la force n'est mie soe.
Pelez li raz s'est avanciez,
Encontre Renart s'est lanciez :
Entre lor piez chet en la fole.
Renart l'aert parmi la gole,

pendre, car le roi a refusé de le libérer contre rançon :

— « Seigneur », dit Ysengrin au roi, « pour l'amour de Dieu, confiez-le moi, j'en tirerai 1840 une vengeance si éclatante qu'on en parlera dans toute la France. »

Mais Noble refuse, ce qui lui vaut une approbation chaleureuse et unanime. Ayant fait bander les yeux du coupable :

— « Renart, Renart », dit-il, « il y a des bourreaux qui vont maintenant vous faire payer tous les crimes que vous avez commis dans votre vie, à commencer par le plaisir que vous avez pris avec la reine quand, tout à l'heure, vous l'avez jetée à la renverse sur le dos. Vous avez bien failli me déshonorer. Mais je sais ce qu'il en est. Trêve de discours! nous allons vous passer la corde au cou. »

Ysengrin se lève, agrippe Renart par l'encolure et lui donne un coup de poing qui le fait péter. Brun l'attrape par la nuque et lui 1860 enfonce les crocs dans le gras de la cuisse. Roonel qui l'a pris à la gorge lui fait faire trois tours sur lui-même [26]. Tibert le chat qui l'a saisi par la fourrure, y va à coups de dents et de griffes qu'ils a bien affilées : un frisson

Entre ses braz forment l'estreint
Morir l'estot, si le destreint.
Onques nus d'ous ne s'en garda,
Ne nel vit, ne nel regarda.
Madame Fiere l'orgilleuse
1900 Qui molt est prous et mervelleuse,
S'en est fors de la cambre issue.
De dol fermist tote et tressue,
Que por Renart, que por l'anui
Que l'en li a fait si grant hui.
Del don del anel se repent,
Qu'ele set bien certeinement,
Qu'ele en aura contrere asés,
Quant cist aferes ert passés.
Mes n'en velt fere nul senblant.
1910 Son petit pas s'en va amblant,
Devant Grinbert s'est arestee,
A lui parla conme senee.
   — « Sire Grinbert » dist la roïne,
« Mar vit Renart son fol convine
Et sa folie et son otrage :
Hui en reçoit molt grant damage.
Si vos aport ici un bref,
Nus n'a poür de mort si gref,
S'il l'avoit par bone creance,
1920 Que ja de mort oüst dotance.
Se dan Renart l'avoit sor lui
Ne doteroit la mort mes hui,
Ne por droiture ne por tort
N'auroit mes hui poor de mort.
Dites de par moi le reçoive
Baset que nus s'en aperçoive,
Que grant pitiez me prent de lui.
Gardés nel dites a nului.
Ge nel di pas por lecerie,

318

d'horreur en parcourt Renart. Enfin, Tardif le porte-étendart lui donne un coup sur la croupe. Les bêtes sont si nombreuses à se précipiter et à se bousculer autour de lui que pas même un tiers d'entre elles ne parviennent à l'approcher. Maître Renart, qui avait l'habitude de se moquer du monde, se débat au milieu de tous ses assaillants. Mais il ne sait plus où donner de la tête et ne voit pas comment il pourrait s'en tirer. Il n'a plus d'amis, tous le haïssent. Et vous savez ce 1880 qu'on dit : c'est quand on est dans le malheur et prisonnier qu'on peut faire le compte de ses amis et de ses partisans. Grimbert le blaireau prie en pleurant pour Renart son parent et ami, que l'on est en train de dépecer vivant. Il le voit enchaîné et mis à mal, mais ne sait comment l'aider car la force n'est pas de son côté. Pelé le rat s'approche et se lance contre Renart mais il tombe par terre au milieu de la foule; le goupil l'attrape par la nuque et ne desserre son étreinte qu'après l'avoir étranglé. L'heure de la mort est venue pour lui et personne, absolument personne autour de lui, 1900 s'en est rendu compte. C'est le moment où Dame Fière, l'orgueilleuse, l'altière, sort de

319

1930 Se Dex me doinst bone escherie!
Por ce qu'il est bien afaitiez
Me poise qu'il est deshaitiez. »
Grinbert respont : « douce honoree,
Franche roïne coronee,
Cil qui haut siet et de loing mire,
Et de toz biens est rois et sire,
Qui t'a mis en si grant honor,
Icil te gart de deshonor!
Car s'il en puet estordre viz
1940 Encor sera molt vostre amis. »
A icest mot le bref li tent,
Et Grinbert volentiers le prent,
Et la roïne li conseille
Molt priveement en l'oreille
Que quant Renart ert escapez
De ce dont il est entrapez,
Que il ne lest en nule guise,
Por l'amor que il a premise,
Que il a li parler ne voise
1950 Priveement et sanz grant noise.
A icest mot se departirent :
Si enemi Renart mar virent.
La hart li ont ja el col mise,
Ja fust molt prés de son joïse,
Quant Grinbert ses cosins i vient
Et voit Renart qu'Ysengrins tient.
Trere le velt as forces sus,
Li autre se sont tret en sus.
Dant Grinbert parla hautement
1960 Et oiant toz comunaument :
— « Renart, sanz nule autre devise,
Hui estes venus a joïse,
Par ci vos en convient passer.
Si vos doüssiez confesser

sa chambre : elle frémit et tremble de douleur à cause du grand malheur qui vient d'arriver à Renart. D'un autre côté, elle regrette de lui avoir donné son anneau car elle est bien certaine d'en avoir des ennuis quand l'affaire sera terminée. Cependant elle ne fait semblant de rien et s'avance à petits pas distingués jusqu'à Grimbert :

— « Seigneur Grimbert », dit-elle en jouant la femme avisée, « hélas! Renart voit maintenant les conséquences de son inconduite, de sa folie, de son insolence. En voilà aujourd'hui la punition. Mais je vous apporte de ce pas une lettre : toute personne en ¹⁹²⁰ danger de mort qui la garde avec confiance n'a plus rien à craindre. Si le seigneur Renart l'avait sur lui, il n'aurait plus de raison d'avoir peur, qu'il ait ou non le droit pour lui. Dites-lui, à voix basse, pour qu'on ne l'entende pas, de l'accepter de ma part, car j'ai vraiment pitié de lui. Mais surtout, n'en dites rien à personne d'autre. Ce n'est pas le vice qui me pousse à agir ainsi! Dieu m'entende! Mais, comme il est rempli de qualités, je souffre de le voir dans le malheur.

— Très chère et vénérée dame, noble reine

Et fere lez a vos enfanz
Dont vos avez trois bauz et janz. »
— « Vos dites bien » ce dist Renart.
« Bien est que il aient lor part.
Mon castel laiz mon filz l'ainz né
1970 Qui ja n'iert pris par ome né :
Mes tors, mes autres forteresces
Lerai ma feme as cortes tresces :
A mon filz l'autre Percehaie
Lerai l'essart Tibert Fressaie
Ou il a tant soriz et raz,
Il n'en a tant jusq'a Aras;
Et a mon petit filz Rovel
Lairai l'essart Tibaut Forel
Et le cortil detrers la grance
1980 Ou a meinte jeline blance.
Ne lor sai plus que departir,
De ce se poront bien garir.
Einsi lor devis ci lor lais
Que ici devant toz lor lais. »
— « Prés est » dist Grinbert, « vostre fins.
Et ge sui prés vostre cosins :
De vostre avoir aucune rien
Me relaissiez, si ferez bien
Et si ferés molt grant savoir. »
1990 Renart respont : « vos dites voir;
Et se ma feme se marie,
Foi que devez seinte Marie,
Tolés li quanque je li lés
Et si tenés ma terre en pés.
Qar molt m'aura tost oblié
Puis que me saura devié.
Ainz que Tibaut soit crestïens
En aura un en ses lïens.
Qar qant li om est en la biere,

322

couronnée, » répond Grimbert, « que Dieu
qui, du haut des Cieux voit le monde, lui qui
est Seigneur et Maître de l'univers et vous a
placée à ce haut degré d'honneur, vous
épargne la honte! Car si Renart s'en sort
1940 vivant, il demeurera un de vos meilleurs
amis. »

Il s'empresse alors de prendre la lettre que
la reine lui tend. Elle lui glisse très discrètement à l'oreille de dire à Renart que, dès qu'il
se sera tiré de ce mauvais pas, il n'ait de cesse
d'aller lui parler en secret, sans se faire
remarquer. Qu'il le fasse pour l'amour qu'il
lui a promis!

L'attente des ennemis de Renart va être
bien déçue. On lui a déjà passé la corde au
cou, et il est tout près d'avoir à se présenter
devant Dieu, quand arrive Grimbert son
cousin qui le voit aux mains d'Ysengrin. Le
loup veut le pendre à la potence, tandis que
les autres se sont écartés en arrière. Le
1960 blaireau s'adresse à lui de façon à être
entendu de tous :

— « Renart, on peut bien dire que vous
êtes sur le point de comparaître devant Dieu.
Il faut vous résigner. Vous devriez vous

²⁰⁰⁰ Sa feme esgarde par deriere,
S'ele veit home a son plaisir,
Ne puet pas son voloir tessir,
Con plus recoie et va tremblant,
Qu'il ne li face aucun senblant.
Tot autretel fera la moie,
Jusqu'au tiers jor raura sa joie.
Se mon sennor le roi plesoit
Et une chose me fesoit
Qu'il voussist que je fusse moines,
²⁰¹⁰ Reclus hermites o canoines,
Et me laissast vestir la haire,
Certes ce li devroit molt plaire.
Cest mortel seicle et ceste vie
Lairoie, plus n'en ai envie. »
Dist Ysengrin : « cuiverz traïtres,
Et que est or ce que vos dites?
Tante guenche nos avés faite,
Quel treslue nos avez traite!
En vos auroit bele persone,
²⁰²⁰ S'avieez vestue la gone.
Ja Dex ne doinst le roi onor,
S'il ne vos pent a desonor,
Et s'il ne vos en aseüre :
Qar la harz est vostre droiture.
Qui de mort vos respiteroit,
Jamés mis cuers ne l'ameroit,
Cil qui laron a pendre areste,
Toz jors het mes lui et son estre. »
Ce dit Renart : « sire Ysengrin,
²⁰³⁰ Or seront vostre li cemin.
Encor est Dex la ou il selt,
Que tex ne peche qui s'en delt. »
Ce dist li rois : « pensés del pendre :
Car ne puis mie tant atendre. »

confesser et faire un testament en faveur de vos trois beaux et aimables enfants.

— Vous avez raison », lui fit Renart. « Il faut que chacun ait sa part. Je laisse à l'aîné mon château qui est imprenable. Mes autres donjons et places-fortes, je les donne à ma femme aux courtes tresses. A mon second fils, Percehaie, je laisse les friches de Tibert Fressaie où il y a tellement de rats et de souris qu'on n'en trouverait pas autant jusqu'à Arras [27]; et à Rovel, mon petit dernier, les friches de Thibaut Forel, ainsi que son jardin auprès de la grange qui est rempli de poules 1980 blanches. Je n'ai rien d'autre à leur léguer. Mais avec cela, ils auront bien de quoi vivre. Tel est mon testament établi ici devant tous.

— Votre fin est proche », reprend Grimbert; « et à moi qui suis votre cousin germain, ne laisserez-vous pas aussi quelque chose? Vous feriez là assurément une bonne action.

— Vous dites vrai. Eh bien, si ma femme se remarie, au nom de la Vierge, reprenez lui tout ce que je lui ai légué et gardez mon fief en paix. Elle m'aura vite oublié dès qu'elle me

Ja fust pendus qui que s'en pleigne,
Quant Renarz garde aval la plagne,
Si vit une grant chevaucie
Ou meinte dame avoit irie :
Et si ert la feme Renart
2040 Qui vint pognant tot un essart.
Molt par venoit hastivement
Mervellos dol va demenant.
Si troi fil pas ne s'atardoient,
Avec le grant dol qu'il faisoient :
Lor chevoz ronpent et detirent,
Et tote lor robe descirent;
Tel noisse font et tel criee
Qu'en les oïst d'une liuee.
Ne venoient pas belement,
2050 Ainz chevaucent isnelement :
Un somier tot cargié d'avoir
Ameinent por Renart avoir.
Ançois qu'il ait où confesse,
Ont cil deronpue la presse,
Qui vienent par si grant desroi,
Que choü sont as piez lo roi.
La dame s'est tant avancie
Que avant toz s'estoit lancie :
— « Sire, merci de mon segnor
2060 Por Deu le pere creator!
Ge te donrai tot cest avoir
Se de lui vels merci avoir. »
Rois Nobles choisi le tresor
Devant lui et d'argent et d'or.
Del avoir fu molt covoitoz
Et dist : « Dame, foi que doi vos,
Renart n'a pas vers moi bon plet :
Q'a mes omes a trop mesfet
Que nus ne vos poroit retrere.

saura mort et n'attendra pas la conversion de Thibaut [28] pour prendre un autre homme dans ses filets. Un mari n'est pas plutôt dans le cercueil que sa femme cherche déjà der rière elle si elle ne voit pas un homme à son goût; elle ne peut dissimuler ce qu'elle a en tête alors même qu'elle s'efforce de se tenir tranquille, craignant qu'il ne lui fasse semblant de rien. La mienne fera de même et elle aura retrouvé sa gaieté avant trois jours. Mais si tel était le plaisir de monseigneur le roi, s'il voulait bien l'accepter, je me ferais moine, ermite ou chanoine — voilà certes qui devrait le satisfaire — et je renoncerais à la vie que j'ai menée dans ce monde périssable et dont je suis maintenant détaché.

— Maudit traître », dit Ysengrin, qu'est-ce que vous racontez? Vous nous avez tant trompé, vous nous avez tant menti, vous auriez bonne mine avec le froc! Que Dieu voue le roi au déshonneur s'il ne vous pend pas pour votre plus grande honte sans vous laisser d'échappatoire, car la corde est tout ce que vous méritez. Quiconque vous obtiendrait un sursis, je le haïrais à jamais. Arracher un

2070 Por ce en doit on vengance fere.
Quant de son mesfet ne s'amende,
Bien a deservi qu'en le pende.
Ce me dient tuit mi baron
Q'as forces pende le laron,
Et por voir se je ne lor ment,
Par tens ert livrés a torment. »
— « Sire, por Deu en cui tu croiz,
Pardone li a ceste foiz. »
Li rois respont : « en Deu amor
2080 Por vos li pardong a cest tor,
Et si vos ert par tel rendus
Q'au premer mesfait ert pendus. »
— « Sire » fet ele, « et je l'otroi,
Ja ne sera recuis par moi. »
Atant le firent desbender.
Li Rois l'a fait atant mander
Et il i vient toz eslessiez,
Les menuz sauz joianz et liez.
— « Renart » fait il, « gardés vos més!
2090 De ci avez vos ore pés :
Més quant vos me forferés primes,
Vos revendrés a ce meïmes. »
— « Sire » fait-il. « Dex m'en desfende
Que je ne face qu'en me pende. »
Grant joie fet a sa mesnie
Que devant lui voit ameisnie :
Celui bese et cestui enbrace,
Car ne voit chose, tant li place.
Quant Ysengrin le vit delivre,
2100 Lors voussist mels morir que vivre.
Grant poor ont trestuit de lui
Qu'il ne lor face encore ennui :
Si fera il, se Dex li done
Que il voie ou vespres ou none.

bandit au gibet, c'est charité bien mal ordon-
née.

— Seigneur Ysengrin », rétorque Renart,
« c'est là votre affaire. Dieu est toujours là
haut. Et tel qui s'en plaint ne pèche
point ».

Le roi intervient alors. « Occupez-vous
donc de le pendre! J'ai assez attendu! »

Et Renart allait bel et bien être pendu,
même si cela n'avait pas été du goût de tout le
monde, quand, regardant en bas dans la
plaine, on voit venir une troupe nombreuse de
cavaliers et, parmi eux, beaucoup de dames
plongées dans l'affliction. C'était la femme
2040 de Renart qui arrivait à bride abattue à
travers champs. Elle se précipitait sans chercher à dissimuler l'extrême chagrin qui l'ac-
cablait. Ses trois fils étaient sur ses pas,
laissant voir, eux aussi, une très grande peine.
Ils tirent et s'arrachent les cheveux, déchirent
leurs vêtements et les cris qu'ils poussent
portent à plus d'une lieue. Ils chevauchaient
trop vite pour soigner leur tenue, mais ils
amenaient avec eux un cheval tout chargé
d'or afin de racheter leur père. Avant qu'il ait
reçu l'absolution, ils fendent la foule avec une

Torner s'en voldrent par derere,
Quant li rois vit par la chariere
Et voit venir par une adrece
Une biere chevalerece :
Ce estoit Chauve la soriz
2110 Et Pelez li raz sez mariz
Que dan Renart ot estranglé,
Quant desoz lui l'ot enanglé.
En la compaigne dame Chauve
Estoit sa sor ma dame Fauve
Et diz que freres que sorors.
Au roi vienent a granz clamors
Que filz que filles bien quarante,
D'autres cosins plus de sesante.
De la noisse que il menoient
2120 Trestot ensi con il venoient,
Trestos li airs retentissoit
Et toz li cielz en fermissoit.
Li Rois s'est tres un poi sor destre
Por savoir que ce pooit estre.
Entent le cri, entent la noise,
Or n'a talant que il s'en voisse.
Quant Renart ot le duel venir,
De poor conmence a fermir :
Grant poor a de cele bere.
2130 Sa feme en envoia arere
Et sa mesnie et ses enfans,
Mes il remest li sosduians.
Molt coiement issent de l'ost.
A lor chevaus en vienent tost :
Renart remeint en aventure.
La biere vient grant aleüre;
Ma dame Chauve par la presse,
Ou voit le roi, forment s'eslesse :
— « Sire merci » fet ele en haut.

telle précipitation qu'ils sont déjà aux pieds du roi. La dame, quant à elle, d'un seul élan, les devance tous : « Seigneur, grâce pour mon mari, pour l'amour de Dieu, notre Père et notre Créateur. Je vous donnerai tout cet or si vous voulez avoir pitié de lui. »

Le roi Noble regarde devant lui le trésor composé d'or et d'argent, et ce n'est pas l'envie de s'en rendre maître qui lui manque. Aussi répond-il : — « Dame, franchement, Renart s'est mis dans son tort à mon égard : on ne saurait vous dire tout le mal qu'il a fait à mes vassaux. C'est pourquoi je dois faire justice de lui. Et comme il s'est obstiné dans ses crimes, il a bien mérité d'être pendu. Tous mes barons sont d'avis de l'envoyer à la potence. Et en vérité, ce serait manquer à ma parole, que de lui faire grâce du châtiment.

— Seigneur, au nom de Dieu en qui vous croyez, pardonnez-lui pour cette fois.

— Je lui pardonne ce coup-ci, pour l'amour de Dieu, et pour vous être agréable. On va vous le rendre mais, à son prochain délit, il sera pendu.

— J'en suis d'accord, seigneur, et ne présenterai pas de nouvelle requête. »

²¹⁴⁰ A terre chet, li cuers li faut.
La biere chet de l'autre part.
Trestuit se cleiment de Renart
Et font une noise si grant
Qu'en n'i oïst pas Deu tonant.
Et li rois si volt Renart prendre,
Mes il ne le volt pas atendre :
Ains s'en foï, si fist que sages,
Que prés li estoit ses damages.
N'avoit que fere de lonc conte.
²¹⁵⁰ Desus un grant chesne s'en monte.
Aprés lui vont tuit arouté.
Soz le chesne sont aresté,
Le sege metent environ,
N'en descendra se par els non.
Li rois i vient, si li conmande
Qu'il aille jus et si descende.
— « Sire, ce ne fera je mie
Se tes barnages ne m'afie
Et vos ne m'en livrés ostages
²¹⁶⁰ Que ne m'en vendra nus damages.
Car je voi molt, ce m'est avis,
Entor moi de mes enemis :
Se chascun me tenoit a plein,
Il me donroit tot el que pain.
Or vos tenés la jus tuit coi,
Contes d'Auchier et de Lanfroi!
Qui set noveles, si les cont :
Ge l'orai bien de ça amont. »
Li rois oï gaber Renart,
²¹⁷⁰ De maltalent fermist et art :
Deus cogniez fait aporter.
Le chesne prennent a couper.
Renart a grant poor oüe
Quant iceste chosse a veüe.

On enlève alors à Renart le bandeau qu'il avait sur les yeus et, à l'appel du roi, il se présente, plein d'entrain et sautillant de contentement.

— « Renart, » dit Noble, « prenez garde. Vous voilà libre, mais au premier mauvais coup, vous vous retrouverez au même point qu'il y a un instant.

— Seigneur, Dieu me garde d'en venir là à nouveau! »

Puis, il laisse éclater sa joie devant toute sa famille rassemblée autour de lui. Il embrasse l'un, prend l'autre dans ses bras, ravi de tout ce qu'il voit.

2100   Ysengrin aurait préféré mourir plutôt que de le voir libre! Tous ont grand peur qu'il ne recommence à leur faire du tort; et il s'y emploiera pour peu que Dieu lui prête vie jusqu'au soir. Au moment où ils allaient partir, le roi voit arriver par un raccourci deux chevaux tirant une civière. C'étaient Chauve la souris et son mari Pelé le rat que maître Renart avait étranglé en l'écrasant sous lui. Accompagnant Dame Chauve, il y avait Dame Fauve et dix de leurs frères et sœurs. Il faut ajouter au moins quarante de

Les barons voit toz arengiez :
Chascun atent qu'il soit vengiez.
Ne set conment s'en puisse aler.
Un petit prist a devaler,
En son poing tint une grant roche,
2180 Voit Isengin qui si l'aproche.
Oiez con par fet grant merveille!
Le roi en fiert delez l'oreille :
Por cent mars d'or ne ce tenist
Li rois q'a terre ne chaïst.
Tuit li baron i acorurent
Entre lor bras le socorurent.
Endementres qu'il entendoient
A lor segnor que il tenoient,
Renart saut jus, si torne en fuie.
2190 Quant che virent, chascun le huie,
Et dient tuit si con il sont,
Que jamais jor nel chaceront.
Car ce n'est pas chose avenable,
Ainz est un raim de vif diable.
Or est remeis li chaceïz.
Fuiant va vers un plasseïz.
Lo roi enportent si baron
Droit el palais de sa meson.
Huit jors se fist li rois seigner
2200 Et sejorner et haiesier,
Tant qu'il revient en la santé
Ou il avoit devant esté.
Et Renart einsi s'en eschape.
Des or gart bien chascun sa cape!

leurs fils et de leurs filles et plus de soixante de leurs cousins qui s'avancent en poussant des cris de douleur, faisant retentir l'air de leurs clameurs qui montent jusqu'au ciel. Le roi se pousse un peu sur la droite pour voir ce qui se passe. Les cris plaintifs qui parviennent à ses oreilles le laissent sans réaction. Mais, comme le bruit des lamentations se rapproche, Renart se met à trembler de frayeur car cette civière-là l'épouvante. Il renvoie sa femme, ses enfants et les autres membres de sa famille, mais lui, le criminel, pendant que les siens se précipitent vers leurs chevaux et quittent sans bruit le camp, il demeure sur place et se retrouve en danger. La civière approche rapidement et Dame Chauve fend la foule jusqu'au roi :

²¹⁴⁰   — « Seigneur, pitié ! » crie-t-elle, le cœur lui manque et elle tombe à terre, tandis que la civière s'effondre de l'autre côté. Tous se plaignent à si grand bruit de Renart que l'on n'aurait même pas pu entendre Dieu tonnant. Le roi veut alors se saisir du coupable qui, sans demander son reste, prend fort sagement la fuite. Il était temps ! Point de discours ! Il grimpe au sommet d'un grand chêne autour

duquel tous ses poursuivants s'attroupent pour y mettre le siège. S'il en descend, il ne leur échappera pas. Or c'est justement ce que le roi lui ordonne de faire :

— « Il n'en est pas question, seigneur, à moins que vos barons ne me promettent avec la caution d'otages de votre part, que je ne cours aucun risque. Car je suis, à l'évidence, tout entouré d'ennemis! Si l'un d'eux m'avait à portée de main, ce ne serait pas pour m'offrir à manger. Tenez-vous donc tranquilles là-bas, comtes d'Auchier et de Lanfroi! Si quelqu'un a quelque chose à dire, qu'il le fasse : je l'entendrai bien ici en haut! »

Le roi, devant les moqueries de Renart, ne se connaît plus de colère; il fait apporter deux cognées pour abattre le chêne. A cette vue, le goupil prend peur : les barons sont rangés en bon ordre attendant chacun sa vengeance; comment va-t-il pouvoir s'en tirer? Il se met alors à descendre de l'arbre, une pierre à la main, mais Ysengrin se déplace pour l'avoir mieux à sa portée. Ce que voyant, Renart n'hésite plus, et, tenez-vous bien, il lance sa pierre contre le roi, l'atteignant derrière l'oreille. Pour tout l'or du monde, Noble ne

pourrait supporter le choc sans tomber. Tous les barons se précipitent pour le retenir dans leurs bras. Pendant qu'ils s'efforcent de le soutenir, Renart saute à terre et prend la fuite. Quand ils s'en aperçoivent, ce n'est qu'un cri mais tous, tant qu'ils sont, ils renoncent à le poursuivre car ils n'ont pas affaire à une créature normale, mais à un suppôt de Satan. Ainsi s'arrête la poursuite et tandis que Renart s'enfuit pour se mettre à l'abri d'une haie, les barons emportent leur roi jusqu'à la grande salle de son palais. Huit
2200 jours durant, on s'occupe de le soigner, de le faire se reposer : peu à peu, les forces lui reviennent et il se remet complètement.

Voilà donc comme Renart en a réchappé. Aussi vous tous, gare à vos manteaux! [29].

Li rois a fait son ban crier,
Par tot plevir et afier
Que qui porra Renart tenir,
Que ja nel fache a cort venir,
Ne roi ne conte n'i atende,
2210 Mes meintenant l'oci ou pende.
De tot çou fu molt pour Renart.
Fuiant s'en va vers un essart.
Son petit pas s'en va tendant.
Environ lui va regardant :
N'est merveille s'il se regarde,
Qui de totes bestes a garde.
En son un grant tertre s'areste,
Vers Orient torne sa teste.
Lors dist Renart une proiere
2220 Qui molt fut pressiouse et chiere.
— « Hé Dex, qui meins en trinité,
Qui de tans perilz m'as jeté
Et m'as soufert tans malz a fere
Que je ne doüsse pas fere,
Garde mon cors d'ore en avant
Par le tien seint conmandement!
Et si m'atorne en itel guisse,
En tel maniere me devise
Qu'il ne soit beste qui me voie,
2230 Qui sache a dire que je soie. »
Vers Orient sa teste cline,
Granz colz se done en la poitrine,
Drece sa poe, si se seigne,

RENART TEINTURIER
ET JONGLEUR (Ib)

Le roi l'a fait partout savoir officiellement
en donnant toutes les garanties nécessaires :
si quelqu'un peut s'emparer de Renart, qu'il
le mette à mort sur-le-champ en le pendant
ou autrement, sans le traduire devant la cour
ni attendre la présence d'un roi ou d'un
comte. Tout cela n'inquiète guère Renart qui
s'en va au petit trot, à découvert, mais
surveillant les environs : rien de surprenant à
ce qu'il fasse attention puisque tout le monde
est contre lui. Il s'arrête au sommet d'un
tertre élevé et, tourné vers l'orient, prononce
2220 une prière qui mérite qu'on s'y arrête : « Dieu
qui es un en trois personnes, toi qui m'as fait
échapper à tant de périls, toi qui m'as laissé
réussir tant de mauvais coups que je n'aurais
pas dû entreprendre, protège-moi dorénavant
par tes saints commandements, et fais en
sorte de me rendre méconnaissable aux yeux
de tous ceux qui me verront. » Après avoir
incliné la tête en direction de l'est et s'être
frappé la poitrine avec force, il lève la patte
pour faire le signe de la croix et reprend son
chemin à travers plaines et montagnes. Mou-
rant de faim, il dirige ses pas vers un bourg où

Va s'ent le plein et la montegne.
Mes de fein sofre grant destrece.
Envers une vile s'adreche
En la meson d'un teinturier
Qui molt savoit de son mester.
Sa teinture avoit destempree
2240 Au mielz qu'il pout et atrempee.
Faite l'avoit por teindre en jaune.
Alez fu querre une droite aune
Dont il voloit son drap auner
Qu'en la cuve voloit jeter.
Laissiee l'avoit descoverte.
Et la fenestre estoit overte,
Dont il veoit a sa teinture,
Quant la fesoit et nete et pure.
Renart dedenz la cort s'en entre
2250 Por proie querre a ués son ventre :
Le cortil a trestot chercié
Et tot environ reverchié,
Ni puet trover rien qu'il manjuce.
Parmi la fenestre se muce.
Renart n'i voit ame dedenz,
Il joint les piez, si sailli enz.
Esbahiz fu quant vint en l'ombre,
Oiez con li maufez l'enconbre.
Malbailliz fu et deçoüz :
2260 Car dedenz la cuve est çoüz.
Au fonz va, mes pas n'i demoure :
Isnelement resailli soure.
La cuve out auques de parfont,
Par desus noe qu'il n'afont.
Atant estes vos le vilein
Qui l'aune tenoit en sa mein.
Son drap a auner reconmence.
Quant il oï Renart qui tence

342

il se retrouve devant la maison d'un teinturier passé maître en son art. En y mettant tout son soin, celui-ci venait de délayer sa teinture dans de l'eau afin de préparer un bain de couleur jaune et il était allé chercher une règle d'une aune pour mesurer le drap avant de le plonger dans la cuve qu'il avait laissée découverte. Ajoutons que la fenêtre qui lui donnait le jour nécessaire pour son travail, quand il décantait la teinture pour qu'elle ne soit pas trouble, était restée ouverte. Renart pénètre dans la cour en quête d'une proie pour calmer sa faim. Il cherche par tout le jardin sans oublier le moindre recoin, mais sans rien trouver à manger. Il se glisse alors en se dissimulant sur le rebord de la fenêtre et n'apercevant pas âme qui vive dans la pièce, saute à l'intérieur à pieds joints. Sa surprise est grande quand il se retrouve dans l'obscurité : il faut dire que le diable lui joue là un bien mauvais tour puisque, — fâcheuse circonstance — il retombe en plein dans la cuve. Il commence par aller au fond mais refait rapidement surface; la profondeur de la cuve l'oblige à nager pour éviter la noyade. Mais sur ces entrefaites, voilà que l'artisan est de retour, la règle à la main, et qu'il se met à mesurer son drap. Il ne tarde pas à entendre le bruit que faisait Renart dans ses efforts pour sortir de la cuve, car, à force de nager, il

Por ce que oissir s'en voloit,
2270 Tant a noé, tot se doloit.
Li vileins a drecé l'oreille,
Oï Renart, molt se merveille.
A terre jeta toz ses draz,
A lui en vient plus que le pas.
Renart choisist en la teinture,
Par lui en vint grant aleüre.
Ferir le volt parmi la teste,
Qant il conut que ce fu beste.
Mes Renart forment li escrie :
2280 — « Baus sire, ne me ferez mie!
Je sui beste de ton mester,
Si te puis bien avoir mester.
Sovent en ai esté lassez,
Si en sai plus que toi asez.
Encor t'en cuit asés aprendre
De mesler teinture avoc cendre,
Qar ne sez conment en le fet. »
Dist li vilein : — « ci a bon plet.
Par ont venistes ça dedenz?
2290 Por qoi entrastes vos çaienz? »
Ce dist Renart : « por atenprer
Ceste teinture et atorner :
C'est la costume de Paris
Et de par tot nostre païs.
Ore est ele molt bien a droit.
Atornee tot a son droit.
Aidiez moi tant que je fors soie,
Puis vos dirai que je feroie. »
Quant li vileins Renart entent
2300 Et voit que la poe li tent,
Par tel aïr le sache fors
Par pou ne li a tret del cors.
Quant Renart vit qu'il fu au plein,

commence de se sentir mal. Il dresse l'oreille, surpris du bruit qu'il entend. Laissant tomber le drap à terre, il s'avance dans cette direction et apercevant le goupil au milieu de la teinture, se précipite pour le frapper à la tête dès qu'il se rend compte qu'il a affaire à un animal.

2280 — « Ne me frappez pas, cher seigneur », s'écrie vivement Renart. « Je suis une bête, mais j'ai le même métier que vous. Je dois bien être capable de vous rendre service. Il m'est arrivé de travailler jusqu'à n'en plus pouvoir de fatigue. Aussi, j'en sais plus que vous. Par exemple, je pourrais vous expliquer comment mélanger la teinture avec de la cendre : je suis sûr que vous ne savez pas le faire.

— Quelle blague! » fait le teinturier. « Mais par où es-tu entré et pour quoi faire?

— Pour mélanger ce bain et le mettre au point : c'est ce qui se fait à Paris et dans tout mon pays. Maintenant, il est exactement comme il doit être. Mais aidez-moi à sortir de là et je vous dirai ce que j'ai l'intention de faire. »

2300 A ces mots, le teinturier attrape Renart par la patte que celui-ci lui tend et le tire avec tant de force qu'il manque de la lui arracher. Dès qu'il se voit à terre, il se contente de dire à l'homme :

Trois paroles dist au vilein.
— « Prodom, entent a ton afere,
Que je n'en sai a nul chef trere.
Mes en ta cuve iere sailliz,
A poi ne fui molt malbailliz.
Car si m'aït Seinz Esperiz,
2310 Noiez i dui estre et periz :
Grant peor ai oü del cors,
Dex m'a eidié quant j'en sui fors.
Ta teinture est molt bien pernanz,
Jaunez en sui et reluisanz.
Ja ne serai mes coneüz
En leu ou j'ai esté veüz.
Molt par en sui liez, Dex le set,
Que trestoz li siecles me het.
Or remanez, car je m'en voiz
2320 Querre aventure par ce bois. »
A icest mot de lui se part
Fuiant s'en vait vers un essart :
Molt se regarde, molt se mire,
De joie conmença a rire.
Fors del chemin lés une haie
Voit Ysengrin, molt s'en esmaie,
Ou il atendoit aventure,
Qar fein avoit a desmesure.
Mes molt par estoit granz et forz.
2330 — « Las ! » dist Renart, « or sui ge morz.
Qar Ysengrin est fors et cras
Et je de fein megres et las.
Molt en ai sosfert grant angoisse.
Ne quit pas qu'il me reconoisse
Fors q'au parler (ce sa je bien)
Me conostra sor tote rien.
G'irai a lui, a que qu'il tort,
S'orrai noveles de la cort. »

— « Débrouille-toi tout seul, mon brave, car moi je n'y connais rien. Ce saut dans ta cuve a failli se terminer mal pour moi : j'ai bien cru y rester; par le Saint Esprit, certes, j'ai eu grand peur de m'y noyer, mais, grâce à Dieu, m'en voilà sorti. Ta teinture tient bon. Comme ce jaune est éclatant! on ne me reconnaîtra pas là où on m'a vu auparavant. Dieu sait que cela m'arrange car on ne
2320 m'aime guère. Reste donc, moi, je m'en vais à l'aventure du côté de ce bois. »

Sur ce, il le quitte, s'échappant en direction d'un essart [30]. Il s'examine sous toutes les coutures, riant de se voir ainsi transformé. Et voilà qu'il perçoit, à l'écart du chemin, à côté d'une haie, Ysengrin cherchant une occasion car il meurt de faim. Sa vue ne laisse pas d'inquiéter Renart car le loup est robuste et de grande taille.

— « Hélas! Je suis mort! Car Ysengrin est gras et gros et moi je suis épuisé et amaigri par la faim : j'en ai déjà tant souffert! Cependant, je ne crois pas qu'il me reconnaisse, sauf à la voix bien sûr! Là, il ne pourra pas me confondre avec quelqu'un d'autre! Tant pis, je vais quand même aller le trouver. Par lui je saurai ce qui se passe à la cour. »
2340 En même temps, il se dit qu'il va parler comme s'il n'était pas du pays. Comme

Lors se porpense en son corage
2340 Que il changera son langaje.
Ysengrin garde cele part
Et voit venir vers lui Renart.
Drece la poe, si se seigne
Ançois que il a lui parveigne,
Plus de cent fois, si con je cuit;
Tel poor a, por poi ne fuit.
Qant ce out fet, puis si s'areste
Et dit que mes ne vit tel beste,
D'estranges terres est venue.
2350 Ez vos Renart qui le salue :
— « Godehelpe » fait il, « bel sire!
Non saver point ton reson dire. »
— « Et Dex saut vos, bau dous amis!
Dont estes vos? de quel païs?
Vos n'estes mie nés de France
Ne de la nostre connoissance. »
— « Nai, mi seignor, mais de Bretaing.
Moi fot perdez tot mon gaaing
Et fot cerchier por ma conpaing,
2360 Non fot mes trover qui m'enseing.
Trestot France et tot Engleter
L'ai cerchiez por mon compaing qer.
Demorez moi tant cest païs
Que j'avoir trestot France pris.
Or moi volez torner arier,
Non saver mes ou moi le quier.
Mes torner moi Paris ançois
Que j'aver tot apris françois. »
— « Et savez vos neïsun mestier?
2370 Ya, ge fot molt bon jogler.
Mes je fot ier rober, batuz
Et mon viel fot moi toluz.
Se moi fot aver un viel,

348

Ysengrin se trouve jeter les yeux du côté par où Renart arrive, il le voit et sa peur est telle qu'il est tout près de s'enfuir; avant que le goupil l'ait rejoint, il a bien le temps de faire au moins, je pense, cent signes de croix, de sa patte dressée. Après quoi, il s'en tient là, se disant qu'il n'a jamais vu un animal pareil : il doit s'agir d'un étranger. Et voici que Renart le salue :

— « Godehelpe, cher seigneur! Moi pas savoir parler ta langue.

— Que Dieu vous garde, très cher ami! D'où êtes-vous et d'où venez-vous? Vous n'êtes pas de par ici? Ni originaire de France?

— Ni, ma seigneur, mais de Brittain. Moi foutre perdu tout mon gain et foutre chercher après ma compagnon; mais ne foutre trouver qui me renseigne. Partout France et partout Angleterre, j'ai cherché après ma compagnon. Moi rester dans ce pays tant que je sais tout la France. Maintenant moi voulez retourner, non savoir où plus le chercher. Mais moi aller Paris avant moi avoir appris tout Français.

— Et avez-vous un métier?

— Ya, je foutre très bon jongleur. Mais je foutre hier volé et battu et mon vielle foutre pris à moi. Si mon foutre avoir un vielle, foutre moi dire bonne danse, bon conte et

Fot moi diser bon rotruel,
Et un bel lai et un bel son
Por toi qui fu sembles prodom.
Ne fot mangié deus jors enters,
Or si mangera volenters. »
— « Conment as non? » dist Ysengrin.
2380 — « Moi fot aver non Galopin.
Et vos, conment, sir bel prodom? »
— « Frere, Ysengrin m'apele l'on. »
— « Et fot vos nez en cest contré? »
— « Oïl, g'i ai meint jor esté. »
— « Et saver tu del roi novel? »
— « Por qoi? Tu n'as point de viel! »
— « Je fot servir molt volenter
Tote la gent de ma mester.
Ge fot savoir bon lai Breton
2390 Et de Merlin et de Noton,
Del roi Artu et de Tristan,
Del chevrefoil, de saint Brandan. »
— « Et ses tu le lai dam Iset? »
— « Ya, ya! goditoët,
Ge fot saver » fet il « trestoz. »
Dist Ysengrin : « tu es molt prous
Et si ses molt, si con je croi.
Mes foi que doiz Artu lo roi,
Se tu veïs, se Dex te gart,
2400 Un ros garçon de pute part,
Un losenger, un traïtor
Qui envers nullui n'ot amor,
Qui tot deçoit et tot engigne?
Damledex doinst q'as poinz le tiegne!
Avanter escapa lo roi
Par son engin, par son bofoi,
Qui pris l'avoit por la roïne
Que devant lui tenoit sovine,

bonne chanson pour toi qui as l'air homme honnête. Ne foutre manger depuis deux jours en entier, maintenant, mangerai volontiers.

— Comment t'appelles-tu?

— Moi foutre nommé Galopin. Et vous comment, cher seigneur honnête?

— On m'appelle Ysengrin, mon ami.

— Et vous foutre né dans ce pays?

— Oui, et c'est là que j'ai toujours vécu.

— Et toi savoir nouvelles du roi?

— Pourquoi cette question puisque tu n'as pas de vielle?

— Je foutre servir très volontiers tout le monde avec ma métier. Je foutre savoir bon conte breton, de Merlin et Noton, de roi Arthur et de Tristan, du Chèvrefeuille, et de saint Brandan.

— Et le conte de dame Yseut, le connais-tu?

— Ya, Ya, God il t'entende, je foutre les savoir tous.

— Tu ne manques pas de courage et tu es, aussi, capable, j'en suis persuadé. Mais dis-moi, au nom du Roi Arthur, — et que Dieu te garde, — n'as-tu pas rencontré une espèce de sale rouquin, un médisant, un traître qui n'aime personne et ne sait que tromper et ruser à tout vent? Ah! Que Dieu m'entende, si je pouvais lui mettre la main dessus!

351

Et por autres forfez asez
2410 Dont onc ne pot estre lassez.
Tant m'a forfet que je voldroie
Que il tornast a male voie.
Se gel pooie as poinz tenir,
Molt tost le convendroit morir :
Li rois m'en a doné congié,
Bien conmandé et otroié. »
Renart tenoit le chef enclin.
— « Par foi » fet il, « dant Ysengrin,
Malvés lecher, fot il devez?
2420 Conment fot il a non pelez?
Dites nos conment il a non,
Fot il donques pelez Asnon? »
Ysengrin rist, quant il ce ot,
Et por le non d'Asnon s'esjot,
Molt l'amast mels que nul avoir.
— « Volez » fait il, « son non savoir? »
— « Oïl : conment fut il pelez? »
— « Renart a non li desfaez.
Toz nos deçoit, toz nos engigne,
2430 Dex doinst que ge as poinz le tiegne!
De lui seroit la terre quite.
Sa part en seroit molt petite. »
— « Toz fot il malement tornez,
Se tu le foz aver trovez.
Foi que devez le seint martir
Et seint Tomas de Cantorbir,
Ne por tot l'or que Dex aver
Ne fot voloir moi lui sambler. »
— « Vos avés droit » dist Ysengrin.
2440 « Ne vos gariroit Apollin,
Ne tot li ors qui soit en terre,
Que jamés nos moüssiés gerre.
Mes or me di, baus doz amis,

352

Avant-hier, il a réussi, à force d'astuce et de toupet, à échapper au roi qui le détenait à cause de la reine (on l'avait pris sur le fait avec elle) et aussi à cause de tous les autres forfaits dont il n'est jamais fatigué d'allonger la liste. Il m'en a fait tant voir que je voudrais bien le voir s'engager sur ce chemin dont on ne revient pas. Si je le tenais, il n'en aurait plus pour longtemps à vivre. J'ai l'autorisation du roi, ou plutôt son ordre exprès. »

Et Renart qui avait écouté la tête basse :

— « Sur ma foi, seigneur, Ysengrin, ce méchant gueux, foutre lui fou? Comment foutre lui appelé à nom? Dites-moi comment il a nom. Foutre lui donc appelé Anon? »

A ces mots, le loup ne peut s'empêcher de rire, mis en gaieté par le nom d'Anon qui lui paraît être une vraie trouvaille.

— « Tu veux savoir son nom? »

— Oui, comment foutre lui appelé?

— Il s'appelle Renart, ce maudit. Il passe son temps à se moquer de nous, à nous tourner en ridicule : personne ne lui échappe. Ah! Si je pouvais lui mettre la main dessus! La terre en serait vite débarrassée, il n'en aurait plus besoin de beaucoup!

— Lui foutre tout mis à mal, si tu le foutre avoir trouvé. Par la foi que devez aux saints martyrs et à saint Thomas de Cantorbir [31], et

Del mestier dont t'es entremis,
Ses en tu tant servir a cort,
Que nul jogleres ne t'en tort,
Et que n'en soies entrepris
Par nul qui soit en cest païs? »
— « Par mon segnor seint Jursalen,
2450 Ne fot itel trovés oan. »
— « Donques t'en ven avoques moi
Et je t'acointerai au roi
Et a ma dame la roïne
Qui tant par est gente meschine,
Et je te voi et bel et gent,
Si t'acointerai a la gent.
Et se tu vels a cort venir,
Ge te ferai bien retenir. »
— « Fotre merci » dist Galopins.
2460 « Je fot saver molt bons chopins,
Si fot saver bon lecheri
Dont je fot molt a cort cheri.
Se pot aver moi un viel,
Fot moi diser bon rotruel,
Et fot un vers dit de chançon
Por toi qui fot sembler prodom. »
Dist Ysengrin : « sez que tu fai?
Vien t'ent, une viele sai
Chés un vilein, que tote nuit
2470 I asenblent si voisin tuit.
A ses enfanz en fet grant joie,
N'est gueres nuiz que je ne l'oie.
Par la foi que je doi seint Pere,
La viele est et bone et chere.
Se tu vienz avoc moi a cort,
Tu l'auras a qoi que il tort ».
Atant se metent a la voie.
Andui s'en vont et font grant joie.

pour tout l'or que Dieu avoir, ne foutre moi vouloir lui ressembler.

2440 — Tu as raison car ni Apollon ni tout l'or du monde ne suffiraient à te protéger s'il te venait en tête de nous faire la guerre. Mais, dis-moi, très cher ami, es-tu assez expert en ton métier pour te produire à la cour sans avoir à rougir devant un autre jongleur, ni à paraître embarrassé devant ceux du pays?

— Par Monseigneur saint Jérusalem, ne foutre trouvé en une année un aussi bon que moi.

— En ce cas, viens avec moi : je te présenterai au roi et à madame la reine, — il n'y a pas plus aimable qu'elle. Et comme je vois que tu présentes bien, je te ferai connaître des gens. Si tu veux venir à la cour, je me charge de te faire engager.

2460 — Foutre merci », dit Galopin. « Je foutre savoir beaucoup de bons tours et foutre savoir aussi beaucoup de mots bons dont je foutre à la cour très chéri. Si moi peut avoir un vielle, moi foutre dire bonne danse et vers de chansons pour toi qui foutre semblé homme honnête!

— Sais-tu ce que tu vas faire? Je connais quelqu'un qui a une vielle : c'est un paysan qui réunit chez lui tous ses voisins à longueur de nuit. Je l'entends mener grande joie avec ses enfants presque tous les soirs. Par la foi

355

Dant Ysengrin asés li conte
2480 Conment Renart li a fet honte.
Asez li conte en son françois :
Renart li respont en englois.
Tant sont alé qu'il sont venu
Triés la meson a un rendu,
Droit la u Ysengrin savoit
Celui qui la viele avoit.
Dedenz le cortil au vilein
S'en entrerent andui a plein.
Le vilein ont molt redoté,
2490 Lez le paroi sont acouté.
Il vont escoutant tote nuit
Con li vileins fet son deduit.
Quant li dormirs le va matant,
Chocier s'en va de meintenant.
Ysengrin a drecé l'oreille,
Puis si regarde et oreille :
Q'en la paroi un trou avoit,
Plus a d'un an qu'il l'i savoit,
Et par une ais qui ert fendue
2500 Vit la viele au clou pendue.
Souflent et ronflent molt forment
Tant que il se vont endormant.
Un grant mastins gist lez le feu,
Delez la couce ot fet son leu,
Par un petit au fou ne touce.
Mes li essombres de la couce
Nel laissa veoir Ysengrin.
— « Frere » fet il a Galopin,
« Atent moi ci, g'irai veoir
2510 Conment je la porrai avoir. »
— « Tot fot moi sol » ce dit Renart.
— « Conment, es tu donc si coart? »
— « Coarz? nai voir, mes g'ai poor

356

que je dois à saint Pierre, il s'agit là d'un instrument de qualité et qui vaut son prix. Si tu viens avec moi à la cour, tu l'auras, d'une façon ou d'une autre. »

Et ils se remettent aussitôt en route, aussi contents l'un que l'autre. Le seigneur Ysengrin raconte en détail à son compagnon 2480 comment Renart s'est joué de lui. Au français de l'un répond l'anglais de l'autre. Leur chemin les mène au-delà de la maison d'un ermite, tout droit là où le loup savait que logeait le possesseur de la vielle. Ils entrent tous les deux dans le jardin sans rencontrer d'obstacle. Dans leur crainte, qui est grande, que le paysan ne les surprenne, ils se tapissent au pied du mur, passant toute la soirée à écouter la fête qu'il mène. Puis quand, l'envie de dormir le prenant, il est allé se mettre au lit, Ysengrin dressant l'oreille, regarde et guette les bruits : il y a plus d'un an qu'il a repéré une fissure dans le mur qui lui permet d'apercevoir, en jetant un coup d'œil par la fente de la planche, la vielle suspendue à un clou. Plongés dans un profond sommeil, les occupants soufflent et ronflent à grand bruit. Un gros chien qui a fait sa place à côté du lit, est couché presque à toucher le feu : mais l'ombre du lit empêche Ysengrin de le voir.

— « Frère, » dit-il à Galopin, « attends-

Par ci ne soit par cest contor.
Se moi fot sol, ja fot portez,
Por ce fot moi desconfortez. »
Ysengrin l'ot et si s'en rist,
Ses cuers forment li atendrist,
Et si li dist : — « En Deu amor
2520 Onc ne vi hardi jugleor,
Hardi prestre, ne sage fame.
Qant ele plus a, plus forsane :
Et quant ele a ce qu'ele velt,
Lors quiert ce dont ele se delt. »
Ce dist Renart qui ainc n'ot loi :
— « Dant Ysengrin, en moie foi,
Se fot ici celui Renart,
Ja fot il toz pendus a hart. »
— « Leissiez ester » dist Ysengrin,
2530 « Que je sai bien toz les chemins.
Mes or te sié ici a terre
Et g'irai la viele querre. »
Lors s'en vient droit a la fenestre
Conme cil qui savoit bien l'estre.
Apoié fu d'une courre,
La nuit fu obliee a clore.
Ysengrin fu montez en haut,
Par la fenestre laiens saut.
La droit ou la viele pent
2540 S'en va tot droit, si la despent,
Si l'a son conpaignon tendue,
Et cil l'a a son col pendue.
Renart se pense qu'il fera,
Conment il le conchiera.
— « Ja bien », fet Renart, « ne m'aviengne,
Se nel conchi, conment qu'il prengne ».
A la fenestre droit en vient
Au bastonnet qui la sostient.

moi ici, je vais aller voir comment je pourrai la prendre.

— Et moi foutre tout seul?

— Et alors, tu es bien peureux?

— Peureux? Ni, mais j'ai peur que par ici soit les comtes : si moi foutre seul, moi foutre emporté; c'est pour ça moi foutre découragé. »

Ysengrin ne peut s'empêcher de rire de ce discours qui lui va droit au cœur :

2520 — « Par l'amour de Dieu, vit-on jamais jongleur ou prêtre hardi ou femme satisfaite? Elles ne sont jamais contentes de ce qu'elles ont; et quand elles ont ce qu'elles veulent, elles recherchent leur propre malheur. »

Et ce bandit de Renart : « Seigneur Ysengrin, sur ma foi, si foutre ici ce Renart, il foutre déjà tout pendu à la corde.

— N'insiste pas, » dit Ysengrin. « Je connais très bien les lieux, alors, assieds-toi là par terre et moi, j'irai chercher la vielle. »

En homme qui sait où il va, il s'approche sans hésiter de la fenêtre : une barre de bois la maintenait ouverte que ce soir-là, on avait oublié de rabattre. Ysengrin se juche sur le rebord et, d'un saut, s'introduit à l'intérieur. Il se dirige sans hésiter vers l'endroit où la 2540 vielle est suspendue, la dépend et la tend à son compagnon qui se la passe au cou en se demandant comment il va s'y prendre pour se

Le baston cline et ele clot,
2550 Et Ysengrin laiens enclot.
Quida, close fust par lui sole.
Lors a grant poür de sa gole.
Au saut q'a la fenestre fist,
Et a la noise s'esbahist
Li vileins qui ert endormiz.
Sailli en piez toz estordiz,
Sa feme escrie et ses enfanz :
« Or sus! il a larons çaienz. »
Li vileins saut, c'est sa costume,
2560 Au feu en vient et si l'alume.
Quant Ysengrin le voit lever,
Voit qu'il velt le feu alumer,
Un petitet se tret arere,
Par les naches le prent deriere.
Li vileins a jeté un cri.
Li mastins l'a sempres oï :
Ysengrin prent parmi la coille,
Enpoint et tire et sache et roille,
Trestot esrache quenqu'il prent.
2570 Et Ysengrin molt bien se prent
Deriere as naches au vilein.
Mes de ce avoit le cuer vein,
Et sa dolor li engregnoit,
Qar li chens ses coilles tenoit.
Tant se sont laiens travellié
Que Ysengrin ont escoillé.
Li vileins crie ses voisins
Et ses parens et ces cosins :
« Aidiez, por Deu l'esperitable!
2580 Çaienz conversent li deable. »
Quant Ysengrin vit l'uis overt,
Et li vilein felun cuvert
A cuinnies et a maçues

360

moquer d'Ysengrin : « Je veux bien être pendu si je n'arrive pas à lui mettre le nez dans sa merde! Et après, advienne que pourra! » A son tour, il va directement à la fenêtre et, se saisissant du loquet qui la maintient ouverte, il le tourne vers le bas pour la fermer. Ysengrin, prisonnier à l'intérieur, est persuadé qu'elle s'est fermée toute seule; pris de panique, il saute contre le carreau : le bruit surprend le paysan dans son sommeil. Encore à moitié endormi, il est aussitôt sur pieds, criant à sa femme et à ses enfants : « Debout!
2560 Au voleur! » Puis, machinalement, il va ranimer le feu. Quand Ysengrin le voit se lever et se diriger vers la cheminée, il recule de quelques pas et se jette sur lui par derrière en le mordant aux fesses. L'homme pousse un cri, aussitôt perçu par le chien qui saisit Ysengrin aux couilles et, à force de mordre et de tordre à tire-larigot, finit par arracher tout ce qu'il tient. De son côté, le loup est toujours accroché solidement aux fesses du rustre. Mais la douleur que les dents du chien, plantées au bon endroit lui font ressentir, devient vite insupportable et lui ôte une partie de ses moyens. Finalement, le mâtin s'escrime si bien sur lui qu'il se retrouve sans rien sous la queue, cependant que le paysan ameute de ses cris tant ses proches que ses cousins et ses voisins : « Au secours, par

Vienent corant parmi les rues,
Entre la porte et le vilein
Fet Ysengrin un saut a plein.
Si fort le horte qu'il l'abat
En une fange trestot plat.
Des quatre piés fiert a la terre,
2590 Ne set son conpaignon ou querre.
Por les vileins s'en vet fuiant,
Et cil le vont après huiant.
Le vilein trovent en la boe
Grant et parfonde qu'il i noe.
Fors l'en ont tret a molt grant peine,
D'un mois ne fu sa plaie seine.
Ysengrin pas ne s'asoüre,
Fuiant s'en vet grant aleüre.
N'avoit cure de sojorner,
2600 Ançois conmence a galoper.
El bois se met par une sente.
Molt est dolenz, molt se demente
Por che qu'il a perdu la chose,
Mes a nului parler n'en ose.
Car se sa feme le savoit,
Jamés de lui cure n'auroit.
Et neporqant va s'ent grant oire,
Or ne se set mes en cui croire.
Tant va et vient danz Ysengrins
2610 Sentiers et voies et chemins :
Ulle et garmente en son langage,
Par un petit que il n'enrage.
Tant fet qu'il vient en sa lovere.
Par l'uis s'en entre par deriere,
Sa mainie trove laienz.
— « Dex soit », fait il, « o vos çaienz! »
Ne parla gueres hautement,
Mes soavet.   Dame Hersent

²⁵⁸⁰ l'Esprit de Dieu, il y a le diable chez moi! »

Aussitôt qu'Ysengrin voit la porte ouverte et les villageois, l'air bien décidés à ne pas s'en laisser conter, qui arrivent à toute allure, armés de cognées et de massues, d'un saut, il est dehors, réussissant à passer entre la porte et l'homme : il le heurte si brutalement au passage qu'il le fait tomber à plat dans la mare pleine de purin. Il retombe sur ses quatre pieds, mais, ne sachant de quel côté chercher son compagnon, s'enfuit, serré de près par les hommes qui le poursuivent à grands cris. On découvre aussi le fermier en train de nager dans la mare où le loup l'avait fait tomber; car elle était si profonde qu'il n'avait pas pied. On l'en retire non sans mal; il lui faudra un mois pour se remettre de sa blessure.

Pendant ce temps, Ysengrin qui ne se sent pas encore tranquille, continue de fuir au plus ²⁶⁰⁰ vite. Il s'éloigne au galop, sans traîner en route et s'enfonce dans le bois en suivant un sentier. Il est au désespoir parce qu'il vient de perdre ses choses, mais comment en parler à quelqu'un? Si sa femme était au courant, elle ne le regarderait même plus. Au comble du désarroi, il va toujours bon train. Tout le long des chemins qu'il emprunte, il hurle et se lamente en son langage : pour un peu, il

Qui durement estoit aese,
2620 Au col li saut, sovent le bese.
Et si fil saillent, si l'acolent,
Juent et gabent et parolent.
Mes s'il seüssent tot l'afere,
Autre joie doüsent fere.
Quant ont mangié a grant loisir,
Si parolent d'aler jesir :
Et lors i ot molt, ce sachez,
Parlé ainz que il fust coché.
Molt grant piece s'i arestut.
2630 Mes neporoc cocher l'estut :
Hersent l'achole, si l'enbrache,
Et lez lui se jut fache a face.
Et cil conmence a reüser
Et durement a reculer.
Mes ne li vault, si con je quit.
Encore ora tel chose anuit
Dont il n'oüst ja nule envie,
Qu'il n'avoit cure de sa vie.
Hersent l'achole et cil se tret
2640 En sus, n'a soing de son atret.
— « Et qu'est or ce » fet ele, « sire?
Avez me vos coilli en ire? »
— « Dame », fet il, « et que volez? »
— « Si faites ce que vos solez. »
— « Ge n'en sui mie ore aiesiez,
Mes desormés vos en tesiez. »
Fet Hersent : — « je ne m'en puis tere,
Ainz vos covient la cose fere ».
— « Que ferai, va? » — « Que te covient,
2650 Ce qu'a totes femes avient. »
— « Taisiez » fait il : « n'en ferai mie.
Or doüssiez estre endormie
Et avoir dit vo patrenostre,

deviendrait enragé. Il finit par arriver à sa
tanière où il pénètre par la porte de derrière
et où il retrouve les siens.

— « Dieu soit avec vous, » fait-il doucement sans élever la voix. Dame Hersent, tout
à la joie de le revoir, se jette dans ses bras et le
couvre de baisers. Ses fils lui sautent après et
se pendent à son cou pour jouer, tout en
plaisantant et en parlant entre eux. Mais s'ils
savaient le fin mot de la chose, ils ne seraient
certes pas à la fête. Ils prennent d'abord tout
leur temps pour manger, puis il est question
d'aller se coucher, mais Ysengrin parle
encore longuement avant de s'y résoudre. Il
recule le plus possible le moment d'y aller
avant de devoir s'y résigner. Hersent le prend
par le cou, l'embrasse et s'allonge à ses côtés
en se tournant vers lui, tandis qu'il s'écarte
d'elle et se recule le plus loin possible. Mais
cela ne l'avance à rien, semble-t-il, et il ne va
pas tarder à s'entendre dire des choses
désagréables et qu'il n'imaginait pas devoir
un jour écouter. Hersent se serre contre lui,
tandis qu'il se pousse à l'écart, indifférent à
ses approches.

— « Que se passe-t-il, seigneur ? Est-ce
que vous êtes fâché contre moi ?

— Que me voulez-vous ?

— Que vous fassiez comme d'habitude.

— Pas maintenant. Je n'en ai pas envie. Et

365

Que vigile est d'un seint apostre ».
— « Sire » fet ele, « par seint Gile,
Ja n'i aura mester vigile.
Se vos volez m'amor avoir,
Fetes en tost vostre pooir ».
Dame Hersent forment le haste,
2660 Il se trestorne, ele li taste
Iloc ou la coille soloit
Estre par raison et par droit.
N'i trova mie de l'andoille.
— « Chetis », fet ele, « ou est ta coille,
Qui ci endroit te soloit pendre?
Tote la vos covient a rendre ».
— « Dame », fait il, « je l'ai prestee ».
— « A qui? » — « Une nonein velee,
Qui en son cortil me fist prendre.
2670 Mes bien la m'afia a rendre. »
Hersent respont de meintenant :
— « Sire, ce n'est pas avenant.
S'il i avoit trente fiances,
Donés pleges et aliances,
Si lairoit les pleges encorre.
Alez tost, ne finez de corre,
Et si dites a la nonein,
Qui fille est au conte Gilein,
Que plus n'i demort n'i atende,
2680 Mes tost vostre coille vos rende.
Qar s'une fois l'avoit sentie,
Tost en auroit sa foi mentie
Ainz que jamés la vos rendist.
Si seroit drois qu'en vos pendist,
Quant baillie la li avez.
Bien voi que gueres ne savez.
Molt m'avez morte et malbaillie,
Quant une autre l'a en baillie.

366

puis, ça suffit comme ça, taisez-vous donc.

— Pas question. Vous allez me le faire.

— Vous faire quoi?

— Ce qu'un homme fait normalement et qui nous plaît à nous toutes, les femmes.

— Taisez-vous : je ne le ferai pas. D'ailleurs, vous devriez déjà avoir fait votre prière et dormir; c'est la veille de la fête d'un saint apôtre.

— Par saint Gilles, veille de fête ou pas, si vous voulez conserver mon amour, dépêchez-vous de faire voir ce dont vous êtes capable. »

2660 Et elle se serre contre lui tandis qu'il lui tourne le dos; mais quand elle vient à le tâter à l'endroit où la nature, suivant sa loi, l'avait doté du membre attendu, plus trace d'andouille :

— « Malheureux, » dit-elle, où est donc ce que vous portiez accroché là? Il faut vous le faire rendre.

— Je l'ai prêté, dame.

— Et à qui?

— A une religieuse qui m'avait fait prendre dans son jardin. Mais elle m'a promis de me le rendre.

— Vous avez été bien imprudent! » rétorque aussitôt Hersent. « Même si cette femme avait prêté serment trente fois, si elle vous avait donné gages et garanties, elle renonce-

Mise m'avez en grant effroi,
2690 Demein m'en clamerai au roi. »
— « Pute vielle », dist Ysengrin,
« Demein vos viengne mal matin!
Car vos taisiez, si vos dormez,
Et mal jor vos soit ajornez!
Gardés bien que n'en parlés plus ».
Atant Hersent del lit saut jus :
— « Filz a putein, meveis traïtres,
Einsi n'en irés vos pas quites.
Se ne m'estoit por un petit,
2700 Ge vos trairoie fors del lit,
Se Dex me doinst demein veoir. »
Atant s'en vait a l'uis seoir,
Molt fort conmence a sopirer
Et ses cevols a detirer.
Ses dras deront, ses poinz detort,
Plus de cent fois s'ore la mort.
— « Que ferai més, lasse chative!
Molt me poise que je sui vive,
Q'or ai perdu tote ma joie
2710 Et la rien que je plus amoie.
Onques n'oi mes si grant anui :
Q'a je mes afere de lui?
Fole est qui delez lui se couche,
Qu'il ne valt mes ne q'une souche.
Je ne quier mes o lui cocher,
Qu'en ne doit mes a lui toucher.
Puis qu'il ne puet la chose fere,
Q'ai ge donques de lui a fere?
Mais aille ermites devenir
2720 Et en un bois por Deu servir :
Qar bien sai qu'il est conchiez,
Quant de la coille est derochez. »
A icest dol qu'ele demeine

368

rait à les récupérer. Allez, dépêchez-vous
d'aller la trouver, cette religieuse, cette digne
fille du comte Gilles [32], et dites-lui de vous
rendre votre andouille sans délai. Car, si elle
en avait tâté ne serait-ce qu'une fois, vous
pourriez toujours courir pour qu'elle vous la
rende, malgré ses serments. Ah! Vous méri-
teriez d'être pendu pour la lui avoir confiée!
Quel naïf vous faites! L'idée qu'une autre
peut en faire ce qu'elle veut me rend folle!
Vous voulez ma mort. Dès demain, j'irai
porter plainte auprès du roi.

— Vieille salope! Ah! Si vous pouviez
crever d'ici là! Taisez-vous et dormez. J'espère bien que la journée de demain ne vous
portera pas bonheur. Et maintenant tenez
votre langue! »

En entendant ce discours, Hersent saute à
bas du lit : « Fils de pute, vous-même, salaud,
ne croyez pas que ça va se passer comme ça!
Je ne sais pas ce qui me retient de vous tirer
du lit, — et d'ailleurs je le ferai pas plus tard
que demain si Dieu me prête vie jusque-là. »
Sur ce, elle va s'asseoir devant la porte et se
met à s'arracher les cheveux en poussant des
soupirs à fendre l'âme. Elle déchire ses
vêtements et se tord les mains, tout en
appelant la mort à grands cris : « Que vais-je
devenir, pauvre malheureuse! A quoi bon
vivre puisque j'ai perdu tout ce qui faisait

369

De jor vit tote la cort pleine.
En la meson en est entree,
Au lit en vient tote devee.
— « Or sus », fait ele, « danz vileins,
Ales vos ent a vos puteins!
Ne sai se fustes entrepris,
2730 Mais bien en ont le gage pris.
Einssi doit l'en mener celui
Qui sa feme a et tient l'autrui ».
Ne set li lox un mot respondre,
Ne contre lui n'en ose groindre.
Dame Hersent est noble et fiere,
Et toz jorz a esté legere,
Cointe et pleine de grant orgoil.
Des quatre piez feri el soil
Et a torné le cul au vant.
2740 « A Deu », fet ele, « vos conmant ».
Drece sa poe, si se seigne,
Vet s'ent, comment que li plez pregne.
Or vos dirai de l'autre part
De la mesnie dan Renart,
Con il s'en va par le boscage.
Ysengrin a lessié en gage.
Por la viele qu'il enporte
Molt s'esbaudist, molt se conforte.
Va s'ent a tote sa viele,
2750 D'Ysengrin n'oï puis novele.
Tant fist Renart qu'en quinze dis
Fu si de la viele apris :
Sages en fu et escolés.
Onc ne fu tex baraz trovez.
Einsi s'en va par la contree
Tant qu'il ot sa feme trovee,
Qui o lui meine un jovencel
Que prendre voloit de novel;

mon bonheur et que j'aimais le plus au monde? Rien de pire ne m'est jamais arrivé : qu'ai-je à faire de lui maintenant? Il faudrait être folle pour se coucher à côté de lui : autant vaudrait une souche. Je ne pense plus jamais partager son lit : il ne mérite plus qu'on l'approche. Oui vraiment, qu'ai-je à faire de lui maintenant qu'il n'est plus bon à rien? Il n'a qu'à devenir ermite et à servir Dieu au fond d'un bois; car il n'y a pas de doute, maintenant qu'il n'a plus de quoi, ce n'est plus un homme. »

Dès le lever du jour, la cour se remplit de gens attirés par le bruit qu'elle fait en laissant éclater sa douleur. Elle rentre alors chez elle et va droit au lit comme une folle : « Allons, debout, maître gueux! Allez-vous-en retrouver vos putains! Je ne sais dans quel mauvais cas vous vous étiez mis, mais elles ont retenu le bon gage. C'est bien ainsi qu'il faut traiter ceux qui, non contents d'avoir une femme à eux, prétendent avoir aussi celle des autres! » Et le loup reste sans souffler mot, n'osant même pas grogner là contre. Dame Hersent, qui est noble et fière de l'être, a toujours été vaniteuse et contente d'elle, voire orgueilleuse. Elle frappe le seuil des quatre pieds et s'en va, le cul au vent :

2740   — « Que Dieu se charge de vous! » dit-elle en dressant la patte pour faire le signe de

Cosin Grinbert le tesson fu.
2760 Quant il le vit, s'est arestu :
Sachez bien les a conneüs,
Tantost con il les a veüs.
Ja oüst Poncet espusé,
S'il oüst jogleür trové.
Mes ele pas tort n'en avoit :
Tuit disoient que mors estoit.
Tybert lor dist, se Dex le saut,
Que Renart vit lever en haut
As forches, et si le vit pendre,
2770 (Ce lor a fet Tybert entendre)
A unes forches granz et hautes,
Trers le dos liees les pates;
— « Il resenblot trop bien Renart.
Ge le vi pendre à une hart. »
La dame lor respont brement :
— « Je ne vos en mescroi noient.
Qar je sai qu'il avoit tant fet
Vers son seignor de maveis plet
S'un des barons le poïst prendre,
2780 Que meintenant le feïst pendre. »
N'i ot plus tenu parlement,
Beisier se vont estroitement.
Renart ne se pot plus tenir,
Ainz a fet un molt grant sopir.
A Poncet dist entre ses denz :
— « Tu en seras encor dolenz. »
Grant tens avoit que cil l'amoit,
Mais dant Renart ne le savoit.
Ainmé s'estoient molt lonc tens,
2790 Renart le saura tot a tens.
Autretel font, ce m'est avis,
Tex dames a en cest païs.
La dame son novel segnor

croix. Et elle sort sans se soucier de la suite des événements.

Après avoir parlé de la maisonnée d'Ysengrin, venons-en à celle de Renart. Celui-ci chemine à travers le bocage, ayant laissé le loup en gage, et fort satisfait d'emporter la vielle avec lui. L'instrument ne le quitte pas — en revanche, d'Ysengrin il n'entend plus parler —, et il fait tant et si bien qu'au bout de quinze jours, il sait en jouer : il a terminé ses classes et le voilà passé maître. Il s'en va donc par le pays jusqu'au jour où il tombe sur sa femme, qui était en compagnie d'un jeune homme avec lequel elle avait l'intention de se remarier. C'était Poincet, le cousin du blaireau Grimbert. Dès que Renart le voit, il fait halte, — et soyez sûrs qu'au premier coup d'œil il les a reconnus tous les deux. Le mariage aurait déjà été chose faite, si Poincet avait pu trouver un jongleur; on ne pouvait pas en vouloir à Hermeline : tout le monde disait que Renart était mort, et Tibert (que Dieu le garde!) affirmait qu'il l'avait vu pendu à un gibet aussi grand que haut, disait-il, et les pattes attachées derrière le dos. « Vraiment, c'était le portrait de Renart tout craché, on ne pouvait pas s'y tromper; je l'ai vu pendre haut et court. » Et la dame de se contenter de répondre : « Je vous crois sur parole. Il avait si souvent mal agi envers son

Bese et acole par amor.
Renart voient vers els venir
Et la viele au col tenir :
Molt furent lié, pas nel connurent,
Salué l'ont si con il durent.
— « Qui estes vos » font il, « bel frere? »
2800 — « Sire, ge fot un bon juglere,
Et saver moi molt bon chançon
Que je fot pris à Besençon.
Encor molt de bons lais saurai,
Nul plus cortois jogler n'aurai.
Ge fot molt bon jogler à toz,
Bien sai dir et chanter bons moz.
Par foi mon segnor seint Colas,
Bien fot sembler que tu l'amas,
Et li senbler bien toi amer.
2810 Et ou voler tu si aler? »
Lors dist Poncet : — « au Deu plesir
Nos alomes la messe oïr.
Tuit alomes vers le moster,
Ceste dame voil noçoier.
Ses sire est mors novelement :
Mes li rois le haoit forment.
Meinte foiz l'a pris a forfet,
Or a de lui son plesir fet.
Renart ot non li engigneres.
2820 Fel fu traîtres et boisieres,
Meinte traïson avoit fete
En haut en a sa goule trete.
Trois fil en sont remés molt bel
Qui sont molt cointe damoisel :
Lor pere quident bien venger
Ainz que l'en doive vendenger.
Moü sont ja por querre aïe
A ma dame Once la haïe.

374

seigneur qu'un des barons a dû s'emparer de
²⁷⁸⁰ lui et le faire pendre incontinent. »

Et, sans s'interroger davantage, Hermeline
et Poincet tombent dans les bras l'un de
l'autre. Le spectacle arrache à Renart, quoi
qu'il en ait, un profond soupir et il murmure
entre ses dents à l'adresse de Poincet : « Tu
me le paieras. » Il y avait longtemps que
celui-ci était amoureux d'Hermeline, mais le
seigneur Renart l'ignorait et il apprendra au
bon moment qu'ils étaient amants depuis
longtemps. Quant à moi, je crois que la
renarde n'est pas la seule dans ce pays à s'être
conduite ainsi. La dame est en train de se
serrer contre son futur mari et de l'embrasser
pour lui manifester son amour, quand ils
voient Renart s'avancer vers eux, la vielle au
cou. Comme ils ne le reconnaissent pas, cette
vue ne peut que les réjouir. Ils le saluent
poliment :

— « Qui êtes-vous, cher ami ?
²⁸⁰⁰ — Seigneur, je foutre un bon jongleur et
moi savoir beaucoup de bonnes chansons que
je foutre appris à Besançon ³³, et encore
beaucoup de bons contes : vous n'avoir aucun
jongleur plus courtois. Je foutre très bon
jongleur pour tous, je sais bien dire et chanter
les mots bons. Par monseigneur saint Colas,
bien foutre sembler que tu l'aimas et elle bien
sembler aimer toi. Et où toi vouloir aller ?

Tot li secles est en sa mein,
2830 Et tuit li mont et bois et plein.
Il n'en a beste jusq'as porz,
Tant soit hardie ne si forz,
Ors, chien ne lou ne autre beste,
Qui vers lui ost torner la teste.
Por soudees i vont li frere.
Quanque il ont, lessent lor mere,
Qui molt par est cortoise dame.
Ge la prendrai par tens a feme.
Einsi est la chose atornee,
2840 Q'ainz demein nuit l'aurai juree ».
Renart respont entre ses denz :
— « Tu en seras encor dolenz.
Encor en charras en tel briche,
Nel voudroies por une fliche. »
— « Certes, sire », ce dist Poinçax,
Qui molt estoit cortois et baux;
« Se vos volés as noces estre,
Dont ne nos faut més que le prestre.
Ge vos donrai del nostre asez,
2850 Quant cist aferes iert pasez ».
— « Fotre merci », dist il, « bel sir,
Moi saura fer tot ton plesir.
Moi saver bon chançon d'Ogier,
Et d'Olivant et de Rollier
Et de Charlon le char chanu ».
— « Dont vos est il bien avenu. »
Entre ses denz dist li maufez
« Et vos estes mal asenez. »
Atant se metent a la voie,
2860 Renart viele et fet grant joie,
Tant qu'il vindrent a la tesnere
Qui molt estoit large et plenere.
Quant Renart vit adesertir

— S'il plaît à Dieu, nous allons entendre la messe; oui, nous allons ensemble à l'église où j'ai l'intention d'épouser cette dame. Son premier mari est mort il y a peu de temps : le roi l'avait pris en haine; aussi, il a fini par faire justice de lui après l'avoir à maintes reprises pris sur le fait. Il s'appelait Renart, ce fourbe! c'était un fameux traître, un vrai sac à malices. Il passait son temps à tromper le monde : c'est ce qui lui a valu de finir pendu haut et court. Il a laissé trois beaux garçons, de fiers jeunes gens : ils se sont mis en tête de venger leur père avant les vendanges et ils sont déjà partis chercher de l'aide auprès de sa Seigneurie la Lynx, la haïe. Le monde entier dépend d'elle, — montagnes forêts et plaines. On ne trouverait pas une seule bête, d'ici jusqu'à la frontière, si hardie et forte soit-elle, — ours, chien, loup ou autre —, qui oserait la défier. Les frères vont s'engager comme soldats à son service. Tout ce qu'ils possèdent, ils l'ont laissé à leur mère, une dame très courtoise. C'est elle que je vais de ce pas épouser; la chose est décidée ; elle sera ma femme avant demain soir. »

— « Tu ne l'emporteras pas en paradis » répond Renart entre ses dents. « Le sort que je te réserve, tu n'en voudrais pas même si tu devais y gagner un jambon.

— Eh bien, seigneur », dit Poincet tou-

Son castel gaste et enhermir,
Il n'en velt fere autre senblant.
Ja soit ce qu'il se voist joant,
En son cuer pense, se il vit,
Tex en plorra qui or en rit.
Par le païs et par la terre
2870 Envoia cil ses amis querre :
Tant veïssiez bestes venir
Nus n'en poïst conte tenir.
De molt long s'i asenblent tuit,
Par la vile meinent grant bruit.
Dame Hersent i est venue.
Ysengrin est remeis en mue :
Novelement laissié l'avoit
Por ce que maengniez estoit,
Et jure seinte Pentecoste
2880 Ga ne girra més a sa coste.
Q'a on a fere d'ome en chanbres
Puis que il n'a trestoz ses menbres?
Mes voist aillors, si se porçast.
Drois est que tos li mons le chast.
Por ce s'en est de lui tornee.
As noces vint bien atornee,
Et des autres i ot grant flote,
Et Renart lor chante une note.
A grant joie les noces firent,
2890 Tybers li chaz et Brun servirent.
Totes sont pleines les cuisines
Et de capons et de jelines;
D'autres vitailles i avoit
Selonc ce que chascun voloit.
Et li jugleres lor chantoit,
A chascun d'els forment plesoit.
Onc n'oï on si grant janglois
Con il demeine en son englois.

jours poli et empressé, « si vous voulez être de la noce, il ne nous manque plus que le prêtre. Vous pouvez compter sur ma générosité, une fois l'affaire terminée.

— Foutre merci, cher seigneur. Moi saura faire tout ton plaisir. Moi savoir bon chanson d'Ogier, d'Olivant et de Rolier [34], et de Charles le cher chenu.

— Dans ces conditions, vous êtes bienvenu.

— Et vous, mal avisé », marmotte ce diable de Renart.

Sans plus attendre, ils se mettent en route, le goupil jouant de la vielle et menant grande joie tout le long du chemin jusqu'à la tanière qui était de très vastes dimensions. Quand il voit son grand château laissé désert et à l'abandon, il s'efforce de ne faire mine de rien; mais quels que soient les morceaux qu'il joue, il n'en pense pas moins en son for intérieur que s'il vit assez pour cela, tel qui rit maintenant en pleurera bientôt. Poincet fait inviter tous ses amis par le pays, et les bêtes accourent innombrables, venues de très loin et faisant grand bruit dans le bourg. Dame Hersent est venue sans Ysengrin qui est resté caché : elle l'avait quitté il y a peu parce qu'il avait été estropié d'une façon qui avait fait jurer à sa femme par la Sainte Pentecôte, qu'elle ne partagerait plus jamais son lit : que

Aprés mangier savez que firent?
2900 Hastivement se departirent,
Qu'il n'i remeist ne bons ne max
Fors ouls, ne chevelox ne caux;
Chascun s'en va a son repere.
Renart remest son mester fere.
Dame Hersens s'en est entree
Dedenz la chambre a l'esposee,
Et a Poncet a fet son lit
Ou quide fere son delit.
A une liue d'iloc ot,
2910 Si que Renart molt bien le sot,
Une tombe d'une martire
Dont vos avez bien oï dire :
De Coupee qui la gisoit.
Trestoz li mondes le disoit
Qu'ele fesoit apertement
Vertus a toz cumunalment.
Nus homs n'i vient, tant soit enfers,
Ou soit moignes, ou lais ou clers,
De tot le mal que il oüst
2920 Que meintenant gariz ne fust.
Renars i fu, si ot veüz
Le jor devant deus laz tenduz
Et un braion en terre enclox.
Bien le ferma a quatre clox
Q'a un vilein avoit emblé.
Iloc l'ot repost et enté,
Bien sot qu'il en auroit a fere,
Qar il savoit de meint afere.
Quant Poncet dut aler gesir,
2930 Si l'a fet devant lui venir,
Et si li dist en son langage :
— « Sire Boucez, fez tu que sage :
Se tu creez que je dira,

peut-on y faire d'un homme à qui manque le bon membre? Qu'il aille se faire voir ailleurs et qu'il se débrouille! Si tous le repoussent, il n'a que ce qu'il mérite; c'est pourquoi elle l'a laissé à son triste sort et s'est mise en frais pour venir à la noce.

Les invités se pressent en foule tandis que Renart chante ses chansons et les festivités se déroulent dans la joie générale. Tibert le chat et Belin assurent le service. Les cuisines sont pleines de chapons, de poules et d'autres plats : il y en a pour tous les goûts. Pendant ce temps, le jongleur continue de s'activer, faisant l'unanimité sur son compte : on n'a jamais entendu personne faire preuve d'une telle verve; cet Anglais n'a pas son pareil!

Vous savez ce qui se passe après manger, n'est-ce pas? Les invités se dispersent rapidement; tous se retirent, bons et méchants, chauves et chevelus; chacun rentre chez soi, laissant seuls les nouveaux mariés. Mais Renart reste pour faire ce qu'il a à faire. Hersent pénètre dans la chambre nuptiale pour préparer le lit de Poincet, ce lit dont celui-ci compte bien faire le lieu de son plaisir. Or, à une lieue de là (et il ne l'ignorait évidemment pas) se trouvait la tombe d'une martyre; vous avez entendu parler d'elle : il s'agit de dame Coupée qui y reposait. Tout le monde disait qu'elle faisait, à l'évidence, des

Merveille fu qui te vendra,
Et bien saver que je voil dir.
Lasus giser un seint martir,
Por lui faser Dex tant vertuz :
Se tu voler aler piez nuz
Et port un candoil en ton mein,
2940 Et tu veillier anuit a mein,
Et tu vus ton candoil lumer,
Tu fus demein un fil gendrer. »
Ce dist Poncez : « molt volonters ».
Atant se metent es senters :
En sa mein porte une candoille
Qui si art cler con une estoille.
Desoz un pin en un moncel
Iloc troverent le tombel.
Renart s'estut, cil passe avant :
2950 — « Basse, Bosez, Dex t'en avant! »
Cil vait avant, si se redote,
Renart le vit, avant le bote.
Tant fort l'enpeint qu'il ciet es laz
Parmi le col et l'un des braz.
Il est choüs ens el braion
Qui cevelliez fu el raion.
Il tire fort et li braz froisse.
Li laz li refet grant angoisse :
Forment s'esforche, forment tire,
2960 Recleime Deu et la martire
Qu'ele li soit verais garanz.
Il n'i a nul de ses parenz.
Tire et retire, ne li vaut,
Et Renars le ranpronne en haut.
— « Bosez, vos fot asez oré,
Et tu seraz ci trop moré.
Molt ama vos icil martir
Que ne laisse toi li partir.

miracles en faveur de tous ceux sans distinc-
tion qui s'adressaient à elle. Si gravement
atteint soit-on, moine, laïc ou clerc, on s'en
2920 retourne aussitôt définitivement guéri. Renart s'y était rendu la veille et y avait repéré
deux collets tendus et un piège enfoncé en
terre qu'il avait renforcé à l'aide de quatre
clous volés à un paysan. Il l'avait installé là en
le cachant : il se doutait bien qu'il pourrait en
avoir besoin car il avait plus d'un tour dans
son sac. Quand le moment fut venu pour
Poincet d'aller se mettre au lit, le goupil le
fait venir devant lui et lui dit en son langage :

— « Seigneur Boucet, tu fais comme un
sage : si tu crois que je dirai, il foutre y a une
chose merveilleuse qui t'arrivera. Et moi bien
savoir que je veux dire. Là-bas, coucher une
saint martyre, pour elle Dieu faire beaucoup
miracles. Si toi vouloir aller pieds-nus, et
tenant une chandelle dans ton main, si toi
2940 veiller la nuit jusqu'à matin et tu veux
illuminer ton chandelle, demain toi foutre
engendre un fils.

— Très volontiers, » dit Poincet.

Ils se mettent donc aussitôt en chemin,
Poincet portant un cierge allumé qui brille
clair comme une étoile. Une fois sur place, ils
trouvent la tombe qui était au sommet d'un
monticule, sous un pin. Renart s'arrête pour

Tu voler devener, ce quit,
2970 Moine ou canon en cest abit.
Ou tu venir, ou moi ira.
Ou fot me bien, je li dira
Que vos velt ermit devenir,
Et la martir fot vos tenir.
Ce fot forment a merveiller
Que tu voler tot nuit veller,
Et vos fustes novel bosez,
Et ta moiller fot vos tendez
Et fot ja mienuit oscure. »
2980 Atant es vos grant aleüre
Quatre gaignons et un vilein,
Uns enemis frere Brian.
Le boscage avoit bien apris.
Poincet ont trové entrepris.
Tant l'ont tiré et desaché
Que tot l'ont mort et esqachié.
Renars le vit, molt s'en esmaie,
Fuiant s'en va par une haie.
Les granz galoz s'en va arere.
2990 Fuiant sen vet a sa tesnere.
Sa feme trove asovinee
Qui atendoit sa destinee :
Molt li pesoit de la demoure,
Que ja ne quidoit veoir l'oure.
Quant voit venir le jugleor
Tot sol, lors si ot grant peor.
Quant Renart l'a soule trovee,
— « Or sus », fet il, « pute provee!
Or sus, si tenés vostre voie,
3000 Gardés que jamés ne vos voie!
Molt est mavese vostre sorz.
Ge ne sui mie encore morz,
Ains sui Renars, ce m'est avis,

laisser passer Poincet devant lui : « Basse, Bousé, Dieu te le revaudra. » Poincet s'approche donc mais non sans marquer quelque crainte. Renart, qui s'en aperçoit, le pousse alors pour le faire avancer avec une telle brutalité qu'il se retrouve pris dans les collets par le cou et par un des bras. Le voilà tombé dans le piège qui était solidement enfoncé dans le fossé. A force de tirer, il se brise le bras tandis que, de son côté, le lacet l'étrangle en lui faisant souffrir mille morts. Il tire de plus belle, se débat de son mieux, priant Dieu et suppliant la martyre de lui venir en aide, car il ne peut compter sur aucun de ses parents. Mais il a beau tirer dans tous les sens, il n'arrive à rien, cependant que Renart le morigène de son haut :

— « Pousé, tu foutre beaucoup prier, tu seras trop resté, cette martyre vous aime beaucoup qui ne laisse pas toi partir d'elle. Tu vouloir devenir moine ou chanoine, je crois, avec l'habit. Ou tu venir ou moi partir. Ou foutre moi bien ? Je lui dira que toi veut devenir ermite et la martyr foutre tenir vous. Ce foutre très merveilleux que tu vouloir veiller toute la nuit et vous foutre nouveau pousé et ta femme foutre attendre vous, et foutre déjà minuit obscur. »

Mais voilà qu'arrivent au grand galop quatre mâtins et un paysan, un ennemi de

Seins et haitiés et trestoz vis.
Molt avez tost le dol boü
Que vos avés de moi eü.
Or sus », fet il, « levez de ci,
Alez veoir vostre mari !
S'orrez conment il se contient,
3010 Car la martire le retient ».
Quant la dame ot ceste parole,
A pou que de dol ne s'afole.
— « Lasse ! », fet ele belemer.t,
« Ce est mesires vraiement. »
Et danz Renars prist un baston,
Si li paia sa livreisson,
Et fiert et hurte et rolle et bat
Tant que crie : « merci, Renart !
Sire, por Deu merci te quier,
3020 Laisse moi vive repairier ! »
— « Or sus », fet il, « car par mes denz
Mar enterrés jamés çaenz.
Ja ne gerrez més a ma coste,
Quant receü avez tel oste.
Ainz vos trencerai ceu baulievre,
Et cel grant nés sor cele levre,
Et vos enfonderai ceu ventre,
Et la boele qu'est soentre
Vos saudra fors par le poitron
3030 Malgré vostre novel baron.
Et vos », fet il, « dame Hersent,
Asez fet mal qui le consent.
Hai ! », fet il « quex dous barnesses !
C'estoient ore beles messes
Que feissiez por moi chanter,
De vos poistrons fere roillier.
Co sache Dex et seint Martins,
Qu'ore est venue vostre fins. ».

Frère Brian [35], qui connaissait le bocage comme sa poche. Ils tombent donc sur un Poincet déjà fort mal en point : à force de le tirer à hue et à dia, ils le mettent en pièces : le voilà mort. Effrayé par ce spectacle, Renart prend la fuite, se tenant à l'abri d'une haie. Il s'éloigne à toute allure, en suivant le chemin par où il est venu et court se réfugier dans sa tanière où il trouve sa femme allongée sur le dos et attendant l'inévitable : le retard de Poincet l'ennuyait fort et elle ne se tenait plus d'impatience. A voir revenir le jongleur tout seul, une grande peur la saisit :

— « Debout, espèce de salope, » fait-il dès qu'il a contasté qu'elle était seule, « Dehors, débarrassez-moi le plancher et que je ne vous revoie plus! Vous avez tiré le mauvais numéro : je ne suis pas encore mort ; oui, c'est moi Renart, sain de corps et d'esprit, et bien vivant selon moi. Vous n'avez pas longtemps porté mon deuil. Allons, debout, levez-vous de là, et allez voir où est votre mari. Vous saurez à quoi il est occupé : la martyre ne veut pas le lâcher. »

A l'entendre ainsi parler, la dame manque perdre la tête de douleur : « Pauvre de moi, » murmure-t-elle. « C'est vraiment mon mari. »

Et le seigneur Renart, se saisissant d'un bâton, entreprend de lui faire payer ses torts.

387

Quant les deus dames ce oïrent,
3040 Sachez que pas ne s'esjoïrent.
Bien sorent qu'engignies furent
Quant au parler le reconnurent.
Molt grant merveille lor est prise,
En grant poor chascun est mise.
Bien quident estre enchantees,
Forment en sont espoentees.
De peor l'une et l'autre trenble,
Molt s'esmaient andui ensenble.
Renars ambedous les a prises,
3050 Fors de la meson les a mises.
Onc ne lor lut parole dire,
Ne l'une ne l'autre escondire.
Et l'une et l'autre s'espoente,
Chascune forment se demente,
Dame Hersens por son segnor
Qui a perdue la color,
Et la barbe li est çoüe
Por la coille qu'il a perdue.
Dame Hermeline li raconte
3060 Q'avenue li est grant honte
De Poncet a la crine bloie
Dont a oü si corte joie.
— « Qui caut? », ce dist dame Hersens,
« Molt par ert povres nostre sens,
Se nos ne retrovons maris.
Dont sera tot li mons faillis
Et d'unz et d'autres granz et baus.
Si troveron deus jovenceax
Qui bien feront nos volentez.
3070 De folie vos dementez. »
— « Vos dites voir », ce dist dame Emme,
« Mes molt est let de vielle feme
Qui ne crent honte et deshonor,

Une vraie volée de bois vert! Il la roue si bien de coups qu'elle se met à crier :

— « Pardon, Renart, seigneur, au nom de Dieu, pardon! Ne me tue pas, laisse-moi partir!

— Dehors donc! Et si vous remettez les pieds ici, ce sera tant pis pour vous, sur mes dents! Je ne veux pas partager mon lit avec une femme qui y reçoit n'importe qui. Je vous couperai plutôt les lèvres et ce grand nez que vous avez par-dessus, et je vous éventrerai jusqu'à vous faire sortir les tripes par le cul en dépit de votre nouveau mari. Quant à vous, dame Hersent, qui laisse faire le mal s'en rend complice. Ah! vous faites de drôles d'épouses toutes les deux. Elles étaient jolies les messes que vous faisiez chanter pour moi en vous faisant fouiller le cul! Mais, par Dieu et par saint Martin, votre dernière heure est venue. »

En entendant cela, les deux dames n'en mènent pas large. Quand elles eurent reconnu Renart à sa voix, elles comprirent qu'elles étaient prises au piège; et leur surprise n'a d'égale que leur crainte. Seraient-elles victimes d'un enchantement? Mais cette idée ne fait que les épouvanter davantage : elles tremblent de peur l'une comme l'autre et s'affolent : Renart les saisit et les pousse toutes les deux dehors sans même leur laisser

De honir soi et son segnor.
Ensorquetot l'en me disoit
Que mes mariz penduz estoit.
Se j'avoie autre mari pris,
Avoie je de rienz mespris?
J'ai bien ceste chosse essaiee,
3080 Feme mesprent a la foiee ».
— « Vos dites voir », ce dit Hersenz.
« Cist mesprendres n'est mie genz.
Mespris avez en tel manere
Qu'en vos en tient a camberere
Qui conmunax est a garçons :
Trestuit li entrent es arçons.
Mes je ne fis einc lecherie,
Ce set en bien, ne puterie
Fors une fois par mesprison
3090 Vers dant Renart vostre baron.
Quant mes loveax ot conpissiez,
Mesaasmez et ledengiez,
Gel fis chaoir en sa tesnere :
Il fist son tor par de deriere. »
Dame Hermeline ot la parole.
Respondi li con fame fole;
Jalouse fu et enflamee
Quant ses sires l'avoit amee,
Et dist — « ne fu ce puterie?
3100 Vos feïstes grant lecherie,
Grant deshonor et grant hontage
Feïstes vos et grant putage,
Quant vos soffristes mon baron
Qu'il vos bati cel ort crepon.
Pute vielle, pute remese!
En vos doüst ardoir en brese,
Si que la poudre en fust ventee,
Quant a moi vos estes vantee

dire un mot pour se justifier. Dans leur frayeur, elles se mettent à se lamenter : Dame Hersent parle de son mari qui, en même temps que son plus précieux ornement, a perdu ses couleurs et sa barbe. Hermeline raconte le malheur qui vient de lui arriver avec ce Poincet aux blonds cheveux dont elle n'a vraiment pas eu le temps de profiter :

— « Après tout, qu'importe? » fait Dame Hersent. « Il faudrait que nous soyons bien bêtes pour ne pas nous trouver d'autres maris, ou que le monde soit tombé bien bas s'il n'y en avait à foison de grands et de vaillants. Nous dénicherons bien deux jeunes hommes qui feront toutes nos volontés. Que vous êtes sotte de vous lamenter!

— Vous avez raison, mais c'est qu'on regarde d'un mauvais œil la femme mûre qui ne craint pas de manquer au respect qu'elle doit à son mari et à elle-même : elle se déshonore aux yeux de tous en agissant ainsi. Seulement, on me disait partout que mon mari avait été pendu. En quoi étais-je coupable de chercher à me remarier? Mais j'en ai fait l'expérience : une femme se trompe souvent.

— Vous êtes dans le vrai, » dit Hersent. « Et ce genre d'erreur ne pardonne pas. Vous vous êtes conduite comme une gourgandine qui se donne à qui veut la prendre et que

391

De mon segnor qu'il vos a fet.
3110 Haï! con avés bien forfet
Qu'en vos tolist le peliçon
Et feïst l'en de vos carbon,
Quant aviez vostre baron
Et feïstes tel desreson;
Et il sa feme d'autre part.
Or sont tuit vostre enfant bastart.
Tost vos en fu li dels passez,
Qant vos les avez avoutrés.
Et Ysengrin vostre segnor
3120 Avés fete tel deshonor
Que jamés ne sera amez,
Mes toz jors més ert cox clamez ».
Molt li dit et molt se coroce,
Sachés que forment se degroce.
Hersent respondi en riant :
— « Molt a en vos pute friant,
Quant vostre segnor aveez
Et autre mari perniez.
Molt par est maveis et escars,
3130 Quant il ne vos a le cul ars.
Molt par estes de maveis estre,
De poior ne poiez vos estre.
Qar plus estes pute que moche
Qui en esté la gent entoche.
Qui que viegne ne qui que aut,
Vostre taverne ne li faut :
Meint en tornez a vostre part.
Se por ce sont mi fil bastart,
Por ce nes gitera ge mie.
3140 Foi que je doi seinte Marie,
Qui les voudroit trestoz jeter
Les bastars et desheriter,
Asez auroit plus de puissance

n'importe qui peut sauter. Moi, on le sait bien, je n'ai jamais trompé mon mari; je ne me suis jamais conduite comme une femme malhonnête, sauf une fois, par erreur, avec le seigneur Renart votre mari, la fois où, non content d'avoir insulté et maltraité mes petits, il leur avait pissé dessus : je l'avais fait rentrer plus vite que son train dans sa tanière, et lui, en ayant fait le tour, m'est arrivé dessus par derrière. »

Quand elle apprend que son mari lui avait fait l'amour, Hersent, brûlée de jalousie, ne se contient plus : « Et vous n'appelez pas ça se conduire en putain? C'est une vraie saloperie que vous avez faite là : vous devriez avoir honte, espèce de traînée, de moins que rien! Laisser mon mari tâter votre croupe qui pue! Putain sur le retour! Vieille salope! Le bûcher, voilà ce que vous méritez et de vous y voir réduire en poussière qui vole au vent! Venir vous vanter à moi de ce que mon mari vous l'a fait! Avec tout ce que vous avez fait, on devrait vous écorcher vive et vous réduire en cendre! Quand je pense que vous vous êtes conduite avec Renart de cette façon, alors que vous étiez mariée, et que lui a traité sa femme de la même manière! Tous vos enfants ne sont que des bâtards. Et ce ne sont pas les scrupules à leur égard qui vous ont étouffée quand vous leur avez donné un père qui

Que n'out onques li rois de France.
Mes vos qui estes bordelere
Les avoutrés en tel manere,
Les vos enfanz, ce set l'en bien :
Onc nel veastes a nul chen. »
— « Vos i mentés, pute sorcere.
3150 Tesiez vos que je ne vos fiere! »
— « Vos me ferez, pute merdouse,
Pute vielle, pute teignouse?
Se l'aviez pensé a certes,
Ja i auroit paumes overtes
Et peax trenciees et ronpues,
Se ne me faillent denz agues. »
Hermeline plus n'i demoure,
Isnelement li corut soure,
Et Hersens par molt grant aïr
3160 Revet Hermeline sesir.
A terre se voltrent et hercent,
Et neporquant les peax i percent,
As denz aguës les detrencent,
Lor maltalant forment i venchent,
Rompent et sachent et descirent,
As denz durement ce martirent.
Lors veïssiez en molt poi d'oure
L'une desos, l'autre desoure.
Dame Hersent fu granz et fors,
3170 Soz lui la tient par grant esforz.
Encontre un fust l'a enanglee,
Ja l'oüst morte et estranglee.
Atant es vos un pelerin
Qui vint cloçant tot le chemin,
Trova les dames conbatant.
Une en a prise meintenant,
Par la mein l'a levee sus :
— « Or sus », fet il, « n'en fetes plus! »

³¹²⁰ n'aurait jamais dû être le leur. Quant à votre mari, vous l'avez rendu si ridicule qu'il ne pourra plus prétendre à l'amitié de personne et qu'on ne l'appellera plus que "le cocu" ».

Dans sa colère, c'est un torrent de paroles accompagnées de force grognements qu'elle laisse échapper.

— « La putain en chaleur, c'est vous », lui rétorque Hersent avec un rire dédaigneux, « vous qui, non contente d'avoir un mari, en preniez un autre. Il faut qu'il n'ait vraiment pas beaucoup de fierté ni de dignité pour ne pas vous avoir grillé le cul. Le mal incarné, voilà ce que vous êtes. Il n'y a pas pire. Les mouches qui piquent les gens en été valent encore mieux que vous. N'importe qui peut venir vous voir; vous tenez porte ouverte et vous savez attirer les gens. Quant à mes fils, si j'ai fait d'eux des bâtards, ce n'est pas pour ³¹⁴⁰ cela que je les renierai. Par la foi que je dois à la Vierge Marie, celui qui se mettrait en tête de chasser tous ceux qui sont dans leur situation, et de leur enlever leur héritage, serait assurément plus puissant que ne le fut jamais le roi de France. Mais c'est vous, en vraie fille de bordel que vous êtes, dont les enfants sont des bâtards : on le sait de reste; vous n'avez jamais su dire non à un chien.

395

Et quant departies les a,
3180 Molt doucement les castia.
Demanda lor dont eles sont,
Dont eles vienent et ou vont.
Celes li ont conté lor estre,
Car il estoit seins hom et prestre,
Et il lor done bon conseil
Que chascune aut a son pareil :
Merci li crit et li requiere
Qu'il l'aint et qu'il la tiegne chiere.
Dame Hersent a fait aler
3190 A Ysengrin por acorder.
Dame Hermeline ameine ariere
A dan Renart en sa tesniere.
Tant est seins et religious
Q'acordees les a andous,
Et tant i a s'entente mise
Que par tot a la pes asise.
Puis fu Renars en sa meson
O sa moillier molt grant seson.
Trestot li dist et tot li conte :
3200 Conment il dut recevoir honte,
Qant en la cuve fu sailliz :
Con il dut estre malbailliz,
Et escharni le teinturier,
Dist qu'il estoit de son mestier;
Conment il fist la coille perdre
A Ysengrin qui ne puet serdre.
Trestot li conte et tot li dit :
Cele ne fet mes que s'en rit.
Molt lonc tens fu Renart en mue :
3210 Ne va ne vient ne se remue.
Ci faut Renart li teinturier
Qui tant sot de maveis mestier.

« — Menteuse, sale sorcière! Fermez-la ou gare à vous!

— Gare à moi! Espèce d'emmerdeuse, foutue teigne! Si vous pensiez seulement ce que vous venez de dire, je vous aurais déjà montré si j'ai des dents pour mordre : vous auriez les mains en sang, la peau déchirée et crevée. »

C'en est trop pour Hermeline qui se rue sur Hersent, laquelle, de son côté, s'empresse de l'empoigner. Non contentes de se vautrer et de se traîner par terre, elles se trouent la peau à grands coups de leurs dents aiguës, se faisant payer mutuellement leur colère. Et de tirer, briser, déchirer, elles n'y vont pas de main morte. C'est tantôt l'une, tantôt l'autre qui a le dessous, puis qui reprend le dessus. Cependant, Dame Hersent était plus grande et plus forte. En usant de toutes ses forces, elle plaque Hermeline au sol et la coince contre une souche; elle allait l'étrangler jusqu'à ce que mort s'ensuive, si n'était alors survenu un pèlerin qui s'avançait en boitillant sur le chemin et qui tombe sur les deux dames aux prises. Se saisissant d'une des combattantes, il la met debout : « Levez-vous; ça suffit comme ça! » Et, après les avoir séparées, il leur adresse avec douceur des remontrances. Puis il leur demande qui elles sont, d'où elles viennent et où elles vont. Quand

397

elles lui ont dit ce qu'il en était, comme c'était un saint homme et qu'il était prêtre, il leur donne le sage conseil de retourner auprès de leurs maris : que chacune demande pardon au sien en le priant de lui rendre son amour et son affection. Il fait retourner dame Hersent auprès d'Ysengrin pour qu'elle fasse la paix avec lui. Quant à dame Hermeline, il la fait rentrer dans la tanière auprès du seigneur Renart. Sa piété et sa sainteté lui permettent d'obtenir le rétablissement de l'entente à l'intérieur des deux couples et ses efforts aboutissent à une réconciliation générale. Renart, après cela, demeura longtemps dans sa maison avec sa femme, occupé à lui raconter les détails de ses dernières aventures : il lui dit la honte que lui valut son saut dans la cuve, comment les choses allaient décidément mal tourner pour lui s'il ne s'était joué du teinturier en lui faisant croire qu'il était du métier et comment il a fait perdre son membre à Ysengrin qui en est devenu impuissant. Il ne passe rien sous silence, mais Hermeline se contente d'en rire. Il reste longtemps sans se montrer, demeurant chez lui sans mettre le nez dehors. Ainsi s'achève l'histoire de Renart teinturier qui, en fait de métier, connaissait surtout celui de vaurien.

Mes molt fu vers Renart irié
Li rois tant qu'il avint un jor
1160 Qu'il se seoit dedenz sa tor,
Si li prist une maladie,
Dont il quida perdre la vie
(Et fu a une seint Johan)
Qui li tint prés de demi an.
Partot a fet mires mander
(N'en remest nus jusqu'a la mer)
Por alegier le de son mal.
Tant en vint d'amont et d'aval
que je n'en sai dire le conte.
1170 Il i vint meint roi et meint conte
De tex que je ne sai nomer
Por son malage regarder.
Trestuit i vindrent sans desroi
Par le conmandement lo roi.
Onques n'en i sot nus venir
Qui del mal le poïst garir.
Grinbert li tesson qui la fu,
S'est de Renart aperceü
Son cosin qui molt saje estoit,
1180 S'au roi acorder se pooit
Il en auroit au cuer grant joie.
Meintenant se mist a la voie,
Por lui querre ne finera
Jusqu'a tant que trové l'aura.
Tant vait Grimbert la matinee
Qu'ançois que none fust sonee,

RENART MÉDECIN (X)

[Le début de la branche raconte, longuement, comment
le roi Noble, furieux contre Renart qui a osé ne pas se
présenter à une fête de la cour, à laquelle il avait été
mandé, demande à celui-ci de venir justifier son absence.
Mais tous les messagers du roi sont, l'un après l'autre,
éconduits par Renart qui s'arrange, de surcroît, pour leur
faire passer à tous de mauvais moments. Le roi renonce
donc finalement à se faire obéir de Renart, mais sa colère
contre lui ne s'est évidemment pas pour autant apai-
sée.]

1160   Sa colère durait encore quand il attrapa,
dans son château, sur la saint Jean [36], une
maladie dont il faillit mourir et qui lui dura
près de six mois. De toutes parts, on appelle
des médecins en consultation pour le soula-
ger, — sans en excepter aucun du pays,
jusqu'à la mer. On ne peut compter tous ceux
qui se présentèrent en provenance tant de
l'intérieur que de la côte : maint roi et maint
comte, dont j'ignore jusqu'au nom, vinrent
observer son mal. Tous ceux qui furent
appelés répondirent sans faute au mande-
ment royal, mais aucun ne fut capable de

S'en est venus par une adrece
Trestot droit a la forterece.
Renart son bon cosin germein
1190 Se fu le jor levé bien mein
Et se fu as murs apoiés,
Vit Grinbert, si en fu molt liés.
Tantost sans autre cose fere
Conmanda la bare en sus trere
Por son cosin fere venir.
Meintenant ont fet son plesir
Cels a qui il l'ot conmandé.
Es vos Grinbert en la ferté
Tot belement pas avant autre.
1200 Son cosin salue et meint autre
Qui estoient avocques li.
Renart forment le conjoï
Et molt li a fete grant joie.
Dit Grinbert : « grant talent avoie
De parler a vos une fois.
Li rois Nobles est si destrois
D'un mal qui par le cors le tient,
Dont chascun jor sospire et gient.
Morir en quide, ce sachés,
1210 Et il est molt vers vos iriés.
Se le poioiez repasser,
S'amor auriés sanz fauser.
Et ge ving ça tot coiement,
Qu'onques ne fu veü de gent,
Ne onques nus hom n'en sot mot ».
Et Renart respont a cest mot :
— « Beax doz cosins, se Dex vos gart,
Or me dites », ce dit Renart,
« Por qu'est li rois vers moi irié.
1220 Ont m'i li baron enpirié?
Dites qui m'a meslé vers li. »

402

guérir le patient. C'est alors que Grimbert le blaireau pensa à Renart son cousin, homme de grand savoir, se disant que ce lui serait une grande joie si celui-ci pouvait faire sa paix avec le roi. Il se mit aussitôt en route pour aller le voir, décidé à ne pas s'arrêter tant qu'il ne l'aurait pas trouvé. Pendant toute la matinée, il fit si bien diligence qu'avant trois heures de l'après-midi, grâce à un raccourci, il arrivait tout droit au château de son cher cousin, qui, levé de bon matin, était accoudé à la muraille d'où il le vit venir pour son plus grand plaisir. Il ordonne aussitôt de lever la barre qui maintenait la porte fermée, pour que Grimbert puisse entrer, ordre auquel on s'empresse d'obéir. Voilà Grimbert s'avançant tranquillement, à pas comptés, à l'intérieur de la forteresse. Il salue son cousin et ceux qui se trouvaient là, nombreux, à l'entourer. De son côté, Renart lui fait fête, lui manifestant toute la joie qu'il a de le revoir.

— « J'avais grand envie de vous parler une bonne fois », fait Grimbert. « Apprenez que le roi Noble a été frappé d'une maladie qui le tient tant au corps qu'il passe son temps à

— « Vostre conpere, ce vos di »,
Fet Grinbert, « vos i a meslé.
Si vos a Roonel blamé
Et Brichemer qui el messaje
Furent envoié conme saje.
Et vos en ovrastes molt mal,
Quant Roonel dedenz le val
Feïstes en la vigne prendre
1230 (Molt par en faites a reprendre)
Et Brichemer feïs abatre,
Ne sai a trois chens ou a quatre
Qui li ont escorcié le dos,
Si forment qu'en perent li os ».
Renart ot parler son cosin.
— « Dites vos » fait il, « Ysengrin
M'a mellé a la cort lo roi
Par son engin, par son desroi?
Mar le pensa li renoiez.
1240 Alez vos ent, trop delaiez!
Et g'irai a cort le matin,
Si m'escuserai d'Ysengrin.
Devant lo roi irai demein,
Foi que doi Deu et seint Germein. »
Grinbert s'en vait, ne vout plus dire.
Renart remest qui fu sanz ire
De ceuls qui si sont bien paiés
Del messaje ou envoiez
Les ot li rois o toz ses briez.
1250 Mes qui soit bel ne qui soit griez,
Il s'en escondira s'il puet.
Tantost aprés Grinbert s'esmuet
Fors de la cort. Mes ançois mande
Sa mainie, si lor conmande
Qu'il gardent son castel trés bien,
Que ja home por nule rien

geindre et à soupirer et qu'il pense ne pas en réchapper; en même temps, il est très en colère contre vous. Mais si vous arriviez à le remettre sur pied, vous pourriez compter sur une amitié sincère de sa part. C'est pourquoi je suis venu aussi discrètement : personne ne m'a vu partir et je n'ai mis personne au courant.

— Mais dites-moi donc, mon très cher cousin : au nom de Dieu, d'où vient cette colère du roi? Les barons ont-ils parlé contre moi? Qui m'a brouillé avec lui?

— Je peux bien vous le dire : la faute en est à votre compère. Roonel et Brichemer, qui avaient été choisis comme messagers pour leur sagesse, se sont également plaints de votre conduite. Et il est vrai que vous avez fort mal agi avec Roonel quand vous l'avez fait prendre dans cette vigne au fond du vallon : là, on ne peut que vous donner tort; et de même quand vous avez fait tomber Brichemer entre les pattes de ces chiens qui, à eux trois ou quatre, lui ont si bien écorché la peau du dos que les os se voyaient au travers.

— Vous dites donc, » fait Renart après

Ne laissent ens metre le pié,
Que il ne soient espié
D'auqn home, ce seroit max.
1260 — « Sire », ce dist li seneschax,
« De ce ne vos estuet doter,
Que ja home ne feme entrer
N'i laisseron por nule cose. »
Meintenant ont la porte close,
Et s'en monterent en la tor,
Et Renart s'en vet sanz demor
Parmi la lande esporonant.
Durement vet Deu reclamant
Que tel cose par sa pitié
1270 Li doint dont li rois ait santé.
Einsi vet Renart son cemin,
Molt prie Deu et seint Martin
Que il tel cose li envoit
Dont li rois Nobles garis soit,
Que molt en a grant desirrer.
Tote jor prent a chevaucier,
Q'unques ne pot cose trover
En qoi il se poïst fier.
Tant a erré qu'en un pré entre.
1280 Molt durement li deut le ventre,
Dont Renars forment se dehete
Por la jornee qu'il ot fete.
La nuit jut en la praerie
Tant que l'aube fu esclaircie.
Quant le jor parut, si se leve,
Et bien sachoiz que molt li grieve
Ice que il ne puet trover
Chose qu'o lui poüst porter
Por doner au roi garison :
1290 Le jor en fist meinte oreison.
Tant erra Renart cel matin

406

avoir écouté Grimbert, « qu'Ysengrin a parlé contre moi devant la cour, ce trompeur, ce vantard! Il ne l'emportera pas en Paradis, le renégat. Mais partez vous n'êtes déjà que trop longtemps resté ici. Dès demain matin, je me présenterai à la cour devant le roi pour répondre aux accusations d'Ysengrin, sur la foi que je dois à Dieu et à saint Germain. »

Ne voyant rien à ajouter, Grimbert se retire et Renart reste seul : lui n'en veut pas à ceux à qui il a fait durement payer leur fonction de courrier et de messager du roi; et même si cela n'est pas du goût de tout le monde, il va essayer de se justifier. Un moment après Grimbert, il sort de l'enceinte non sans avoir d'abord réuni sa maisonnée pour recommander à tous de garder soigneusement le château et de ne permettre à personne d'y pénétrer sous quelque prétexte que ce soit : on n'a pas besoin de venir voir ce qu'ils font.

— Vous pouvez être tranquille, Seigneur », dit son sénéchal, « nous ne laisserons entrer absolument personne, ni homme ni femme. »

Que il a trové un gardin
Ou il ot erbes de maneres
Qui sont pressioses et cheres
Et bones sont por mal saner.
Cele part vout Renars torner,
La resne abandone au cheval.
Parmi la costere d'un val
Est entrés dedenz le vergier.
1300 Son cheval corut atacher
A un arbre parmi le frein,
Ilec pest de l'erbe et del fein,
Et Renart conmença a querre
Par le verger, et tret de terre
Herbes de maneres asez :
Que il les cunut meus asés
Que je dire ne vos sauroie.
Plus en queut de pleine galoie.
Quant asez en ot arachees,
1310 Si les a un petit molliees
En une fonteine qui cort
Par le verger et par la cort.
Iloques les a fet molt netes.
Si les bat entre deus tulletes,
Puis en enpli un barillet
Qui asez estoit petitet.
A son cheval est repairié,
Si l'a a son arçon lié
Molt trés bien et molt fermement.
1320 Puis monte que plus n'i atent.
Del verger issi, si s'en vet,
Molt envoissié grant joie fet.
Renars s'en vait a esperon,
(Molt a en lui noble baron)
Entrés s'en est en une lande.
Voie ne senter ne demande,

Et sur ce, ils ferment la porte et montent en haut de la tour tandis que Renart s'éloigne sans retard à travers champs, éperonnant son cheval. Il implore Dieu avec ardeur de lui fournir, dans Sa bonté, un moyen de guérir le roi. C'est ainsi que tout le long du chemin, il ne cesse de prier Dieu et saint Martin de l'exaucer car c'est là ce qu'il désire le plus au monde. Il passe la journée tout entière à chevaucher, sans rien trouver qui lui paraisse 1280 sûr. Il finit par pénétrer dans un pré, le ventre creux et rendu si douloureux par la faim qu'il a du mal à le supporter, c'est que l'étape a été longue. Cette nuit-là, il couche dans la prairie jusqu'au jour. Dès qu'on commence d'y voir clair, le voilà debout, toujours aussi ennuyé, vous pouvez m'en croire, de n'avoir pas trouvé quoi apporter au roi pour le guérir. A nouveau, la matinée se passe à chevaucher et à prier; enfin, s'offre à sa vue un jardin où poussent différentes variétés de plantes médicinales, bonnes contre les maladies et, à ce titre, chères et recherchées. Il décide donc d'aller y voir et, lâchant les rênes à son cheval, pénètre dans le verger qui était situé à flanc de côteau. Après avoir rapidement

Car il les savoit molt trés bien,
Ne l'en estuet aprendre rien.
De la lande en une forest
1330 Entra qui asez meus li plest.
En la forest desoz un pin
Trova dormant un pelerin.
Cil pelerins qui la dormoit,
Une riche aumonere avoit
Qui ert laciee a sa corroie.
Renars descent enmi la voie
Molt tost de la mule afeutree,
Si li a l'aumonere ostee
Si c'unques ne s'en aperçut.
1340 Renart qui le siecle desçut,
L'ovri, si a trové dedenz
Une herbe qui ert bone as dens.
Et herbes i trova asés
Dont li rois sera repassez.
Aliboron i a trové
Que plusors genz ont esprové,
Qui est bone por escaufer
Et por fevres de cors oster.
Et puis a gardé d'autre part :
1350 Une esclavine vit Renart
Que cil avoit desoz son chef.
Il la prent, qui qu'il en soit grief,
Si l'afubla sanz arester
Et vet sor son cheval monter
Et se remet a l'anbleüre
Par la forest grant aleüre.
Tant a a l'aler entendu
Qu'il est au perron descendu.
Quant Renart fu venu a cort,
1360 Tot li monde antor lui acort.
Ainz n'i ot beste si reposte

¹³²⁰ attaché sa monture par la bride à un arbre et
la laissant se repaître d'herbe et de foin,
Renart commence sa quête dans l'enclos,
arrachant des plantes de plusieurs espèces : il
s'y connaissait mieux que je ne saurais vous le
dire. Il en ramasse une bonne mesure. Puis,
quand il en a assez arraché, il les passe à l'eau
d'une source qui coulait à travers le verger et
le jardin. Il les pile, une fois propres, entre
deux tuiles, avant d'en remplir un petit baril.
Il revient alors à son cheval, prend soin
d'attacher solidement le tonnelet à l'arçon et
¹³²⁰ se met en selle sans tarder. Il quitte le verger
et reprend sa route, tout joyeux et sans songer
à le dissimuler. Il poursuit sa chevauchée à
travers champs, le noble seigneur, en faisant
force d'éperons. Point ne lui est besoin de
demander son chemin, car il les connaît tous à
fond : personne n'aurait pu lui en remontrer
là-dessus. Puis, des champs, il passe dans une
forêt qui lui plaît bien davantage. Et c'est là
qu'il tombe sur un pèlerin endormi, qui
portait, attachée à sa ceinture, une riche
aumônière. Descendre de sa monture bien
sellée au milieu du chemin et s'emparer de
l'aumônière, sans que son propriétaire s'en

Qui ne venist jusqu'a la porte,
Trestuit por dan Renart gaber.
N'i a nul qui ne l'aut lober,
Tex i a qui li getent boe.
Et Renart lor a fet la moe,
Et puis en monta en la sale.
Li rois out le vis teint et pale.
Quant il l'ot, si torne le chef.
1370 Mais molt li torna a meschef
Ce que laienz le vit entrer.
Et Renart qui bien sout parler
Le salue cortoissement :
— « Celui Damledieu, qui ne ment,
Qui fist trestot canque mer sere,
Si gart le mellor roi de terre!
Ce est missire li lions,
A tesmoign de toz ses barons,
Cil qui sunt tenu a prodome.
1380 Sire, je suis venu de Rome
Et de Salerne et d'otre mer
Por vostre garisson trover. »
Li rois respont sanz atendue :
— « Renart, molt savez de treslue.
Or ça que mal soiez venuz,
Fil a putain, nain descreüz!
Par mon chief or estes vos pris.
Ou avez tel hardement pris
Que devant moi venir osez?
1390 Ja ne soie mes alosez,
Quant je vos tieng dedanz ma lice,
Se je ne faz de vos justice
Tel con ma cort esgardera. »
— « Avoi, sire : ce que sera? »
Fait Renart : « Gardez que vos dites.
Seront ce donques les merites

¹³⁴⁰ aperçoive, est pour lui l'affaire d'un instant!
Et quand notre maître en tromperie ouvre la
bourse, il y découvre une herbe qui guérit le
mal de dents ainsi que de nombreuses autres
plantes qui rendront la santé au roi, et en
particulier, une qu'on appelle Aliboron, et qui
a fait, sur de nombreux patients, la preuve de
son efficacité : elle réchauffe et en même
temps elle chasse la fièvre. Poursuivant ses
investigations, il avise une pèlerine que
l'homme avait glissé sous sa tête : il s'en
saisit, sans avoir égard à son possesseur, et
l'endosse sans tarder; le voilà à nouveau sur
son cheval, lui faisant mener un amble rapide
à travers la forêt. Il fait si bien qu'il arrive à la
cour où il met pied à terre en se servant de la
¹³⁶⁰ borne ³⁷. Dès son arrivée, tous se rassemblent
autour de lui. Même les bêtes les plus timides
s'avancent jusqu'à la porte pour le railler.
Personne n'hésite à se moquer de lui, il y en a
qui vont jusqu'à lui jeter de la boue. Renart
leur répond d'une grimace et monte l'escalier
qui mène dans la grande salle. Le roi s'y
tenait, le teint pâle et cireux. Il tourne la tête
en entendant le bruit, mais se renfrogne à la
vue de Renart qui le salue poliment,

Que je aurai de mon servise
Que je vos ai la poison quise
Qui bone est contre vostre mal ?
1400 Par Deu le pere esperital,
Ele m'a fait molt de mal traire,
Et or me volez ja deffaire.
Si ne savez encor por coi.
Por Dieu, sire, entendez moi,
Refreniez un petit vostre ire :
Si orrez ce que je voil dire.
Sire », dist Renart, « ce sachez
Que molt sui por vos damachez.
Tant ai alé par la contree
1410 Qui asez est et grant et lee.
Car je ai esté en Ardane,
En Lonbardie et en Toscane.
Puis que soi vostre enfermeté
Ne jui en castel n'en cité
Plus d'une nuit, ce sachoiz bien.
N'a dela mer fusicien,
Ne en Salerne ne aillors
Ou n'aie esté molt travellos.
En Salerne en trovai un saje
1420 A qui je dis vostre message :
Cil vos envoie garison. »
— « Di me tu voir », dist li lion,
« Que de cest mal me gariras ?
Ne sai se fere le porras. »
— « Oïl, sire, foi que vos doi,
Ja mar en serois en esfroi,
Que je vos quit tot respasser. »
Lors se conmence a desfubler.
S'a s'esclavine mise jus
1430 Et son barillet mis desus.
Atant estez vos Roonel :

414

déployant toutes ses ressources de beau parleur :

— « Que le Dieu de vérité qui a créé tout ce qui vit dans la mer, protège le meilleur roi du monde! C'est-à-dire vous, messire le lion, si l'on en croit le témoignage de vos barons qui passent pour savoir ce qu'ils disent.
1380 Seigneur, je suis allé jusqu'à Rome, jusqu'à Salerne et j'ai même traversé la mer pour trouver un moyen de vous guérir. Et maintenant me voilà de retour!

— Vous vous y entendez à tromper les gens, Renart », réplique le roi. « Je ne vous souhaite pas la bienvenue, tout au contraire, fils de pute, nabot sans foi ni loi. Mais sur ma tête, vous voilà pris! Comment avez-vous l'audace de vous présenter devant moi? Je consens à perdre ma réputation si, alors que je vous tiens à l'intérieur de cette enceinte, je ne fais de vous bonne justice selon ce qu'en décidera ma cour.

— Eh bien, seigneur, qu'est-ce à dire? Faites attention à vos paroles. Est-ce ainsi que vous récompensez mes services, à moi qui suis allé chercher un remède capable de vous
1400 rendre la santé! J'en prends à témoin Dieu le

Quant il le voit, molt li fu bel,
Qui par la gole fu lacié
La ou Renars l'ot engignié
Et il fu pendu par le col :
Encor l'en tient Renart por fol.
— « Danz roi », ce a dit li gainnon,
« Or entendés a ma raison :
Creez vos donc cest pautoner?
1440 Il dist qu'il fu a Monpeller
Et en Salerne, si s'en vante :
Il ne passa onques Maante.
Or dist qu'est mires devenuz :
Pieça qu'il dut estre penduz.
Faites me droit del grant otrage
Qu'il me fist en vostre messaje.
En une vigne me fist pendre :
Bien en devez venjance prendre.
Molt me fist mal sa conpaignie,
1450 Il a vers vos sa foi mentie.
Ge l'en apel de traïson.
Ves en ci mon gage a bandon. »
— « Sire rois », dist Renart, « oez!
Cist mastins est du senz devez,
Il redote ou a trop boü,
Ou il est hors del sen issu.
Trois mois a bien, ce vos plevis,
Que je ne fui en cest païs.
Se Roonax fu en meson,
1460 Ce veil lecheres de gaingnon :
Ma feme est molt bele mescine
Et si a non dame Ermeline :
Se il li quist honte et folie
Et ele sout tant de voisdie
Qu'el se venja del pautoner,
Ce ne fet pas a merveller. »

Père qui est pur esprit : cela n'a pas été sans mal; et vous, vous voulez me mettre à mort sans savoir ce qui s'est passé. Au nom de Dieu, seigneur, écoutez-moi et calmez un peu votre colère de manière à pouvoir m'entendre. Il faut que vous sachiez tout ce que j'ai enduré pour vous. Je n'ai pas reculé devant de longs voyages qui m'ont mené jusqu'en Ardenne, en Lombardie, en Toscane. Dès le jour où j'ai appris votre maladie, jamais je n'ai couché plus d'une nuit dans le même château ou la même ville. Au prix de mille peines, je suis allé voir tous les médecins possibles, au-delà de la mer, à Salerne et ailleurs. Et à Salerne justement, j'en ai trouvé un, très savant, à qui j'ai exposé votre cas : celui-là vous envoie un remède qui va vous remettre sur pied.

— Est-ce bien vrai », fait le roi, « que tu vas me guérir de mon mal? Je me demande si tu en es vraiment capable.

— Mais oui, seigneur, sur la foi que je vous dois. Vous n'avez aucune raison d'être inquiet. Je suis convaincu de pouvoir le faire.

Sur ce, il enlève sa pèlerine, la pose par

Lors se leva Tybers li chaz
Que Renart fist ja prendre au laz.
— « Va ta voie », ce dist Tibert.
1470 « Dahez ait home qui desert!
Trop par as dit grant estotie,
Quant apelaz de foi mentie
Si haut baron con est Renart.
Je te tieng a trop fol musart.
C'au jor que tu fus atrapez
De ce dont tu t'es ci clamez,
Paissai ge devant le plascié
Dont dant Renart s'ert herbergié :
Iloc trovai dame Hermeline
1480 Qui molt par est de franche orine,
Je demandai ou ert Renart,
Et el me dit tot par esgart
Qu'il estoit en Salerne alez
O tot cent libres moneez
Por acater de la poison
De coi dan Nobles le lion
Poüst encor avoir santé.
Por vos a molt son cors pené. »
— « Sire » dist Renars, « il dit voir.
1490 Or poés bien de fi savoir,
Je hé Tybert le chat de mort :
S'il i soüst auques de tort,
Certes il ne le celast mie,
Einz me menast tost a la lie.
Mais prodom est et veritable,
Et sa parole est bien creable. »
— « Ce est », ce dit Nobles, « bien fet.
Tybert, leissiez ester lo plait!
E vos, Renart, pensez de moi,
1500 Si en pernés hastif conroi!
Je ai un mal dont ne voi gote,

418

terre pour mettre le tonnelet dessus. Et c'est alors qu'arrive Roonel. Il se réjouit de voir celui qui, par sa ruse, l'avait fait prendre au collet par la nuque si bien qu'il s'était retrouvé pendu par le cou ; Renart, quant à lui, continue de le considérer comme un imbécile de s'être laissé ainsi avoir.

— « Seigneur roi », dit le mâtin, « écoutez ce que j'ai à vous dire : allez-vous faire 1440 confiance à ce misérable ? Il prétend être allé jusqu'à Montpellier et à Salerne, mais il n'a jamais dépassé Mantes. Il dit qu'il est devenu médecin, mais il y a longtemps qu'on aurait dû le pendre. Faites-moi justice du forfait dont il s'est rendu coupable à mon égard, alors que j'étais votre messager. Il m'a fait prendre au piège au milieu d'une vigne : cela mérite vengeance. Sa compagnie m'a coûté cher et il s'est parjuré envers vous : aussi je l'accuse de trahison et je vous en remets mon gage.

— Voyons, seigneur roi », fait Renart, « ce chien ne sait pas ce qu'il dit : il radote ou il a trop bu, ou alors il est fou. Je vous donne ma parole que j'ai quitté ce pays il y a plus de trois mois. Il en a d'ailleurs profité pour venir

Ne ne quit veoir pantecoste.
Je ne vos puis la moitié dire
De la dolor qui me fet frire. »
Ce dit Renart : « garis serés
Ainz que troi jors soient passés.
Aportés moi un orinal
Et si verrai dedenz le mal. »
Li orinax fu aportez.
1510 Nobles s'est jus du lit versez,
Si l'a pissié plus que demi.
Ce dist Renart : « bien est issi ».
Adonques l'a levé en haut.
Ce dit Renars : « Se Dex me saut,
Encor i est la fevre aguë :
J'ai la poisson qui bien la tue.
Sire Nobles », ce dist Renart,
« Or i estuet molt grant esgart,
Volés vos de cest mal garir? »
1520 Ce dit Nobles : « molt le desir ».
— « Or me fetes ces huis fermer
Et si me faites aporter
Tot ce que vos demanderai.
Cest mal del cors vos osterai,
S'en saudra la fevre cartene
Qui si vos fait puïr l'aleine. »
Ce dist Nobles : « molt volenters.
Tu auras quanque t'est mesters. »
— « Sire », fait il, « pernés en cure :
1530 La pel del lou a tot la hure
M'estuet avoir premerement.
Ja verront tuit vostre parent
Conbien je sai d'astronomie.
Ja vos ert sauvee la vie. »
Dont ot Ysengrin grant poor.
Il a a Deu crié amor :

[1460] chez moi, ce vieux mâtin en chaleur. Et comme ma femme, dame Hermeline, est un beau brin de fille, il lui a fait des propositions malhonnêtes; mais elle, qui ne s'en laisse pas conter, s'est arrangée — vous n'en serez pas surpris — pour se venger de ce malotru. »

Tibert, que Renart a, naguère, fait tomber dans un piège, se lève alors pour prendre la parole : « En voilà assez », fait-il à Roonel. « Va au diable, calomniateur que tu es! Tu aurais mieux fait de mesurer la portée de tes paroles avant d'accuser de parjure un puissant baron comme Renart. Tu as fait la preuve de ta légèreté et de ta sottise. Car le jour même où tu t'es fait attraper — ce pour quoi tu viens de déposer plainte —, je suis passé devant l'enclos où habite le seigneur [1480] Renart et j'y ai rencontré la très noble dame Hermeline. Je lui ai demandé où était son mari et elle m'a répondu fort poliment qu'il était parti pour Salerne, en emportant avec lui une somme de cent livres, afin d'acheter un remède qui permettrait à monseigneur Noble le lion de recouvrer la santé. Certes, il n'a pas ménagé sa peine pour vous.

— Il dit vrai, seigneur », fait Renart, « or

Que il n'i a plus lous que lui.
Renart s'en venchera ancui.
Nobles sousleve les gernons,
1540 Si regarde toz ses barons.
Le leu regarde toz pensis,
Si li a dit : « bau dous amis,
Vos me poés avoir mester
De cest grant mal asoagier. »
Ce dist Renart : « vos dites voir,
Il vos puet bien mester avoir.
Il vos puet bien prester sa pel :
Car ore entre le tens novel
Que sa pel ert tost revenue,
1550 N'aura pas froit a la car nue. »
Dist Ysengrins : « sire, ne faites!
Volés vos donc honir vos bestes?
Cest plet ne m'est mie leger
De ma pelice despoiller. »
— « Par les euz bé », ce dist li rois,
« Ore est Ysengrin trop cortois,
Qui ma parole a contredite.
Il en aura ja sa merite.
Pernez le tost mes euz voiant,
1560 Si li despoilliés meintenant! »
Dont le pristrent de totes pars
Et par les piés et par les bras,
La pel li traient hors del dos.
Or est li laz a mal repos,
De la sale s'en ist le trot,
Il a bien paié son escot.
Dist Renart : « Sire, s'il te plet,
Molt tost soit ton jugement fet.
Il t'estuet de la corne au cerf
1570 Del lonc prendre le mestre nerf
Qui soit un pou retrait arere,

vous n'ignorez pas que je hais Tibert à mort. S'il savait quelque chose qui soit à mon désavantage, il ne le cacherait pas; bien au contraire, il n'hésiterait pas à m'accabler. Mais c'est un homme honnête et loyal, à la parole de qui on peut se fier.

— Cela suffit, Tibert, et vous en avez assez dit », fait Noble. « Et vous, Renart, ne m'oubliez pas mais dépêchez-vous de vous occuper de moi. Je n'y vois plus et je ne pense pas être encore en vie à la Pentecôte. Il n'y a pas de mots pour dire la douleur qui me brûle.

— Vous serez guéri avant trois jours. Apportez-moi un urinal pour que je voie ce que vous avez. »

Dès qu'on l'a apporté, Noble se laisse tomber à bas de son lit et pisse dedans, le remplissant plus qu'à moitié.

— « Voilà qui est bien », fait Renart qui élève l'urinal. « Sur mon salut, il y a encore là une forte fièvre. Mais j'ai de quoi la tuer. Seigneur Noble, faites très attention à ce que je vais vous dire : vous voulez vous remettre de ce mal?

— Évidemment que je le veux!

(En l'orine vi la manere
La medecine dont garras :
Porchace toi, mester en as)
Et une coroie del dos.
Se tu l'as ceinte, en grant repos
En seras mis, n'en aies dote.
Soz ciel n'a ne fevre ne gote
Qui jamés vos feïst nul mal,
1580 Je l'ai veü en l'orinnal. »
    — « Ce puet bien estre » dit li rois.
Brichemer vit seoir au dois,
Nobles l'achena a sa poe,
Que il ne pot movoir la joe.
Par le conmandement lo roi
Fu li cers mis en grant desroi.
Il l'abatirent tot envers,
La coroie ont pris de travers,
Si l'ont trencie a un cotel,
1590 Bien fu escrisie la pel.
Et les deus cornes li briserent,
Hors de la sale le chascerent.
Cist ont bien lor escot paié,
Jamés en foire n'en marcié
Tolliu paiage ne dorront,
Par trestot quitement iront.
    — « Tybert », ce dit Renart, « ça vien!
Tu me lairas auques du tien :
De ta pel seras despoilliez
1600 Ou mes sires metra ses piez. »
Et Tybert conmença a groindre,
Mais n'ert mie tens de respondre
Ne de tencier voiant la gent,
Car il n'i avoit nul parent.
Il sailli sus, si s'afaita,
Sanz congié de la cort torna.

424

— Alors, ordonnez de fermer les portes et faites-moi apporter tout ce que je vais vous demander. Moyennant quoi, je vous débarrasserai du mal qui vous ronge et la fièvre quarte qui vous donne mauvaise haleine cèdera.

— Très volontiers; tu auras tout ce dont tu as besoin.

— Retenez bien, seigneur : il me faut d'abord une peau de loup, y compris celle de sa tête, — vos parents pourront constater quel savant je fais, et vous aurez la vie sauve. »

A ces mots, Ysengrin prend peur car il n'y a pas d'autre loup que lui dans la salle et il se met à crier à Dieu merci. Mais c'est le jour de la vengeance pour Renart. Noble fronce son
1540 museau et regarde ses barons, puis le loup, non sans tristesse :

— « Très cher ami, vous pouvez me rendre un grand service en me soulageant de ce mal qui m'accable.

— En effet », dit Renart, « il a l'occasion de vous rendre service en vous prêtant sa peau. Nous voilà au début de la belle saison : elle aura vite repoussé et, même nu, il ne prendra pas froid.

L'uis ert ferme, mais il s'en saut
Par un pertuis qui ert en haut.
S'en vait Tybert toz eslaissiez,
1610 Si se feri en un plessiez.
Ce dit Renart : « cestui s'en va.
Maldehez ait qui m'engendra,
Se je le puis as meins tenir
Se ne li fas mon ju puïr. »
Renart regarde entor lui,
Vit les barons qui grant anui
Avoient de ce qu'il faisoit,
Chascun de soi poor avoit.
Renars apele Roonel,
1620 — « Fil a putein », fait il, « mesel,
Faites me ci molt tost un fou,
Si me pernez la pel du lou,
Si la lavés, si l'essuiés
Et devant moi l'aparelliez! »
— « Volentiers, sire, s'il vos plaist.
Canque vos voudroiz sera fet. »
— « Et vos, dan Grimbert le tessons,
Venés tost ci a genellons!
Et vos, Belin, venés a moi! »
1630 Cil acorent par grant desroi.
— « Alez en tost por mon segnor,
(Dex vos otroit grant desonor)
Fetes molt tost sans demorer,
Alés mon segnor aporter.
Cil li aportent vistement.
Renars a pris un oignement.
— « Sire », dist il, « je vos garrai
Et ceste fevre vos toudrai :
Or vos covient un pou soufrir. »
1640 Ce dist Nobles : « molt le desir
Que fusse de cest mal haitiez,

— Ne faites pas cela, seigneur », dit Ysengrin. « Vous voulez donc faire honte à vos bêtes? Ce n'est pas une mince affaire pour moi que de me dépouiller de ma pelisse.

— Par le regard de Dieu », dit le Roi, « Ysengrin fait bien le délicat. Il va voir ce qu'il en coûte de me résister. Saisissez-vous de 1560 lui devant moi et écorchez-le immédiatement. »

On s'empare de lui, qui par les pieds, qui par les bras et on lui arrache la peau du dos. Certes, il ne s'en tire pas à bon compte! et il sort de la grande salle au trot après avoir payé plus que sa part.

— « S'il vous plaît, seigneur », poursuit Renart, « décidez-vous au plus vite : j'ai vu dans l'urine, comment vous guérir : il faut que vous fassiez prélever, sur les bois d'un cerf, le tendon principal, celui qui est un peu en arrière, sur toute sa longueur : arrangez-vous pour vous le procurer, c'est indispensable; et vous avez aussi besoin d'une lanière coupée dans la peau de son dos : si vous la portez en ceinture, vous pouvez être sûr que vous vous sentirez mieux. Avec cela, vous serez à l'abri de n'importe quelle fièvre ou 1580 goutte, je l'ai vu dans l'urinal.

427

Car molt en sui afebloiés. »
Renars le fist cocher adenz,
Puis li a mis el nés dedenz
Aliboron que il avoit,
Qui si fort oignement estoit.
Si le prist si a escaufer
Et il conmença a enfler.
A demener se conmença
1650 Del cul un gros pet li vola,
Il esternue et se demeine.
Molt estoit li rois en grant peine,
Enflés fu, mes il esternue,
Et la pel du dos li tressue.
Ce dit Nobles : « molt sui enflés ».
Et Renart dist : « ne vos tamés!
Garris estes, n'i avés garde. »
Et cil de poire ne se tarde,
Car la poison le detreinnoit
1660 Et les boiax li escaufoit.
Renart l'estendi lés le feu,
Puis si a pris la pel du leu,
Dedenz a chocié le lion,
Puis si a prise une poisson
Qu'il avoit enblee au paumer,
A son segnor en fist manger.
Tantost con il en out gosté,
Ne senti mal n'enfermeté.
Ce dit Nobles : « je sui garis,
1670 Je vos en rent cinc cent mercis
E si vos saisi de ma terre :
Qui vos voudroiz si aura guerre,
Car en aïde vos serai,
E deux bons castax vos donrai.
Toz sui garis, nul mal ne sent,
Vos en aurois riche present. »

428

— Espérons-le », dit le roi.

Et voyant Brichemer assis au maître banc, il l'assomme d'un coup de patte qui le met hors d'état d'ouvrir la bouche. Sur l'ordre du roi, on le renverse à terre sans pitié et on découpe la lanière par le travers, avec un couteau : la peau en est toute déchirée. Puis, après lui avoir brisé ses deux bois, on le chasse hors de la salle. En voilà deux qui ont payé plus que leur part. Ils n'auront plus jamais à verser de droit d'entrée sur les foires et les marchés : partout on les en tiendra quittes.

— « Approche donc, Tibert », fait Renart. « Tu vas y mettre du tien : on va te prendre la 1600 peau pour que monseigneur y glisse ses pieds. »

Le chat se met à grogner, mais ce n'est plus le moment de répliquer ni de discuter devant la cour car il est seul de sa famille à être là. Bondissant sur ses pieds, il prend son élan et s'en va sans demander son reste. La porte était fermée, mais, d'un saut, il s'échappe par une ouverture haut placée et s'éloigne au triple galop pour aller se réfugier à l'abri d'une enceinte fortifiée.

— « En voilà un qui nous échappe », fait

— « Dex », dist Renart, « en ait les grés
Quant par moi estez repassez!
Sire rois, or m'en voil aler
1680 Por Ermeline conforter :
Je ne la vi deus mois a ja.
S'ele me voit, grant joie aura.
Je li dirai de vos noveles
Qui li seront bones et beles.
Sire, Brichemer si me het,
Si ne li ai nient mesfet,
Et Ysengrin vostre provost.
Sachés qu'il ont vers moi grant tort.
Se il me pooient tenir,
1690 A duel me feroient fenir.
Sire, bon conduit me bailliez
Que je n'i soie damachés. »
Ce dist Nobles : « Molt volentiers. »
Donc fist monter cent chevaliers,
Tant chevaucent a grant vertu
C'a Terouane sont venu
Grant piece avant midi pasé.
Mais lor chevaus sont molt lasé.
Li cent sont retorné arere.
1700 Et Renars entre en sa tesnere
Venchés s'est de ses enemis.
Lors sojorna, ce m'est avis,
En son castel une grant pose,
Que asoür issir n'en ose.

Renart; « mais maudit soit mon père si je ne le lui fais pas payer cher. »

Promenant ses regards tout autour de lui, il constate l'inquiétude où il a plongé les barons : chacun craint pour soi.

1620 — « Fils de pute », fait-il, s'adressant à Roonel, « sale galeux, faites un feu, et vite! Prenez la peau du loup lavez-la moi, essuyez-la et apportez-la moi.

— Volontiers, seigneur, comme il vous plaira. Vos désirs sont des ordres.

— Et vous, seigneur Grimbert le blaireau, vite, ici, et à genoux! Et vous, Belin, par ici! »

Et eux d'accourir, non sans désarroi.

— « Dépêchez-vous! Il s'agit du service du roi, et que le diable vous emporte! Allons, vite, ne traînez pas, portez cette peau à monseigneur. »

Ce qu'ils font en toute hâte. Renart, de son côté, prend un onguent :

— « Seigneur, je vais vous guérir et faire disparaître votre fièvre. Mais pour cela vous allez devoir souffrir un peu.

1640 — Comme je voudrais être débarrassé de ce mal! J'en suis tout affaibli. »

Renart le fait allonger sur le ventre et lui plonge le nez dans Aliboron qui était une herbe à la vertu hautement éprouvée. Le roi commence par ressentir une grande chaleur puis se met à enfler. A force de s'agiter, il lâche un gros pet par le cul, éternue tout en se tortillant. Il est loin d'être à la fête : tout enflé, il continue d'éternuer cependant que la sueur lui mouille la peau du dos.

— « Je me sens tout gonflé », fait-il.

— « Ne vous inquiétez pas », le rassure Renart. « Vous êtes guéri : vous pouvez être tranquille. »

Et le roi lâche pet sur pet, tant le remède le
1660 travaille et lui échauffe les boyaux. Renart le fait s'allonger auprès du feu puis, prenant la peau du loup, la lui fait enfiler : et il lui fait aussi absorber une potion qu'il avait volée au pèlerin. Dès que Noble en eut goûté, il ne sentit plus ni mal ni faiblesse.

— « Me voilà guéri. Mille mercis ! Je vous donne autorité sur ma terre ; je vous aiderai contre tous ceux à qui vous voudrez faire la guerre et je vous donnerai deux châteaux bien fortifiés. Je suis complètement rétabli, je ne sens plus aucun mal, vous en serez dignement récompensé.

— C'est à Dieu qu'il faut rendre grâce si j'ai pu vous redonner la santé. Mais maintenant, seigneur roi, je voudrais aller rassurer Hermeline : il y a deux mois que je ne l'ai pas vue. Ma venue va lui faire grand plaisir et je lui donnerai de vos nouvelles qui seront de nature à la réjouir. Seigneur, Brichemer me déteste sans que je lui aie fait aucun tort et Ysengrin, votre prévôt, aussi. Sachez que le bon droit n'est pas de leur côté. Mais si je tombais entre leurs mains, ils me feraient périr de male mort. Aussi, donnez-moi une solide escorte pour qu'il ne m'arrive rien de fâcheux.

— Très volontiers. »

L'escorte fut forte de cent chevaliers qui chevauchèrent à si belle allure qu'ils arrivèrent à Thérouanne [38] bien avant midi, — mais leurs chevaux étaient recrus de fatigue. Et tandis qu'ils reprennent le chemin du retour, Renart, bien vengé de ses ennemis, entre dans sa tanière et il y demeura (je crois pouvoir l'affirmer) un bon bout de temps avant d'oser en sortir sans crainte.

NOTES

1. Nous ne le connaissons pas; il peut s'agir d'une source inventée : contrairement aux auteurs modernes, ceux du Moyen Age revendiquent, plus que l'originalité du créateur, la fidélité à une tradition dont ils se présentent comme les héritiers et qu'ils se contentent de transmettre en l'adaptant à leur public.

2. Renart, Ysengrin sont donc supposés être des hommes qui ont donné leur nom à un individu particulier de l'espèce « goupil » et de l'espèce « loup ». La popularité du *roman de Renart* a fait que le nom propre est ensuite devenu nom commun : nous distinguerons donc *Renart* de *renard*, mais aurons aussi recours, pour plus de clarté, au vieux mot de « goupil ».

3. Ordre rattaché à Citeaux (Tiron est dans le département d'Eure-et-Loir.)

4. Sous la règle dont on lui attribue la rédaction, vivaient de très nombreuses communautés monastiques. Mais les chanoines suivaient généralement, eux, la règle dite de « saint-Augustin ». Ces chanoines sont d'ailleurs en fait des moines, comme le montre la réplique suivante de Renart.

5. Les cisterciens portaient une coule blanche, les bénédictins une coule noire. L'expansion des premiers, dans la seconde moitié du XIIᵉ siècle, explique la place qu'ils occupent dans le *roman de Renart;* et l'envie que suscitaient chez beaucoup leurs abbayes, enrichies par des donations, mais surtout par une exploitation très laborieuse des ressources du sol, justifie leur représentation négative : ils sont riches, on les montre avares, cupides, gourmands, paresseux, etc.

6. Proverbe.

7. On prie normalement en se tournant vers Jérusalem, c'est-à-dire vers l'est. Cette « orientation » à l'envers désigne symboliquement le caractère négatif du personnage.

8. Allusion à la bataille d'Alep (1165) où les Infidèles avaient fait de nombreux prisonniers chrétiens. La branche a donc été

écrite peu après cette date, à un moment où l'allusion pouvait être comprise, c'est-à-dire alors que les esprits étaient encore impressionnés par cette mauvaise nouvelle.

9. Il s'agit évidemment d'un chat sauvage, félin plus gros que le chat domestique, vivant dans les forêts et se nourrissant d'oiseaux et de gibier.

10. Dans les chansons de geste, on voit souvent les combattants, tels Roland et Olivier dans la *chanson de Roland*, se constituer, soit le temps d'une bataille, soit de façon plus durable, en paires de « compagnons » qui s'entr'aident mutuellement dans le combat. Il s'agit ici d'un trait parodique.

11. Il s'agit d'une concubine. Le bas-clergé, surtout rural, vivait souvent en concubinage, comme en témoignent plusieurs branches du *roman de Renart*. Cette situation, théoriquement condamnée par l'Église, fut, en fait, longtemps tolérée par la hiérarchie, — et admise par les fidèles.

12. Des chiens « bretons » : sans doute s'agit-il d'une espèce réputée pour sa rapidité à la course.

13. L'Ancien-Français dit « compère » et « commère » là où nous disons « parrain » et « marraine » : cette p/maternité spirituelle crée un lien de parenté entre le « compère » et la « commère », leur interdisant par exemple de se marier ensemble. Ici, un lien comparable est considéré comme unissant le parrain (père spirituel) et la mère (selon le sang) des enfants, d'où le terme de « commère » par lequel le « compère » s'adresse à la mère de ses filleuls.

14. C'est pour les besoins de la rime que le chêne est devenu tilleul.

15. La coiffure médiévale comporte un voile que l'on porte baissé devant le visage, — à l'instar de notre (plus) moderne voilette. Hersent, qui est seule chez elle et n'attend pas de visite, n'en a pas.

16. Bien que les règles d'usage du « tu » et du « vous » soient loin d'être fixées en Ancien-Français, et qu'on puisse même passer indifféremment de l'un à l'autre pour s'adresser à la même personne, il semble bien qu'ici ce changement soit dû à l'émotion : c'est la raison pour laquelle nous l'avons respecté. Nous nous en tiendrons à cette règle dans notre traduction.

438

17. Le droit médiéval, issu de traditions celtiques et germaniques, connaît encore, au nombre de ses procédures juridiques, l' « ordalie » et le combat judiciaire.

18. Le droit médiéval avait, parfois, recours au combat judiciaire qui mettait aux prises un champion de chacune des parties. La victoire, supposée donnée par Dieu, faisait apparaître de quel côté était le droit. Les textes de l'époque, littéraires ou historiques, reflètent sans ambiguïté le scepticisme des contemporains quant au caractère légitime de ce procédé et les abus flagrants auxquels il donnait lieu : il était plus facile, par ce moyen, à la force de se faire passer pour le droit, qu'au droit de se faire reconnaître pour tel. Mais la critique ne va pas jusqu'à nous montrer un coupable vainqueur.

19. Le connétable s'occupait de l'administration de la « maison » du roi et des grands feudataires.

20. Faut-il en conclure que le temps, laissé indéterminé, dans lequel se situent, le plus souvent, les aventures de Renart, est antérieur au schisme qui sépare l'Église de Constantinople de celle de Rome?

21. Recueil de textes juridiques de l'Église.

22. Traduction littérale du passage :

« Donc, seigneur, écoutez-moi. Nous trouvons écrit dans le Décret au chapitre sur la violation du mariage : Tu dois d'abord interroger l'accusé et, s'il ne peut se justifier, tu peux le condamner comme il te plaît, car il a commis un grand forfait. Et maintenant voici ma sentence : s'il ne veut pas fournir de réparation, que toute sa fortune soit confisquée, fais-le lapider ou fais-le brûler ce démon de Renart. Et vous, montrez-vous bon roi. Si quelqu'un méprise la loi et veut la violer, il doit le payer cher. Seigneur, au nom du Christ, si tu vénères la justice, si tu es bon seigneur, rends un bon jugement, ce sera à ton honneur par la Sainte Croix de Dieu. Car tu ne serais pas un bon roi si tu ne voulais pas juger selon le droit comme a fait Jules César, et dans ce jugement dire le droit. Si tu veux être bon roi, veille à bien parler. Attache-toi à ce principe : si tu n'estimes pas tes vassaux, entre en religion pour racheter leur vie et ne t'occupe plus de régner. Si tu ne juges pas conformément au droit, si tu ne rends pas bonne justice, tu n'es pas bon seigneur. Parle comme il te semble bon. Je ne sais pas ce que je pourrais te dire de plus. »

23. Nous disons au contraire : « Petite pluie abat grand vent ».

24. L'intérêt de cette longue liste ressortit à une poésie tant de l'énumération que du jeu de mots (calembours, à-peu-près, etc.).

Derivier : allusion à la légende de Macaire où un chien joue un rôle important.

25. Passage obscur.

26. « Dans un champ d'orge » dit le texte, ce qui lui fournit une rime à « gorge » mais ne présente aucune signification spécifique.

27. Le nom est là pour la rime.

28. Thibaut : ici, émir musulman, personnage emprunté aux chansons de geste.

29. Formule qui s'adresse au public, censément menacé par les mauvais coups à venir du goupil voleur.

30. Essart : champ nouvellement défriché; voir introduction.

31. Saint Thomas de Cantorbery.

32. Personnage non identifié.

33. Besançon n'est pas un centre musical réputé au Moyen Age, mais a l'avantage de rimer avec « chanson ».

34. Roland et Olivier, les deux héros de la *chanson de Roland.*

35. Personnage non identifié.

36. Il s'agit ici, comme le montre la suite de la branche, de la Saint-Jean d'hiver (27 décembre).

37. Désignée en Ancien-Français par le mot de « perron », elle permettait aux cavaliers, à qui elle servait de marchepied, de descendre plus facilement de cheval (ou d'y monter).

38. C'est la seule branche dans laquelle le château de Renart, généralement nommé Maupertuis, est associé à ce bourg du Pas-de-Calais.

TABLE

Tome I

Tome II

LA COMPOSITION, L'IMPRESSION ET LE BROCHAGE DE CE LIVRE
ONT ÉTÉ EFFECTUÉS PAR FIRMIN-DIDOT S.A.
POUR LE COMPTE DES ÉDITIONS U.G.E.
ACHEVÉ D'IMPRIMER LE 28 JUILLET 1981

Imprimé en France
Dépôt légal : 3ᵉ trimestre 1981
Nᵒ d'édition : 1281 — Nᵒ d'impression : 8000